連合赤軍の時代

三木武司

彩流社

目次

はじめに

今から五十年前の一九七一年から一九七二年にかけて、日本全国にその名を轟かせた男女学生を中心とする若者集団が存在した。その集団名は「連合赤軍」。

本書は、連合赤軍が引き起こした「連合赤軍事件」と呼ばれることになった一連の事件、および、連合赤軍事件が勃発するに至った当時の時代背景を踏まえ、事件の真相を明らかにしようと試みたものである。

そもそも連合赤軍とはどのような集団だったのか、簡単に紹介しておく。

戦後、一九四八年に結成された全日本学生自治会総連合(全学連)に端を発する学生運動の延長線上に、当時警察側からは「極左(きょくさ)」、マスコミからは「過激派」と呼ばれていた集団、その最たるものとして「共産主義者同盟赤軍派」と「日本共産党革命左派」という組織が存在していた。赤軍派の中央軍と革命左派の人民革命軍という二つの軍隊が連合(「合体」ではない。『統一公判控訴審連合赤軍総括資料集』一九九二)し結成された連合軍、これが連合赤軍である。実状は党そのものが軍隊となっていたと見なせる。もともと革命左派は小規模の集団で合法メンバーを次々と軍へ召集、赤軍派はこの時期には縮小してしまっていたのである。

私は、大学を卒業して二十三歳から定年退職となる六十歳まで、高校で理科(専門は生物)教員として勤務した。その延長線上として、この拙著をぜひ高校生にも読んでもらいたい。

私自身は、社会科学や心理学を専門的に勉強してはいない。事件の当事者でもない。このような者が、この手の本を著すのはお門違いと言われるかも知れない。ただ、門外漢(部外者)であるがゆえに気付く(述べる)ことができる部分も多いのではと思うのである。内側にいたのでは、見えない、あるいは一部しか見えないが、外側からだと全体が見られるように。また、当事者であれば、遠慮して言えないことが、部外者ならば何の遠慮もなく、客観的に感じたままを述べることができる、そのような利点を生かしたい。

本書を執筆するにあたって、こだわったのは、できる限り事実のみをベースにして検証、考察していくことであった。これまで昆虫関係のレポートを少なからず書いてきた著者としては、科学的なものにしたいと考えた。脚色をいっさい施さず、フィクションではなくノンフィクションに、文学ではなく社会科学分野の一冊とすることを目指した。

そのためには、当事者への取材をできる限り行い、当事者が書いている文献を丹念に読んでいく必要があった。当事者とは、もちろん事件を起こした犯人、つまりは連合赤軍のメンバーで、この拙著では主役になる。また、事件を取り締まった警察関係者、事件を報道したマスコミ関係者も当事者に加えることもできる。それぞれの立場で何人かの関係者たちが手記を残している。立場が違えば当然考え方、関わり方が違うわけで、本書では、それぞれの立場の視点から多角的(多面的)に事件を検証していくことを試みた。そのうえで、事件当時中学一年生だった著者が、五十年後に考察をまとめレポートとして発表することにした。事件に興味を持った中学一年生が新聞記事をスクラップし、週刊誌を購入し、その後関連文献を収集し続けていた著者が、提出を延ばしに延ばして、やっと宿題を提出したといったところであろうか。読者諸賢の批評を待ちたい。

東日本大震災、昨今の新型コロナウイルスの未終息は決して看過できるものではないが、こと治安面では平和な時代である。

今から五十年前の冬、極寒の群馬県の山中で共同生活をしていた二十九名の男女の若者集団。そこで事件は起こる。

「連合赤軍事件!」

このような事件が二十八歳を最年長とする二十代の若者と十九歳、最年少は十六歳の少年によって引き起こされたことが信じられるであろうか。一体何が起こったというのか?

スクラップしていた当時のサンケイ新聞の見出しを並べてみる。

「軽井沢で撃ち合い」「山荘に逃げ込む　管理人の妻人質」「別荘地に恐怖の銃声」「警官撃たれ2人死ぬ」「狂気の城」「連合赤軍、仲間殺し埋める」「裏切り者は〝死刑〟」「全裸の男女3遺体発掘」

「目をおおう現場」「狂った惨劇」「識者はこう考える『〝ゲリラ道〟はずれる』『単なる殺人集団』『革命の〝まねごと〟』」「地獄を演出した〝狂気の集団〟」「けものじみた争い」「遺体にすがり泣きくずれる肉親」「連合赤軍集団虐殺　地蔵峠また4遺体」「死臭漂う樹林の『共同墓地』」「無造作〝荷物〟なみ」等々。

想像できるだろうか？　一体どこで何事が起こったのか。紛れのない事実を明らかにしていく。凄惨極まりない事件の中に、多くの「人間ドラマ」が含まれている。ご一読あれ。

第一章　「この顔にピンときたら110番!」

連合赤軍のリーダーだった森恒夫を知ったのは、「この顔にピンときたら110番!」の名標語が黄色地に目だつ警察庁の特別手配のポスターであった(戯れにレプリカを作成してみた。一二頁)。

この特別手配というものは、二月を指名手配容疑者の捜査強化月間に指定し、全国で指名手配されている被疑者のうち、警察庁が殺人犯などの凶悪な刑事犯を選定し手配する制度であるが、一九七二年は、公安関係の被疑者が初めて選択されたのである。従来通りの刑事犯五名に、この年は公安関係五名(森恒夫、梅内恒夫、永田洋子、坂口弘、竹内毅)が加えられ、合わせて十名が特別手配され、ポスター、ちらしはもとより、テレビでのスポットコマーシャルを通して一般の協力が求められた。このうち、森、永田、坂口の三人が連合赤軍のメンバーだったのである。

小学校三、四年生の頃から巷の指名手配写真を見るのが好きだった。好奇心からか、ひょっとしてすぐ後ろに被疑者が立っていたりするんじゃないかといったスリルもあって、よく見入っていた

この顔にピンときたら110番！

連続金融機関強盗犯人！

森　恒夫　27歳

身長167cm
やせ型
面長
色黒
目が鋭い

警察庁特別手配

森恒夫の写真は朝日新聞社提供

ものである。

森恒夫の写真を見たのは中学一年の冬だった。斜めに写った彼の顔は少年心にも憧れを抱かせるアイドルスターのような端正な顔立ちをした青年のものだったのである。世俗的に言えばカッコ良かった。気になる存在になったのである。まさか、彼がその一、二カ月後、日本中を震撼させる大事件の首謀者になるなんて、露ほども想像できなかった。

その一年後の(事件後最初の)元日、「一年前の今日の何と暗かったことか。この一年間の自己をふりかえると、とめどもなく自己嫌悪と絶望がふきだしてきます」と書き残して、彼は拘置所内で自死をとげるのである。

「森恒夫自殺！」

そのニュースは、母方の祖母宅のテレビで知った。山陽新聞社に勤めていた伯父が「爆弾作りの名人か?」と聞いてきたので、当時中学二年の私が「違う」と答えたことを今もはっきりと覚えている。それは、それだけ神経が研ぎ澄まされていた、それだけ大きな衝撃を受けていた証であろう。「恒夫」という名前は爆弾作りの名人として知れ渡っていた「梅内恒夫」と全く同じ名前だったのである。伯父が間違えたのも無理はない。

話を戻して、警察庁による特別手配、その手配ポスターで、彼らの存在をはっきりと認識することになった訳だが、さて、その容疑は何だったのか。

森恒夫は一九七一年二月から三月にかけての、千葉、神奈川両県での連続四件の金融機関強盗事件の首謀者、梅内恒夫は一九六九年十月ごろ青森県弘前市内で鉄パイプ爆弾四十本の製造、永田洋子と坂口弘は一九七一年二月、栃木県真岡(もおか)市の銃砲店からの猟銃・実弾の強奪、竹内毅は一九七一年九月から十月にかけて東京都板橋区内のアパートでスポイト式時限爆弾六発の製造といった内容であった。因みに、森と梅内は赤軍派、永田と坂口は革命左派、竹内は赤軍派と同じく共産同を母体とする、赤軍派と類似したセクト(組織)であるRG(エルゲー)の中心人物で、その後、森、永田、坂口の三人が連合赤軍に集結するのである。

三人のメンバーが特別手配された一九七二年二月から三月にかけて、山狩り、あさま山荘事件、「総括」と新聞紙面、テレビで日増しに大々的に報道されていくことになるのである。

コラム1▼渋谷暴動事件顛末記

二〇一七年五月十八日、警察庁特別手配でおなじみの(有名な)中核派(註)の大坂正明(当時六十七歳)容疑者が逮捕された。指名手配から何と四十六年後の逮捕劇はマスコミを賑わせた。

潜伏先の広島県広島市安佐南区の中核派アジトで、大阪府警察の捜索時に、公務執行妨害で現行犯逮捕され、六月七日、親族とのDNA型照合で本人と特定され、殺人罪などで再逮捕されたという報道であった。

大坂容疑者が関与した事件は、一九七一年十一月十四日、渋谷署神山交番周辺に投じられた火炎瓶によって応援部隊の関東管区機動隊新潟中央小隊(新潟中央警察署)の警察官一人が火だるまとなり、翌日、収容先の病院で死に至ったという「渋谷暴動」と呼ばれている事件である。殺害された中村恒雄警部補(二階級特進による)も大坂容疑者も当時ともに二十一歳。沖縄返還協定反対闘争で起きた悲惨な事件であった。

ここまでに二つの疑問がある。

一つ目、指紋ではなくDNA鑑定で本人確認されたという点である。指紋がとられていなかったということは、初犯だったのか。調べてみた。インターネットで検索してみると、産経ニュース(二〇一七年六月八日発信)に、「逮捕されることなく『ノーマークの存在』(公安部OB)」という件があった。同じくWikipediaの渋谷暴動事件の書き込みに、次のような箇所を見つけた。「事件は大坂の家族にも影響を及ぼした。姉は退職を余儀なくされ、婚約も破談になった。事件が起こるまで大坂が活動家になっていたことを知らなかった父親は、大坂を勘当したうえで実家にあった大坂の私物をすべて焼却し(これにより大坂の指紋照合が困難になった)、家も引き払った。『(大坂を)東京になんかやるんじゃなかった』と後悔の言葉を口にしていた父親は、事件の数年後に死去した」というものである。一点目の疑問は解決したとともに、家族が巻き込まれた悲劇も知れた。

同じく、大坂容疑者逮捕後のzakzak(二〇一七年五月二十四日発信)に、殉職した中村警部補の兄の「警察に感謝」とのコメントが記されている。この中に、次のような件があった「事件後に警察病院で見た弟の変わり果てた姿は、今も脳裏に焼き付いている。倒されたところに火炎瓶を集中して投げられ、焼き殺された。全身が焼けただれて、一部は炭化していた。母親には対面させられなかった」。やりきれない兄は、弔問に訪れた後藤田正晴警察庁長官に次のように尋ねたという。「誰が悪かったのでしょう。弟を虫けらのように扱った学生は許せない。でも、学生の暴徒化は予想できたはず。どこかで折り合いをつけられなかったのか」(Wikipediaの渋谷暴動事件の書き込み)

二つ目、事件から四十六年後の逮捕という点。時効が成立しなかったのかという疑問である。

これについても調べてみた。産経ニュース(二〇一七年二月十四日発信)の記事をもとに、筆者が補記し、書き換えたものを次に記す。「大坂容疑者の公訴時効(殺人罪は当時十五年だったため、一九八六年には成立するはずだった)が成立しなかったのは、共犯の奥深山幸男が控訴中(一審判決懲役十五年)の一九八一年七月十五日に精神疾患のため公判手続停止が決定、共犯者の公判中を理由に刑事訴訟法二五四条二項の規定で公訴時効が停止していたためである。さらに二〇一〇年に刑事訴訟法が改められ、殺人罪の時効が廃止されたため、大坂容疑者の時効はなくなった」(つまり共犯者の公判停止、その停止中の刑事訴訟法の変更という二つの事情が合わさったことにより時効が不成立になったいきさつが判った。

さて、さらなる疑問、暴動のどさくさ紛れの中での凶行。果たして、大坂容疑者が犯人だったのか否か、特定できる決め手はあるのかという疑問である。

そもそも大坂容疑者が指名手配されたのは、どのような経緯からなのか、たどってみた。

朝日新聞一九七二年二月二十二日付の「一九七二年二月二十一日、中核派の奥深山幸男(二十一歳、高崎経済大四年)とA(十九歳、高崎経済大一年)とB(十八歳、群馬高専)の三人が殺人容疑で再逮捕され、星野文昭(二十五歳、高崎経済大四年)と大坂正明(二十三歳、千葉工業大四年)の二人が同容疑で指名手配された」という記事から、奥深山ら三人の自供から、星野と大坂の二人が割り出されたのかなと推定できる。

インターネット上の産経ニュース(二〇一七年六月八日発信)には、次のように記されている。

「街頭に防犯カメラのない時代。公安部は犯行現場を押さえた写真を拡大、『この男は誰だ』と地道な聞き込み捜査を続け、事件から三か月後の一九七二年二月、大坂容疑者を特定した」。

また、在京新聞社社会部記者で警視庁公安・警備担当だった滝川(一九七六)の一九七二年四月十日の記述に「11・14のリーダー格、奥深山が自供したという報道はデッチあげという主張。公安に突っ込んで聞いたところ、結局は自供は否定、あえて言えば〝自認〟だという。どういうことかというと、奥深山は『われわれ（中核派）も一生懸命やったし、敵（機動隊員）も一生懸命やった。われわれが何もしなかった、やっていないと言えば中村巡査の死は犬死にになるだろう』という表現をしたとか。したがって、この内容は調書にはならず上申書で、いわゆる自供にはあたらない。各社とも二月に公安から発表があって〝自供〟と書いたわけだが、あのときの記者会見を振り返ってみると、記者側から『殺人容疑に切り替えた契機は？　自供したということか？』と質問したのに対し、公安一課長は『まあ、そういうことです』と答えている。こちら側が『全員自供か？』とか、『奥深山は？』とか詰めて質問しなかった結果、あいまいなかたちで全員自供したような記事になったといえる。このへんにもやはり過激派関係原稿に慎重さを欠きがちなぼくらの日頃の姿勢が出ている感じ」とある。

奥深山幸男容疑者は一九七二年二月二日に逮捕され、三月十三日に殺人罪で起訴された。一九七九年十月二十三日に東京地裁で懲役十五年の判決を受け、控訴中の一九八一年七月十五日に公判手続停止の決定がなされた。二〇一七年二月七日に、急性呼吸不全で入院先の太田記念病院（群馬県）で死亡した（享年六十七）。

大坂容疑者とともに（同日）に指名手配された星野文昭容疑者は、一九七五年八月六日に殺人容疑で逮捕され、一審判決懲役二十年（求刑は死刑）、二審（東京高裁）判決無期懲役、一九八七年七月十七日に上告が棄却され無期懲役が確定、一九八七年十月三十日より徳島刑務所に在監。無罪を主張し二度に渡り再審請求書を提出(一九九六年四月十七日、二〇〇九年十一月二十七日)したが、二〇〇〇年二月二十二日再審請求棄却、二〇一二年三月三十日第二次再審請求が棄却され、同年四月三日に東京高裁に異議申立をする。肝臓がんを患い二〇一九年四月十八日に東日本成人矯正医療センター(東京都昭島市)に収容され、五月二十八日に手術を受けたが、三十日に容態が悪化し死亡した(享年七十三)。

時効が設定されていた(殺人罪以外は現在でも設定されている)のは、長い時間経過により立証が困難になるという理由からではなかっただろうか。容疑者側もそうであるし、当時取り調べにあたった公安の関係者も、その多くはすでに鬼籍に入っていることであろう。もともと物証の少ない事件、今さら(今になって)新たな証拠が出てくることは難しいであろう。大坂容疑者の今後の裁判の動向が注目される。大坂容疑者は「私は無実だ。私の裁判を星野さんの事実上の再審としても全力で闘う」と宣言している(「週刊前進」二〇二〇年二月十三日号)。

註

中核派。革命的共産主義者同盟(革共同)全国委員会と、その下部(学生)組織の日本マルクス主義学生同盟(マル学同)中核派の通称。新左翼最大の党派。連合赤軍の母体である共産主義者同盟(共産同、ブント)ではなく、一九五七年一月二十七日に結成された日本トロツキスト連盟(第四インターナショナル日本支部)が同年十二月一日に改称した日本革命的共産主義者同盟(革共同)を母体とする組織。一九六三年四月一日に分裂した革マル派(革命的共産主義者同盟革命的マルクス主義派の通称)とは数々の内ゲバを勃発させている。

第二章　発端

1　群馬県榛名(はるな)湖畔

山狩り、大量逮捕の発端となったのは、「子連れ女」だった。

一九七二年二月七日午前六時過ぎ、群馬県の国鉄(現JR)渋川駅前にあるタクシー営業所に、生後二、三カ月ぐらいの赤ん坊をおんぶした二十二～二十三歳の女が現れ「榛名湖畔へ行ってほしい」と言う。雪は降っているし、早朝である。石田正男運転手(三十三歳)は、てっきり自殺するんだなと思ったという。

女は丸顔で、買物バッグを一つさげ、よれよれのズボンをはいていた。ただ登山靴だけは新品。七～八時ごろ、駅前から約五十キロ離れた湖畔で〝不審な乗客〟を降ろした石田運転手。近くで雪かきをしていた顔見知りのスケート場切符売り場の江原貞三(五十七歳)に、自殺するかもしれないからようすを見てきてくれと頼んだ。おりから湖畔はスケーター・ラッシュなのだが、こんなに朝早くからやってくる客は珍しい。江原は自殺とにらんで湖畔そばの番小屋に親子を保護した。

「いや、いや、それが臭いのなんのって。ホラ、終戦直後上野の地下道にいた浮浪児のにおいとそっくりなんだ。それに赤ん坊なんてしなびていたね。手足のくびれがないんだよ。薄いピンクの産着なんて、生まれたときから着せっぱなしのものだよ。警察に連絡しようといったら、それだけはやめて、というんだよ。そのうち、私、生理なのでちょっと便所に行きたいけど、と言ってそのまま子供を置いて逃げたんだよ。車でおいかけて、つかまえて、どうしたんだと聞いたら、逃げようと思ったけどダメねと言う。その時、アノラックのところからアイスピックがちらっと見えたのが気になった。身元引受人はいないかと聞いたら、都内にいるT子さん(二十二歳)の名前をあげたんだ。勤務先に電話したらすぐこっちにくるというんだな。こんな榛名の山奥くんだりまでだよ。珍しい娘さんもいるものだと感心したが、ここまでくるのは大変なので高崎市の高崎署で会うことにした」

子連れ女が湖畔に現れてから三~四時間後の午前十一時過ぎ、高崎署榛名町幹部警察官派出所から警官が来て町の交通指導車で高崎署に身柄を移した。高崎署でT子さんに引き渡された赤ん坊連れの女は高崎でそれぞれ切符を買っていっしょにホームに出た。ところがT子さんは東京行きの列車に乗り込んだが女と赤ん坊は残った。

一方、子連れ女が高崎署に保護されているころ、榛名県立公園管理人の丸岡和平氏(四十八歳。

前年の一九七一年五月二十一日に、大久保清〔「第四章　連合赤軍の時代」参照〕が三月三十一日に殺害して埋めていた女子高校生津田美也子の死体を発見した人物）は、スケート場の前方にそびえる榛名富士の裏側の北回り道路に前からライトバンが乗り捨ててあるのが、どうも気がかりで、高崎署に通報した。現場はスケート場の番小屋から四キロほど（大久保清が死体を埋めた場所からは約八〇〇メートル）離れた場所で、高崎署員がかけつけ、前日、不審な煙が上がっているとの通報があったこともあり、現場からほど近い所に不審な小屋の焼け跡を発見した。午後六時過ぎ、捜査隊がライトバンのところに戻ってきたとき、車の後ろでしゃがんでいた子連れの女を見つけた。警察は彼女を近くのユースホステルに案内、夕食をとらせた。その後、タクシーに乗せ再び高崎駅まで帰した。親子を乗せたタクシー運転手は、乗客は高崎駅で降りたと証言した。（以上、「週刊サンケイ」一九七二年三月十日号をもとに改編）

数日後、この女の正体が、京浜安保共闘の中村愛子であることが判明。発見された焼け跡も坂東国男、植垣康博、前沢虎義たちが焼き払ったばかりの連合赤軍のアジト跡であったことが判ったのである。

また、赤ん坊は中村愛子の子どもではなく、中京安保共闘の山本順一と保子の長女頼良（らいら）であった。山本保子が逃亡したことを榛名山の山小屋を焼却しに行った坂東らに知らせるための中村の任務行動であった。

中村には、川島陽子らとともに、前年（一九七一年）十一月二十一日、府中市是政（これまさ）のアジトで逮捕された（その後不起訴となり釈放されていた）経歴があった。

2 妙義湖畔

一九七二年二月十六日十三時半ごろ、群馬県碓氷郡松井田町の通称中妙義の妙義湖畔の林道でライトバンがぬかるみにはまり動けなくなった。車には男四人と女一人が乗っていた。通りがかりのダンプカーに引っ張ってもらっているとき、過激派グループを捜索中の松井田署員の一人が「連絡してくる」と林道を走り出したため、車を押していた男三人は山中に逃走した。車内に残された男女二名は、車をロックし、車内に立てこもった。署員の説得にも応じず、缶詰をあけて食事をしたり、カーラジオを聴いたりして徹底抗戦した。

長時間の籠城、当然尿意も催すであろう、女は平然と放尿したという。筋金入りの、まさに「共産主義化された」女闘士の行動であった。

結末は二十二時四十五分、署員が車の窓ガラスを割り、カギをあけ、二人を森林窃盗の疑いで逮捕した。逮捕状の請求は、迦葉山の山小屋に出入りしていた男女を目撃していた地元民を連れてきて、二人がその男女に間違いないとの証言を得、二人が仲間と共に山小屋を作るために周囲の国有林を切った疑いでとの苦肉の策だった。この妙案を思いついたのは当時の警察庁警備局公安第一課課長補佐であった亀井静香（後の代議士）であった。

車の窓ガラスを叩き割られ、引きずり出されて逮捕されたのは、黒ヘルグループ（ノンセクト／セクトに属していない）の奥沢修一と京浜安保共闘の杉崎ミサ子であった。また、山中に逃走した三人は、坂口弘、植垣康博、青砥幹夫であった。坂口が杉崎に、「お前と奥沢はまだ指名手配にはなっていないし、顔も出ていないのだから、安心して行け。俺たちは帰るから」と言い、結果として二人を囮にしてしまったのであった。

3　籠沢（こもりざわ）

一九七二年二月十七日九時半ごろ、群馬県碓氷郡松井田町の妙義湖畔の林道を同湖から約一キロ山中に入った通称籠沢の岩場に男女二人が潜んでいるのを捜索（大規模な山狩り）中の機動隊員が発見した。十人の機動隊員が近づくと、男が刃渡り十五センチのナイフを抜いて「（近づくと）殺すぞ！」と怒鳴り、機動隊員の吉崎進巡査部長（二十四歳）の上に馬乗りになり、胸や腕を刺した。男はすぐに背後から二人の隊員に取り押さえられ逮捕された。

吉崎隊員は、ジュラルミン製の防弾チョッキを着込んでいたため、左ひじに二十針以上縫う大けがを負ったものの命に別状はなかったことは、吉崎自身の証言が物語る。

「二人は目だけがギラギラ光る異様な形相だった。取り押さえようと無我夢中で、けがに気づかなかった。自分で『けが人なし』と無線で連絡し、あとから訂正したほどだ」（大泉『あさま山荘銃

二人の機動隊員に挟まれて連行されている森恒夫（前側）と永田洋子（後ろ側）。写真提供・朝日新聞社

撃戦の深層（下）』二〇一二）

「殺してやる！」とナイフを振りかざした女は人相などからその場で永田洋子と断定されたが、男の正体はつかめず、その日の夕刊では「京浜安保（共闘）の幹部らしい男」と報じられた。指紋照合の結果、ようやく赤軍派最高幹部の森恒夫であると判明した。指名手配写真とは似ても似つかぬ容貌に「変身」していたからである。彼の手配写真をたびたび見ていた筆者も、テレビニュースでの映像で見た、その変貌振りはとても同一人物には見えなかった。「優男」は「いかつい男」に変貌していたのだ。髪型も前髪を垂らした七三分けから坊主刈りに変えていた。高橋（二〇〇二）によると、「森の手配写真は一九六五年十一月（十一日）、大阪で、日韓会談粉砕全国実行委員会主催の抗議デーのデモ隊の指揮者として府公安条例違反で逮捕（逮捕歴はこの一回だけ）された時のもので、七年も前のものだった」らしい。

特別手配中の「大物」二名が同時に逮捕される大捕物であったこの一件により、赤軍派と京浜安保共闘の両派が完全に「合体」していることが明るみになったわけである。

4　長野県軽井沢駅

一九七二年二月十九日七時過ぎ、軽井沢駅に風変わりな男二人女二人の四人組が現れた。

駅弘済会売店の店員の佐藤たけ(四十五歳)は男の一人がタバコと新聞を買ったときに、男の異様さに気付いた。若いのに顔色が悪く、ひどく元気がない。アノラック姿で、旅行者にしては荷物が何もない。目つきが鋭く、落ち着きがない。お金を受け取ろうとして男の手を見ると垢と泥で真っ黒に汚れており、顔も汚く何日も風呂に入っていないようで、汗くさい異様なにおいが鼻を突いた。男の顔をまじまじと見つめると男は顔を背け、二メートル離れた待合室のストーブを囲んでいた仲間の方を振り向いた。そのとき彼女は、これは新聞やテレビで騒いでいる妙義山の過激派グループに間違いないと思った。佐藤は男に釣り銭を渡して、トイレに行くふりをして売店を出て助役室へ駆け込んだ。通報を受けた青木義男助役(四十六歳)が軽井沢署に110番通報した。

四人は、七時五十九分発高崎発長野行きの下り普通列車に乗るため(小諸までの切符を買っていた)、改札を通ってホームに入る。人目につくのを恐れるかのように、男二人、女二人の二組に分かれて、三両編成の列車の二両目と三両目の別の車両に乗り込んだ。そこへ、連絡を受けて駆けつけた軽井沢署員が乗り込み、それぞれに職務質問を行った。その際、男の一人(自称中野英雄)が答えた住所「長野市内幸町」が実在しないことから、怪しいとふんだ署員がホームに降りるよう促したが、二人は応じない。押し問答が続くが、女二人が署員に囲まれホームを歩いているのに気付いた二人はようやく席を立つ。デッキからホームへ降りる際、ホームの反対側に飛び降りようとしたり、暴れて抵抗したため公務執行妨害現行犯で、女二人も、鉄パイプ爆弾一個と散弾の実包二発を座席の下に隠そうとしたり、登山ナイフを持っていたりしたため、爆発物取締罰則違反、銃刀法違反の現行犯で逮捕された。

「中野」を逮捕した、軽井沢署の南原福仁巡査は次のように記している。

「『まあ立てや』と言って、相手の右肩に手を触れると、自称中野もしぶしぶ立ち上がった。横にいた自称佐々木三郎もそれにならって、デッキに向かった。私は中野の足もとを見て、接するようについて行ったが、デッキに出ると中野は振り向きざま、その右ひじで私の右顔面を突き、さらにホームと反対側に逃走しようとした。私は間合をつめていたので、とっさに手をのばして中野の両腰に手を回し、ホームへ連れ出した。その時かけつけた機動隊の小林守巡査とともに逮捕したのであるが、その抵抗ぶりはすさまじいものだった」(長野県警察本部警備部教養課／一九七二)

同じく、応援に駆けつけ「中野」を逮捕した機動隊の小林守巡査は次のように記している。

「二両目後部乗降口から、頭髪ボサボサ、長靴をはいた男が、ホームに飛び降りてきた。すぐその後ろから軽井沢署の南原巡査が、手を前に伸ばし、つかまえようとするかのようにホームへ降りてきた。南原巡査の右肩からは、交通用警笛のちぎれたクサリがたれさがっていたので、私は一目で南原巡査に暴行して逃げようとしているな、とわかったのでダッシュした。背後に飛びかかり、南原巡査と協力してホーム上に押し倒した。南原巡査が、『早く手錠をかけてくれ』と叫んだので、私は警備ズボン左ポケットから手錠を取り出し、一方の手に手錠をかけた。さらに、もう一方の手に手錠をかけようとして、相手の手首をつかんだところ、男はつかまれた手を自分の口元に引きつけ、私の右手首にいきなりかみついたので、私は左手で頭を持ってこれを振り取り、なおも手錠をかけようとしたところ、開いたままになっている手錠を男は手で握りしめ、力まかせに曲げて使用不能にしてしまった。私は抵抗する相手の首元を右膝で押さえつけ、起きられないようにし、そばにいた署員から手錠を借り、逮捕した」(長野県警察本部警備部教養課／一九七二)

軽井沢署が四人の足取りを捜査したところ、南軽井沢のレイクニュータウン発の軽井沢駅行きのバスに乗って駅まで来たことが判った。

軽井沢署に連行された四人は黙秘を続けたが、指紋照合の結果、まず、自称中野英雄は赤軍派の植垣康博であることが確認され夕刊で報道された。夕刊段階では「年齢二十～二十三歳。身長一六八センチ、鼻が高く目が大きい」と書かれたもう一人の男(自称佐々木三郎)は、やはり赤軍派の青砥幹夫、「年齢二十～二十二歳ぐらい。身長一五〇センチ、おさげ、丸顔」の女は中京安保共闘(京浜安保共闘が母体の中京地域の組織)の寺林真喜江、「年齢二十二～二十四歳。身長一五〇センチ、髪が長くボサボサ、丸顔であさ黒」の女は京浜安保共闘の伊藤和子と判明した。

当時中学一年生であった筆者は、テレビのニュースで植垣が連行されている映像を見て、その記憶は今でも残っている。指名手配写真とは別人のように頬がすっかりこけ、やせぎすの植垣が両脇を固められ、殺気だった目つきでふてくされた姿で引っ張っていかれていた。植垣本人はその時の様子を次のように書いている。

「私たちは機動隊に囲まれるようにして駅前の交番に連行されたが、(抵抗した際、三人がかりで私を押さえて手をねじりあげ、かけられた手錠の先によって)肉をそぎとられた左手首からは血が吹き出し、手錠がくい込んで激痛がした。交番に入ると、ストーブがあったので、それを蹴とばしたが、ストーブに火がなく、ガッカリさせられた。警官たちは、私の腕をねじりあげて身動きできないようにしてしまった。しばらくすると、トラックが来て、それに乗せられ、軽井沢署に連れて行かれた」(植垣/二〇一四)

余談だが、お手柄の佐藤たけさんの住所と実名が新聞に出たことにより、関西赤軍派と名乗る者からの脅迫電話や脅迫状が舞い込むことになり、佐藤さんの身辺警戒に署員五名が配置されたとのことである(佐々/一九九六)。

5　レイクニュータウン

一九七二年二月十九日十四時過ぎ、軽井沢駅で逮捕された四人がレイクニュータウン始発のバスに乗って駅で下車したことを突きとめた軽井沢署は、レイクニュータウンを中心とした南軽井沢の別荘を徹底的に調べることを決めた。

命令を受けた長野県機動隊町田勝利分隊隊長(二十八歳)以下五人は早速軽井沢署をパトカーで出発、十四時半過ぎレイクニュータウンに到着した。

レイクニュータウン、妙義山の洞窟から山越えをしてきた連合赤軍の生き残り組九名が辿り着き、戸惑ったところである。何しろ、彼らが佐久を目指す唯一の手がかりの地図に出ていなかった、まさに「新しい街」だったからである。

植垣(二〇一四)はその時の様子をこう書いている。

「そのうち、街灯が並んでいる道路が見えた。これがレイクニュータウンの端であったが、そのようなものは地図に出ていなかった。私たちはそんなものに目もくれず県境沿いを歩いていくべきであった。というのは、地図によれば、日暮山の西の位置から佐久に向かう林道が始まっており、そこまでにはまだかなり歩かなくてはならなかったからである。しかし、疲労から少しでも佐久に近づいていると思いたかった私たちは、地図に出ていないその道路に眩惑され、それを佐久に向かう道路と勘違いしてしまったのである。私たちは、県境沿いからの山道からその道路に移ったが、一旦勘違いすると、あとはとめどもなかった。道路は、小さな山を越すと、いきなり大きな造成地のような所に入ってしまった。家が一軒もなく、ただ多くの道路が迷路のように交差し、無数の街灯だけが明るくともっているその光景は異様だった。突然山のなかに家が一軒もない町が出現したようで、私たちは完全に混乱し、自分たちがどこにいるのか見当もつかなくなってしまった。わけのわからない所をウロウロして、疲労が重なるばかりだった」

十四時四十分ごろ、捜索班は落葉松通りをさつき山荘付近まで上ったところで、純白の雪の中に、群馬県境に近い東方の若草山から延びる一筋の足跡を発見した。運転していた穐沢（あきざわ）正夫巡査（二十五歳）を残し、町田分隊長と大野耕司巡査長（二十八歳）、永瀬洋一郎巡査（二十四歳）と井出久実巡査（二十三歳）の二人ずつの二班に分かれて足跡の確認をしたところ、雪中の足跡は数時間前につけられたと思われる鮮明なものであった。それは数名分と認められ、さつき山荘に達していることが確認された。

「さつき山荘が怪しい」隊員たちは山荘に近づいた。山荘は傾斜地に建てられており、西側の道路側が玄関になっており、東側は二メートル近い（高さの）床下となっている。足跡を追って床下に入ったところ、上の床からミシミシという音が聞こえてくる。上の屋内に人が動いている気配が感じられた。町田分隊長は全員に拳銃の弾詰めを命じた。まず、道路に面した玄関のドアを引いてみたが鍵がかけられている。声を掛けてみたが応答がない。北側のテラス付近で、内部で人の動いている気配がはっきりと感じられた。「内部に連合赤軍の一味がいる！」捜索班全員が緊張した。山荘の壁に身を隠しながら町田分隊長が、「中に誰かいるようだったら、聞きたいことがあるから、戸を開けて外に出てこい」と声を掛けて雨戸を引くと、部屋の中から「バーン」と銃声一発。続けざまに「バーン、バーン」と連射してくる。町田分隊長が「抵抗はやめろ」と叫びながら、上方に向けて一発、拳銃で威嚇射撃をし、付近に身を隠すものがなかったため、山荘から四十メートルぐらいのところにあった石の陰に飛び込んだ。東側のテラスにいた永瀬、井出の二人の隊員もテラスから飛び下り、雑木林の中に飛び込んだ。

一味は散弾銃でメチャクチャ撃ってくる。町田分隊長が「無駄な抵抗はやめて、銃を捨てて出てこい」と、何回となく警告したが応答がないので、さらに二発目の威嚇射撃をした。しばらくすると、西側の玄関の戸が開いて一味が戸外に出てきたので「銃を捨てて、抵抗をやめろ」と叫びながら、拳銃を二発撃ったところ、一味は屋内に引き込んだ。今度は南側の窓を開けて「バーン、バーン」と撃ってきた。山荘から南側に三十メートルほど離れた雑木林に待避した大野巡査長の右頬や左手に散弾が当たり、流れ出た血が雪を赤く染めた。隊員たちがひるんだその一瞬の間に、一味は南側の窓から一斉に飛び出し、銃を乱射しながら道路を上方に向かい逃走した。撃たれた大野隊員は、負傷しながらも、逃げたのが五人であることを確認した。最初の一発から一味が逃走するまで約十五分。その間に銃撃は三十～四十発あった。

パトカーにいた穐沢隊員は、銃撃戦が始まると同時に無線で「過激派グループのアジトらしい別荘を発見した。付近で発砲の音がする」と至急報を入れた。町田分隊長らは直ちに追跡を開始した。恩賀峠に配備されていて、「現在、落葉松通りの山荘で犯人たちを発見したが、発砲されている。至急、応援を頼む」との穐沢隊員から軽井沢署への無線通話を傍受した機動隊の丸山一司隊員ら三名が応援に駆けつけた。一味が逃げた道を足跡をたどりながら追う。上の建物のベランダに銃を持った男がいるのが見えた。「あっ！　いたぞ。銃を持っている。撃ってくるぞ！」と先頭にいた永瀬巡査が叫ぶと同時に「バーン」と一発。距離は八十～九十メートル。永瀬巡査が撃たれた。岩陰に飛び込み、一緒にいた丸山隊員が、「痛い、痛い」と尾てい骨をおさえている永瀬隊員のズボンを脱がして調べてみると、ライフル弾が尾てい骨に突き刺さって止まっていた。「連中はあの建物にいる」。上の道路から確認すると、河合楽器の保養施設である「あさま山荘」と判明した。（以上、北原／二〇〇七をもとに改編）

この時より二十八日の夕刻まで、歴史に刻まれる銃撃戦の舞台となるのである。

コラム2▼「革命戦士」の変装術、変貌ぶり

巷に指名手配写真が貼りまくられ警察に追われていた「革命戦士」たち。彼らはカツラを被ったり、ひげを伸ばしたり、変装に出来うる限りの工夫を凝らしていた。

一九七〇年十二月十八日、上赤塚交番で射殺された死体を見た警視庁のベテラン刑事は「こりゃ、尾崎康夫にまちがいない」と断定したそうだ。ヒッピースタイルの長髪、アゴひげが尾崎の特徴そのものだったからとか。しかし、指紋照合の結果は一年四カ月も行方のわかっていなかった柴野春彦であった。ポケットには変装用とみられるメガネ、帽子、リップクリームが入っていたとのこと（「朝日新聞夕刊」一九七一年二月十八日付）。指名手配中の柴野が変装用にのばしたアゴひげを指

し、「ヤギひげのようだ」と私鉄電車の向かいの席に座った女子高生たちがクスクス笑いながらささやき合っていたと柴野がおかしそうに話したことがあったらしい（坂口『あさま山荘1972（上）』（一九九五）。

一九七一年三月二十七日朝、川崎市生田で、赤軍派のアジト斎藤荘を張り込み中の稲田署員二人と男三人女一人がもみ合い（格闘）となった。その際、男2人の長髪がずれた。カツラをぬいだ二人は短髪。一人は指紋などから鈴木裕（二十歳、弘前大学生）とわかったが、手配写真とは似ても似つかぬ姿に、調べ官も「これが手配の鈴木か」と疑ったほどだった（「朝日新聞」一九七一年三月三十日付）。因みに逮捕されたもう一人のカツラの男は加藤和博（二十一歳）で、一緒に二階の部屋にいた関博明（二十一歳）と、真っ先に踏み込んだ金谷昭夫巡査部長（二十九歳）に熱湯を浴びせた玉振佐代子（二十三歳、元同志社大学生）は逃走した。

一九七一年四月二十一日付の朝日新聞に、「過激派女闘士その素顔と活動」との見出しの記事が載っている。偽名を使うのはもちろん、「化身の術をタップリ使い」とあり、ヘアスタイル、化粧の変化、カツラ、マユをそり落としてマユズミを使ったりと、「女は確かに化ける」とある。京浜安保共闘の石井功子（二十八歳）の一九七一年四月十五日大阪府門真市のアジトでの逮捕時の出で立ちは、黒のセーター、ミニスカート、ナイロンストッキング。赤軍派の玉振佐代子の一九七一年四月八日川崎市の看護婦寮内での逮捕時の出で立ちは、メガネをかけ、髪型を変えていた。紺色のミニワンピース、ベージュのミディコート、青色バックスキンの中ヒール、ファッション雑誌「アンアン」に茶色のハンドバッグ、ファッションモデルみたいなお嬢さんのなりであったという。二人とも、ジーパン、ヘルメット姿というこれまでの「女性活動家」のイメージはなかったと伝えている。

女闘士だけでなく、一九七一年八月二十一日深夜に新宿区内の喫茶店で逮捕された京浜安保共闘の雪野建作(二十三歳)は無精ひげをのばし変装していたが、見抜かれ逮捕された。「長い間の潜伏生活でげっそりとやせていた」とも朝日新聞一九七一年八月二十三日付は報じている。

一九七一年十二月二十一日十七時過ぎに国電中央線武蔵境駅のホームで逮捕された川島陽子(二十八歳)はオカッパのかつらをかぶりツケまつげ、厚化粧を施し、指先を全部、薬品で焼いて指紋を消していた(「連合赤軍事件緊急特集号」一九七二)。

連合赤軍リーダーの森恒夫は逮捕時、正体を見抜かれなかった。「インテリらしく額にたれていた長髪もすっかりない。あれでは町中で会っても森と気がつかないよ」と警視庁から派遣された公安の面割り担当が嘆いた(「朝日新聞」一九七二年二月十九日付)という。

一九七二年二月十七日、妙義山麓で永田洋子とともに逮捕された際、永田はすぐに面が割れたが、夕刊段階でも森の名前が割れず、朝日新聞夕刊も「京浜安保の幹部らしい男」と報じていた。「夕刊の写真をみてどうも森に似ているという話が出たくらいだから、警視庁公安もお粗末だ」と、滝川(一九七六)は皮肉っている。「指紋照合が遅れたせいもあるだろうが、印象的に手配写真とまったく違って、ヘアスタイルがGIカットふうで、たくましい感じになっていたのに惑わされたようだ」と加えている。仲間たちも、「土建屋のおっさん」のようだったと書いており、「おやじさん」と呼ばれていたようだ。

筆者も、連行される坊主頭の森の姿をテレビのニュースで見て、別人のような変わり様だなと思ったものである。

赤軍派の植垣康博もこう書いている（植垣／二〇一四改）。

「坂東氏は、自分の太い眉毛を剃って細くするなど、変装に余念がなかった。私も指名手配に備えてできるだけ変装することにし、メガネをダンディなものに変えることにした。そこで一九七一年三月二十四日の昼前、花巻駅前のメガネ屋に行って黒ぶちのメガネを買った」

第三章　連合赤軍前史

「過激派」「極左」と呼ばれていた彼ら

一九六九年一月十九日、東大安田講堂の籠城部隊が警視庁機動隊に鎮圧され、前年をピークとした大学紛争の天王山は終わった。その前後の一九六八年十月二十一日の国際反戦デー・新宿騒乱事件における惨敗、一九六九年四月二十八日の4・28沖縄デー闘争における機動隊からのガス弾や放水車などの近代的精鋭武器による弾圧は、学生運動に閉塞感、行き詰まりを感じさせた(田原／二〇〇四)。多くの学生は運動を諦め、全共闘運動、七〇年安保闘争は終結した。しかし、合法闘争の限界を感じた一部のセクト(フラクション)は、非合法闘争すなわち武力を行使する闘争を目指して、武装化を進めるようになる。その最たる組織が赤軍派と革命左派(京浜安保共闘)であった。

以下に赤軍派系列、関連の事柄(事象)を最初に、革命左派系列、関連の事柄(事象)をその後に書き並べてみる。それぞれの冒頭に示したとおり、理論面からみると両派は全く異質である（四三頁の系譜図参照）。ただ、革命左派の結成の中心人物である河北三男と川島豪（つよし）が、赤軍派の母体である共産主義者同盟（ブント）に加入していたことから、両派ともブントの流れを汲む点は共通している。

赤軍派

赤軍派はキューバ革命の立役者エルネスト・チェ・ゲバラを崇拝し、ゲバラが主張する「世界同時革命」（提唱者はウラジミール・イリイチ・レーニン）を唱える。赤軍派の母体は共産主義者同盟（ブント、略称は共産同）である。ブントは全学連（一九四八年九月十八日に結成された各大学の学生自治会の連合組織「全日本学生自治会総連合」の略称。初代委員長は武井昭夫（てるお）の学生党員で日本共産党に叛旗を翻した島成郎（しげお）を中心に一九五八年十二月十日に結成され、六〇年安保闘争の指導的な役割を担った組織である。

一九六〇年七月二十九〜三十日の共産同第五回大会で、安保闘争の総括をめぐってブントは戦旗派、プロレタリア通信派（プロ通派）、革命の通達派（革通派）の三つに分裂する。一方、安保闘争を評価した共産同関西地方委員会は自立化し組織を継承、一九六二年四月に関西共産主義者同盟（関西ブント）として結実（飛鳥浩次郎議長）し、唯一その動員力を維持し続けていた（査証編集委員会編／一九六八）。関西ブントだけでは全国的に闘えないのでブントを再建しなければならないといった気運が新開純也（赤軍派の議長になる塩見孝也の師匠的存在、京都大学）、田中正治（同志社大学）を中心にして高まる。

一九六五年四月、塩見は上京し、同年六月十五日に関西ブントに独立社学同（独立ブント）を併せ共産同統一委員会が結成される。ブント統一委員会と（東京社学同［東京ブント］が分裂してできた）マルクス主義戦線派（マル戦派）が合わさり念願のブントが再建され第二次ブント（松本礼二議長）に至るのは一九六六年九月一日の共産同第六回大会でのことだった。

第二次ブントはその後また内部対立し、まずはマル戦派が離脱、その後、共産主義者同盟中央派、同赤軍派、同情況派、同叛旗派の四つに分かれた。

一九六九年七月六日四時ごろ、塩見ら関西ブントが明治大学和泉校舎を襲撃、東大安田講堂での攻防戦で撤退を命じられたことに端を発する対立が抜き差しならぬものとなり、仏徳二（本名・右田昌人）共産同議長にリンチを加えた。十一時、関東派の報復により、塩見、花園紀男、望月上史、物江克男の四人が中央大学一号館三階の経済学部長室（読売新聞社会部／一九七二）に監禁された。

七月二十四日、塩見ら四人が、花園が妹に持ってこさせた縄を使い（松岡／二〇一九）、外壁を伝って脱出したが、望月が転落、塩見らが病院へ運び込んだが九月二十九日に意識不明のまま死亡した（享年二十二）。この一連の内ゲバによって第二次ブントから赤軍派が分派することになった。

一九六九年八月二十八日、神奈川・城ヶ島のユースホステルで共産主義者同盟赤軍派の結成集会が開催された。本部を同志社大学学生会館内に置き、政治局員（ＰＢ）は塩見孝也（京大）、田宮高麿

（大阪市大）、上野勝輝（京大）、堂山道生（同志社大）、高原浩之（京大）、花園紀男（早大）、八木健彦（京大）の七人、政治局議長には塩見が選ばれ、軍事委員長に田宮、組織委員長に堂山が就任した（山平／二〇一二）。

一九六九年九月三日、関東学院大学で赤軍派結成政治集会、四日に葛飾公会堂で赤軍派大政治集会が開催され三百名が参加した（査証編集委員会編／一九八六）。五日に「全国全共闘連合結成大会」が日比谷公園野外音楽堂で開催され、革マル派を除く反日本共産党系八派（中核派、ブント、ML同盟、社青同解放派、第四インター、および構造改革派系の三派のプロ学同、フロント、共学同）の学生約二万六千人が集結、赤軍派百人余が竹竿などを持って、人数では二～三倍の関東派学生の集団を突破し、初登場した。

塩見孝也（しおみたかや）。一九四一年五月二十二日大阪市生まれ。父は医者。兄がいる。小学校二年まで岡山県神根（こうね）村、小学校三年からは広島県尾道市で過ごす。広島大学教育学部附属福山中学校・高等学校（中高一貫校）を卒業。二浪の末、一九六二年京都大学文学部入学。一九六九年八月二十八日に赤軍派結成、政治局議長を務める。塩見の理論は、「資本主義から社会主義への移行期であるこの過渡期世界で、われわれが軍を持ち前段階武装蜂起を果たせば、それは本格的な蜂起の起爆剤となり、世界同時革命への道が拓かれる」というものであった。

一九七〇年三月十五日に爆発物取締罰則違反、四月二十一日によど号事件の共謀共同正犯で再逮捕、十月六日に首相官邸武装占拠を目的とした大菩薩峠軍事訓練に関する破壊活動防止法(破防法)三十九、四十条で同法適用での逮捕者第一号となり(スタインホフ/一九九一)、起訴。一九八〇年一月三十日に懲役十八年の判決を受け、一九八三年七月二十七日に刑が確定、二十年近く(十九年九月)を獄中で過ごし、一九八九年十二月二十七日に府中刑務所を出所。豪快な言動の持ち主(豪放磊落(らいらく))だが、反面いい加減。大風呂敷を広げるタイプで、議長のこの性格が赤軍派の特徴にもなっていた。晩年はかつての仲間(部下)たちから、すっかり愛想を尽かされシーラカンス(生きている化石)状態だった(扱いを受けていた)。二〇一七年十一月十四日心不全で死去。享年七十六。

一九六九年九月二十日、京都大学周辺での火炎瓶による解放区闘争、大阪では二十二日に、大阪市阿倍野区旭町の金塚派出所と旭町一丁目派出所、同区阪南町の阪南北派出所を火炎瓶で襲撃(京都、大阪戦争)した。

一九六九年九月三十日、田中義三が隊長を務め(山平/二〇一一)東京の本富士署を火炎瓶で襲撃(東京戦争)した。

「前段階(武装)蜂起」として行われたこれらの闘争は、佐藤首相の訪米を阻止するため、派出所を襲撃し拳銃を奪い、その拳銃を使って首相官邸を武装占拠するという計画に基づいて行われたものであった。

一九六九年十月十六日、九月五日に日比谷野外音楽堂で対立する社学同関東派学生多数にけがをさせた凶器準備集合罪、暴力行為の疑いで高原浩之(二十六歳)と堂山道生(二十六歳)が逮捕された。一九六九年十月二十四日十九時過ぎ、東京都新宿区若松町の警視庁第八、九機動隊舎に若宮正則が一九七九年三月の公判で自供したピース缶爆弾(一九八二年五月、元マル戦派の牧田吉明が自分たちが製造したと証言した)を投げるが、立番中の機動隊員が踏み消し(高幣(たかへい)/二〇〇一)不発となった。

一九六九年十月から十一月初旬にかけて、梅内恒夫らが福島県立医大および青森県弘前市内で製造していた鉄パイプ爆弾十七本を山野辺武が受領、十一月二日ごろ都内に搬入した(山本徹美/一九九五)。軍事訓練場となる大菩薩まで運んだのは大越輝雄(角間/一九八〇)だった。

大菩薩峠事件。一九六九年十一月五日、明後日に計画していた首相官邸突入の軍事訓練のため山梨県塩山・大菩薩峠の山小屋「福ちゃん荘」に集結していた赤軍派五十三名(女子学生二名や高校生九名を含む)が〝暁の奇襲〟を受け(寝込みを起こされて引きずり出され)、凶器準備集合罪で全員逮捕された事件。政治局員の上野勝輝(二十四歳)と八木健彦(二十六歳)、中央委員の松平直彦(二十二歳)らの主力活動家が逮捕され、十一月十七日に花園紀男(二十三歳)も一九六八年十月二十一日の防衛庁闘争での保釈逃亡により箱根で逮捕された(荒/二〇〇五、「毎日新聞夕刊」一九六九年十一月十七日付)ため、のちに(一九七〇年一月)、一九六九年七月

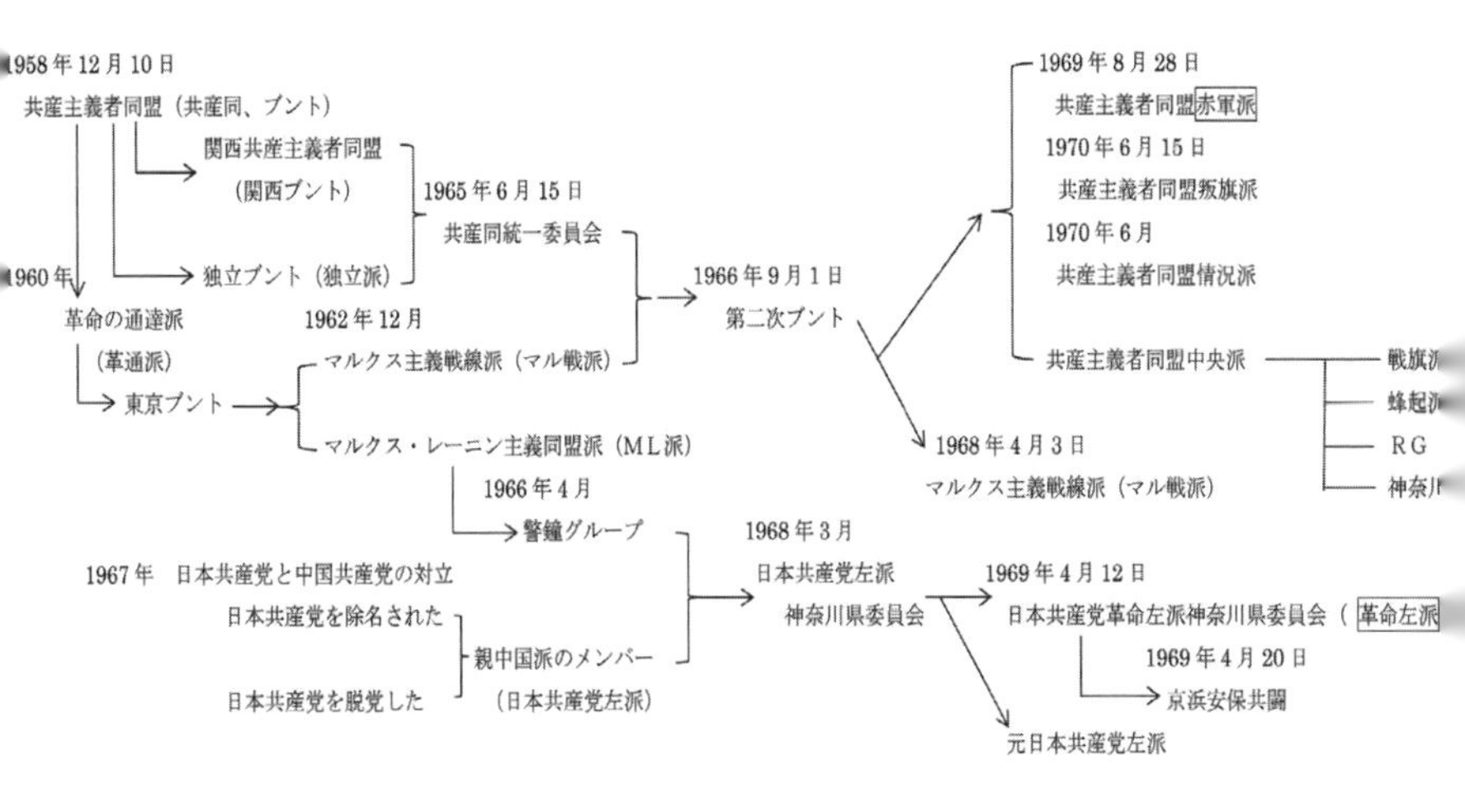

六日に敵前逃亡していた森恒夫が復帰する遠因ともなった。

一九六九年十一月十七日零時十分過ぎ、吉川公平が寝屋川署前でパイプ爆弾を爆発させ、警察官六人が重軽傷を負った。同日、大菩薩峠事件で押収された鉄パイプ爆弾の製造に関わっているとして梅内恒夫が爆発物取締罰則違反容疑で指名手配された。

一九七〇年一月ごろ、高原浩之が保釈された（塩見／二〇〇三）。

一九七〇年三月十五日、前年10・21（国際反戦デー）のピース缶手製爆弾事件の最高責任者として（鹿砦社編集部編／二〇二〇）、爆発物取締罰則違反容疑で指名手配されていた塩見孝也が、山手線駒込駅近くで逮捕された（田原／二〇〇四）。

よど号ハイジャック事件。一九七〇年三月三十一日

〜四月三日、前段階武装蜂起を目指す「国際根拠地論」に基づき、羽田発福岡行きの日本航空機三五一便よど号をハイジャックし北朝鮮へ連れて行かせた日本初のハイジャック事件。実行犯はリーダーを務めた田宮高麿(二十七歳、大阪市大)、サブリーダー格の小西隆裕(二十五歳、東大医学部中退)、岡本武(二十四歳、京大中退)、赤木志郎(二十二歳、大阪市大)、若林盛亮(二十三歳、同志社大除籍)、安部公博(二十二歳、関大除籍)、田中義三(二十一歳、明大)、吉田金太郎(二十歳、日立造船工員)、柴田泰弘(十六歳、神戸市立須磨高校中退)の九名だった。

田宮高麿(たみやたかまろ)。一九四三年一月二十九日岩手県盛岡市にて四男一女の四男として生まれた。父は農林省役人で転勤が多かった。一九六二年大阪府立四条畷高校卒業、大阪市立大学経済学部入学。赤軍派政治局員。軍事委員長となり、よど号ハイジャックのリーダーを務める。乗客との「お別れパーティ」では大学の詩吟部仕込みの詩吟を朗々とうなった(コラム3参照)。一九九五年十一月三十日、謎の死とも言われている突然の心臓発作で死去。享年五十二だった。塩見の印象は「小柄だがエネルギーの固まりみたいな全身鋼のような男で、小気味よい、全身で文句を吐き出す、という感じだった」(塩見/二〇〇三)

一九七〇年五月、堂山道生が保釈された(塩見/二〇〇三、連合赤軍事件の全体像を残す会/二〇一三)。

ハイジャック事件後、高原浩之（元京大生）の下で赤軍派第二次政治局がスタートする。高原、堂山道生、川島宏（東大）といった指導メンバーのほかに、山田孝（京大）、物江克男（滋賀大）、和田千声（ちうね）（関大）、森恒夫（大阪市大）などのメンバーだった（「情況」二〇〇八年六月号）。高原は「PBM作戦」を打ち出した。P（ペガサス＝天馬）作戦は、要人を誘拐し人質とし、獄中の塩見を奪還するという計画で〝稀代のアジテーター〟和田が担当、B（ブロンコ＝暴れ馬）作戦は、アメリカに渡ってペンタゴン突入、日本で霞ヶ関占拠と、日米同時蜂起を決行するという計画で、森（大泉『あさま山荘銃撃戦の深層（上）』二〇一二）または山田（連合赤軍事件の全体像を残す会／二〇一三）が担当、M（マフィア）作戦は、金融機関を襲って資金を調達するという計画で川島が担当することになった（山平／二〇一一改）。

一九七〇年五月三十日、指名手配中の塩見孝也を杉並区天沼のアパートにかくまったとして犯人隠匿の容疑で、山田孝が警視庁に逮捕（「サンケイ新聞」一九七二年三月八日付）。

一九七〇年六月七日、よど号ハイジャックに共謀したとして指名手配されていた第二次政治局員の高原浩之（二十六歳）が強盗、監禁、国外移送略取などの容疑で横浜市鶴見区で逮捕。

一九七〇年六月九日、よど号ハイジャックに共謀したとして指名手配されていた第二次政治局員の物江克男（二十二歳）が強盗致傷、監禁、国外移送略取などの容疑で逮捕（「朝日新聞」一九七〇年六月十日付）。

一九七〇年七月十一日、よど号ハイジャックに共謀したとして公開捜査されていた（「朝日新聞」

一九七〇年七月十二日付）第二次政治局員の川島宏（二十七歳）が強盗致傷、監禁、国外移送略取などの容疑で逮捕。

一九七〇年夏、和田千声が離脱した（連合赤軍事件の全体像を残す会／二〇一三）。

〈第二次赤軍の時代へ〉

一九七〇年八月、堂山道生と森恒夫が中心となって学習会を開いた（連合赤軍事件の全体像を残す会／二〇一三）。

革命左派

革命左派は「銃のみが政権を生み出す（権力は銃口から生まれる）」という中国共産党の指導者だった毛沢東の武力革命（武闘）理論に基づく「一国革命論」を唱え、「反米愛国」をスローガンに掲げていた。革命左派（京浜安保共闘）の系譜は次のようになる。一九六六年四月に生まれた警鐘グループ（社学同元委員長だったマルクス・レーニン主義同盟派（ＭＬ派）[1]の河北三男が元ブントマルクス主義戦線派（マル戦派）[2]の川島豪を誘って作った研究グループ）に、一九六七年、日本共産党と中国共産党の対立が表面化し、日本共産党から除名された、あるいは同党を離党した親中国派（文化大革命を支持した）のメンバーが合流、日本共産党左派神奈川県委員会が結成される。一九六九年四月十二日、新左翼の街頭闘争を評価しない元日本共産党左派(親中国派)の望月登らのメンバーと分裂して革命左派神奈川県委員会(革命左派)が結成される。その下部(大衆)組織である反戦団、反戦平和婦人の会、学生戦闘団などが共闘体制を取って(高橋/二〇〇二)京浜安保共闘が四月二十日に結成され、京浜工業地帯の労働者や学生がその中心となった。

河北三男(かわきたみつお)。一九四二年九月種子島生まれ。鹿児島県立甲南高校、東京学芸大学卒業。一九六三年社学同マルクス・レーニン主義同盟派(ML派)委員長就任、四月に学芸大同窓の土屋テジ子と結婚。ML派から分かれ一九六六年四月、川島豪と警鐘グループを結成し、革命左派創立の中心人物となる。川島が開始した「政治ゲリラ闘争」に反対し一九六九年十二月に組織を離れる。一九七四年一月に病死。享年三十一。

川島豪(かわしまつよし)。一九四一年五月一日岐阜県大垣市生まれ。大垣北高から(読売新聞社会部/一九七二)岐阜大学に進学したが二年次に中退。一浪後、一九六二年に東京水産大学に入学し、卒業。所属していたマルクス主義戦線派から分かれ一九六六年四月に河北三男とともに警鐘グループを結成し、革命左派創立の中心人物となる。一九六九年秋以降「政治ゲリラ闘争」を主導したが十二月八日に逮捕。以後、獄中から革命左派の闘争を鼓舞する。一九七九年に出獄。一九九〇年十二月九日、胃癌が再発し死去。享年四十九。

羽田空港滑走路侵入事件（愛知揆一外相訪米訪ソ阻止闘争）。一九六九年九月四日午前八時二十分頃、訪ソする愛知外相夫妻一行がモスクワ行きの日ソ共同運航機イリューシン62に乗り込んだ直後、赤旗と火炎瓶を持った五人の実行部隊がC滑走路に侵入、火炎瓶二本を投げ、出発を二十分ほど遅らせた事件。五人はその場で警備中の警官によって航空法一三八条違反（滑走路無断立ち入り）威力業務妨害の現行犯で逮捕された。坂口弘、吉野雅邦、伊波正美、坂井俊則、赤間善雄であった（『連合赤軍〝狼〟たちの時代 1969-1975』一九九九）。

前日三日二十一時五十分頃（読売新聞社会部／一九七二）には、米・ソ両大使館に火炎瓶を投げ込んでいる。火炎瓶を作ったとして高橋ふみ子が警視庁から指名手配されることになる。作成に加わっていたであろう大槻節子は四日午前七時頃、空港に近い大田区平和島の環状7号線陸橋下で逃走した男三人と一緒にいたところを、火炎瓶一本を持っていたことで凶器準備集合罪などの現行犯で逮捕された。さらに四日午前七時四十分頃、同区大森北の清花公園の女子便所に火炎瓶一一〇本が隠されているのを近くの人が見つけ通報している。彼らの行動は、坂口らの海からの侵入を援護するため、高速道路上に火炎瓶を投擲して警備の注意を陸上に引きつける陽動作戦として前々日の二日に急遽企てられたようである。なお、大槻の自供により渡辺正則が指名手配され、九月二十三日に逮捕されることになった。アメリカ大使館を攻撃したのは渡辺道夫と勝原陽児、ソ連大使館を攻撃したのは寺岡恒一と東条孝市であった。

坂口弘『あさま山荘1972(上)』(一九九五)によると、一九六九年八月中旬、大田区下丸子にある石井勝、若林功子(石井と結婚し石井功子になる)のアパートで、組織のリーダー川島豪が、坂口弘にこの闘争の指示をしたようである。のちに(一九八一年二月十三日)、裁判の証人として出廷した若林の証言によると、この方針は名古屋の新井功や関西の河北三男らトップクラスの指導メンバーに諮ることなく、川島が関東の指導メンバーと相談して決めたものだという。当時、革命左派は、川島、河北の二人をトップに、新井、石井、若林、内藤勝二の合わせて六名で指導部を構成していた。

一九六九年十月二十一日二十二時(山平/二〇一二)(あるいは二十時、読売新聞社会部/一九七二)ごろ、軍事委員長の石井勝と中村寛三、村井隆、佐藤保の四人が東京・西多摩の米軍横田基地に侵入、消火訓練用飛行機の操縦席にガソリンを撒いて放火、炎上させた。

一九六九年十月三十一日二時ごろ、岐阜県揖斐郡池田町の河合石灰工業株式会社の採掘現場の(道具)小屋から、川島豪、柴野春彦、石井勝、佐藤保の四人がダイナマイト十五本と電気雷管三十本を盗んだ。

一九六九年十一月十四日、石井勝が十一月五日夜に米軍厚木航空基地にダイナマイトを持って忍び込んだとして、刑事特別法、爆発物取締罰則違反の疑いで指名手配された。

一九六九年十二月七日一時四十分ごろ、石井勝(二十五歳)が米軍弾薬輸送に反対して仲間二人と国鉄新鶴見の貨車操車場にダイナマイトを仕掛けに行ったところ、弾薬列車通過を警戒中の鉄道公安員に見つかり、かけつけた鶴見署員に(「朝日新聞」一九六九年十二月八日付)建造物侵入の現行犯、凶器準備集合、鉄道営業法違反の疑いで逮捕された。

一九六九年十二月八日午後、南千束のアパートを妻の川島陽子が出たところを尾行され、東急池上線の旗の台駅近くで陽子の前に現れた川島豪が、十月二十一日夜に米軍横田基地に火炎瓶を投げ込んだ(として)爆発物取締罰則違反などの疑いで逮捕された。また、同容疑などで、柴野春彦と村井隆(後に田代)が指名手配された。

一九六九年十二月二十二日、新井功が名古屋駅のコインロッカーに預けていたダイナマイトを取りに行ったところをダイナマイト不法所持で逮捕された(永田洋子『十六の墓標(上)』一九八三)。

一九六九年十二月二十四日、坂口弘と吉野雅邦が保釈で府中刑務所(坂口『あさま山荘1972(上)』一九九五)を出所した(永田洋子『十六の墓標(上)』一九八三)。

一九六九年十二月三十日、大宮市の旅館での会合で(坂口『あさま山荘1972(上)』一九九五)、河北三男が権力からの弾圧を受けることになる政治ゲリラ闘争に反対し離脱した。

一九七〇年一月中旬、柴野春彦、若林功子に加えて、坂口弘、永田洋子、中島衡平が常任委員となった(永田『十六の墓標(上)』一九八三)。

一九七〇年二月三日、東京地裁で羽田空港突入闘争の論告求刑、坂口弘に懲役七年、吉野雅邦に懲役五年の求刑が言い渡された。

一九七〇年五月二十六日、寺岡恒一、尾崎充男、加藤能敬らが(山本直樹／二〇〇七)米軍横田基地でダイナマイトを爆発させた。

一九七〇年五月三十一日、米軍立川基地でダイナマイトを爆発させた。

一九七〇年六月二十四日、米軍大和田基地(埼玉県新座市)でダイナマイトを爆発させた。

一九七〇年七月ごろ、中島衡平が常任委員を降り、代わって寺岡恒一が常任委員となった。

一九七〇年八月十五日、名古屋で中京安保共闘が結成された。

一九七〇年九月、常任委員会会議において、永田洋子と坂口弘の二者択一の投票の結果永田が委員長に選ばれた。

上赤塚交番襲撃事件。一九七〇年十二月十八日午前一時半、柴野春彦(二十四歳、横浜国立大学経済学部)、渡辺正則(二十三歳、横浜国立大学三年生)、佐藤隆信(十八歳、川崎市内の定時制高校生)の三名が、獄中の川島豪を奪還するために必要とされた拳銃を奪うために東京都板橋区の志村署上赤塚派出所を襲撃した事件。柴野は阿部貞司巡査長(四十二歳)に射殺され、渡辺と佐藤も発砲で重傷を負ったうえ逮捕され、計画は失敗に終わった。

(「実録・連合赤軍」編集委員会＋掛川正幸／二〇一〇)

註

（1）社会主義学生同盟（ブント＝共産主義者同盟の学生組織）の略称。
（2）一九六四年二月十二日、東京ブントが分裂してできた。もう一方がマルクス主義戦線派（マル戦派）。

＊

「極左」は警察側からの呼び方、「過激派」はマスコミ用語であった。

新左翼勢力は、一九五五年七月の日本共産党第六回全国協議会（六全協）で、学生はじめ活動家を駆り立てた武装闘争方針を突如として放棄した共産党に対する反発、批判から生まれた。そのため、一九六〇年代までは、「新左翼」という言い方より「反日共系」、あるいは共産党本部が代々木にあることから「反代々木系」と呼ばれていた。警察側も、はじめは「反代々木系」との言い方を用いていたが、一九六〇年代後半のベトナム反戦闘争、さらに全共闘運動・大学闘争後、新左翼勢力の行動、戦術、武器のエスカレート、過激化につれて、「極左暴力集団」の呼び名を用いだし、それに対応するマスコミ用語として「過激派」という言い方が生まれた。（高木／一九九〇を一部改編）

コラム3▼よど号事件とストックホルム症候群

ストックホルム症候群とは、よど号事件の三年後の一九七三年八月二十三〜二十八日の一三一時間に及んだスウェーデンのストックホルムで起きた武装集団による銀行立て籠もり事件での二十一歳から三十二歳までの(作田・福島/二〇〇五)人質四人のとった言動により名付けられた呼称で、長期間人質となっていた者が、いつの間にか犯人に共感していくといった現象である。よど号事件にはこの現象が顕著に見られたのである。

一九七〇年四月二日、韓国の金浦(キンポ)空港に着陸していた日航機よど号の機内での話。人質の一人だった医師(聖路加病院内科医長)日野原重明(当時五十八歳、二〇一七年没)はその時の様子を語った。

「機内最後の夜は、なんとも不思議なものでした。十時ごろから、赤軍の提案で『さよならパーティ』がはじまったんです。リーダーの『組長(赤軍派仲間からそう呼ばれていた)』が、『明日、おそらく我々は北鮮へ行き、みなさんは当地で降ろされます。いろいろご迷惑をおかけしたが、なぜ我々がこのようなことをやったか聞いてほしい』と言って、メンバーが順に自己紹介をし、思想と決意をとうとうと述べたんです。このとき初めて九人いるとわかった。みんな偽名でしたが、『組長』は田宮高麿と名乗りました。最年少の少年だけは何も喋らず、田宮が『この男は行動で示すタイプです』と紹介しました。お別れにと、田宮は詩吟を朗々と詠いました。(中略)お返しに中年の男性が立ち上がり、『これだけの迷惑をかけたんだから、挫折だけはしてほしくない。世界の貧しい人を一人でも二人でも救えよ』と挨拶して、小林旭の『北帰行』を勇気を出して歌いました。それから、質疑応答が始まったんです。ずいぶんなごやかな雰囲気で、『ハイジャックにはいくらかかったか』と聞かれると五十万くらいと答えていましたね。『ハイジャックの語源は?』という質問には答えられなかったので、『ハイジャックをする人は、それくらい知っておいてほしいね』と言ってやりました(笑)。(中略)最後は赤軍が肩を組んで『インターナショナル』を歌い、不思議な『さよならパーティ』が終わったのです。(中略)四月三日になって、いよいよ私たち人質が降りるときにも、奇妙な光景が繰り広げられました。並んで見送る赤軍のメンバーに『がんばれよ』と握手を求める人、名刺を渡す人……」(以上日野原の証言。石田・日野原/二〇〇五)

この時までは意気揚々と英雄然としていた九人。ところが北朝鮮では目論見がすっかり外れてしまった。無鉄砲玉は飛んだきり、彼らが望んでいたブーメランになることは叶わなかった。

第四章　連合赤軍の時代

　連合赤軍の結成は一九七一年七月、そして翌一九七二年の三月には壊滅する。その期間はたった八カ月程度しかないのである。その前後を少し拡張して、国内外の情勢を書き出してみる。連合赤軍事件の時代背景の一端が垣間見られる。

　まず、世界的な背景としてはベトナム戦争の時代であったことを最初に挙げておくべきであろう。「世界の警察（憲兵）」米国のベトナム介入（侵略戦争）に対して、国際的なベトナム反戦運動、ベトナム人民支援の運動が広がっていた。小学校の低～中学年だった筆者も歯医者の待合室であったか、置かれていたカラーの写真グラフを見て、あまりの血なまぐささに気持ち悪くなったことを覚えている。

　筆者がまだ生まれていない一九五六年に中野好夫が著し、「文藝春秋」二月号に掲載された評論「もはや『戦後』ではない」を巡って論争が起こったという。その一句は昭和三十一年（一九五六）

度の「経済白書」の総説の結語にも執筆責任者後藤誉之助によって書かれ、流行語となり一世を風靡した(『昭和日本史10』一九七七)という。

それからさらに時代は過ぎ、太平洋戦争終結後二十五年になろうとしていた時代であるが、沖縄返還、元日本兵の発見など、まだ戦後日本の終結には至っていなかったと言える。「まだ『戦後』ではなかった」のである。

日本は、日米安保条約によるアメリカとの関わりから、ベトナム戦争への兵站と出撃に加担していた。沖縄の嘉手納米空軍基地や横須賀米海軍基地、横田米空軍基地(『一億人の昭和史8』一九七六)、佐世保米海軍基地(『決定版昭和史16』一九八四)は出撃の拠点となっていたのである。(中村/二〇〇五)ベトナム戦争の激化に伴う負傷者急増のため、埼玉の朝霞基地(『決定版昭和史16』一九八四)の野戦病院だけでは間に合わなくなり、一九六七年暮れから突貫作業が始められ一九六八年三月十八日には東京都北区十条の王子キャンプ内(高木/一九九〇)にも王子野戦病院が開設した。

万国博覧会

一九七〇年三月十四日~九月十三日の百八十三日間　万国博覧会が大阪府吹田市の千里丘陵で開催され、六四二一万八七七〇人(一日平均三十五万人、最高は九月五日の八三万五八三二人(『決定版昭和史16』一九八四)が来場した。

当時小学六年生だった筆者も、六月七日に修学旅行で訪れ観覧、私のクラス六年赤組は人気のソ連館に入るために二～三時間長蛇の列に並んだものだ。ベトナム戦争のさなか、わが日本はというと高度経済成長のピーク、「昭和元禄」の打ち上げ的なお祭りを催していた。「こんにちは～こんにちは～世界の国から～」と三波春夫が歌うテーマソングが巷に流れていた。博覧会のテーマは「人類の進歩と調和」、出展参加七十七カ国は史上最高であった。

折からの「いざなぎ景気」で、日本のGNP(国民総生産)は一九六七年にイギリスを、一九六八年には西ドイツを抜き、西側諸国ではアメリカに次いで第二位となっていた。因みに「週刊朝日」一九七〇年三月二十七日号に、テーマをもじった「ルポ三月十五日『辛抱と長蛇』のEXPO24時間」という記事が掲載されていた。会期終了間際には観客が殺到、会場が混乱して「残酷博」の異名も生まれた(『週刊YEAR BOOK日録20世紀1970年』一九九七)とか。

日航機よど号ハイジャック(コラム3参照)

一九七〇年三月三十一日～四月三日　赤軍派九名が羽田発福岡行きの日航機よど号をハイジャック、北朝鮮へ飛ばさせた。よど号には乗客一三一人、乗員七人(『週刊YEAR BOOK日録20世紀1970年』一九九七)合わせて一三八人が乗っていた。燃料を補給しなければならないと機転を利かせた機長の説得で、いったんは福岡の板付空港に着陸、病人や女性、子どもら二十三人は解放された。その後、福岡空港を飛び立った同機を、韓国がソウル近郊の金浦(キンポ)空港を平壌(ピョンヤン)空港に見立てた偽装工作をして誘導着陸させたが、犯人側はこの偽装を見破り、にわかに緊張が高まりその後二日間に及ぶ膠着状態が続いた。山村新治郎運輸政務次官(三十六歳)が乗客の身代わりとなることで、四月三日十四時二十八分(『週刊 YEAR BOOK 日録20世紀 1970年』一九九七)、乗客一〇八人とスチュワーデス四人は七十九時間ぶりに解放され、赤軍派九人と、石田真二機長(四十七歳)、江崎禎一副操縦士(三十二歳)、相原利夫機関士(三十一歳)の三人の乗員と山村次官の合わせて十三人を乗せて金浦空港を離陸、平壌へと向かった。

日本で最初のハイジャック事件で、事件の半月前に逮捕された塩見孝也議長の手帳(あるいはノート/読売新聞社会部/一九七二)にはハイジャックを意味する〝H・J〟のイニシャルが書かれてあったが、警視庁公安部はその意味を解読できなかった。赤軍派が唱える「世界同時革命」に備える国際根拠地づくりのために実行された。リーダーは田宮高麿。最終目的地はキューバだったようだが、その目論見も外れ、北朝鮮で軍事訓練を受けて帰国し前段階武装蜂起を担う構想も実現できず、北朝鮮を退去することはできなくなってしまった。

日米安保条約自動延長

一九七〇年六月二十三日　十年間の固定期限が切れ、新安保時代に入った。前日二十二日に政府は「安保堅持と自衛力整備」の声明、これに抗議する各野党は「(アメリカ軍の)駐留なき安保」への改定を要求した(『一億人の昭和史8』一九七六)。二十三日に、全国で反安保統一行動、デモに約七十七万人が参加し、六七九人が逮捕された（『一億人の昭和史8』一九七六）。代々木公園では、社会党の成田知巳委員長、共産党の野坂参三議長、総評の岩井章事務局長らが社共統一行動を実施した（『連合赤軍〝狼〟たちの時代 1969-1975』一九九九）。

十年前の六〇年安保の様子を知らない筆者（当時一歳）ではあるが、七〇年安保は、樺美智子さんの死や岸信介首相を退陣に追い込んだ壮絶な六〇年安保に比べると、穏健であったことは間違いないであろう。当時の新聞（「朝日新聞夕刊」一九七〇年六月二十三日付）を見ても、「反安保行動 全国的に平穏」の見出しで、「六〇年安保とは比較にならない平穏さで統一行動は終始した」とある。七〇年安保当時、小学六年生だった筆者のクラス担任の上枝茂雄先生が授業中、何かの折に、「『アンポ、アンポ』と言っている学生は『アンポ』の意味も知らずにデモをしている」と言われたことを覚えている。

一九五〇年生まれの池上彰（二〇〇一）がこのように書いている。「私が小学校四年生のころ、小学校で『アンポハンタイごっこ』という遊びがはやりました。みんなで腕を組んで、『アンポハンタイ、アンポハンタイ』と言いながら歩き回るのです。その当時、ニュースと言えば、毎日のように『安保反対』のデモ行進や反対運動が報道されていました。国会を何万という人々が連日取り巻き、安保反対の運動を繰り広げていました。子どもたちも、意味がわからないまま、その真似をしていたのです」

ひょっとして、六〇年に、「アンポ反対ごっこ」をしていた子どもたちが成長して、今度は「ごっこ」ではない本物の七〇年安保に参加していたのであろうかなんて思いを馳せてみた。

三島由紀夫が東京・市ヶ谷の自衛隊で割腹自殺

一九七〇年十一月二十五日　一九六三～六五年、一九六七年にノーベル文学賞候補（一九六三年と一九六七年は最終候補まで）になった作家で右翼の三島由紀夫は、一九六七年四～五月の四十六日間自衛隊に体験入学したり、一九六九年五月十三日には東大全共闘の〝呼び出し〟に応じ、東大教養学部九〇〇番教室（高沢／一九九一）で八百人以上（『週刊YEAR BOOK 日録20世紀 1969年』一九九七）の学生を相手に二時間に及ぶ論戦に挑んだという経歴の持ち主である。当日、教室内は最初は騒然としていたが、次第に学生たちは三島の話を聞くようになり、「安田講堂で全学連の諸君が立て籠もったとき、天皇という言葉を一言彼らが言えば、私は喜んで一緒に立て籠もったであろう」と発言、まさかの三島の言葉に会場が沸いた。最後は、壇上で学生代表が三島に、「我々は貴方の主張を認めるわけにはいかないが、たった一人で敢然と出てきた貴方の勇気を認める」と言い、三島は三島で、「諸君たちの熱情は信じる」と言い、学生代表と握手し、討論会は平和裡に終わった。片やマルクス主義、こなた天皇（制）主義、左翼と右翼の立場の違いはあれど、根底として日本の現状を憂い行動するものどうしの互いに共感するものがあったのである。

その三島（四十五歳）が陸上自衛隊市ヶ谷駐屯地に「楯の会」（一九六八年十月に、左翼勢力から日本を守るために三島が結成した私的軍隊で会員七十九人は全て学生／『決定版昭和史16』

一九八四)のメンバー四人と乱入、総監室を占拠、バルコニーに立ち、集合させた自衛官約八百(『週刊 YEAR BOOK 日録20世紀 1970年』一九九七)～千人(『決定版昭和史16』一九八四)を前に八分間にわたって大声でアジ演説、激しい怒号を浴びながら「お前ら、聞けー、聞けー」と絶叫、憲法改正による自衛隊の国軍化と天皇擁護を訴え、決起をあおった。しかし、自衛隊員から返ってくるのは三島に対する罵倒の声だけであった(『昭和日本史10』一九七七)。

その後、三島は総監室に戻り、両手両足を椅子に縛り付けていた益田兼利総監の面前で、上半身裸になり短刀で割腹、メンバーの森田必勝(二十五歳)が日本刀で介錯、三島の首をはねた。直後に森田も自決、残りの三人は投降した。

土田国保警務部長に説得を指示され急行したが、間に合わずに到着した佐々淳行は次のように書いている。「総監室に足をふみ入れ、三沢由之牛込警察署長の説明を受けながら三島、森田両名の遺体に近づいたとき、足元の絨毯がジュクッと音を立てた。驚いて足元を見る。総監室の床一ぱいに敷きつめられた絨毯の色は真紅。そのため二人の遺体から流れ出たおびただしい量の血液が赤い絨毯にドップリ浸み込んでジュクジュクになっていたのを、真紅の絨毯と流血との見分けがつかずに血溜りに足を踏み入れてしまっていたのだった」(佐々/一九九六)

当時小学六年生だった筆者は、多くの写真を載せその惨劇を報じた新聞を見て、狂気の沙汰のようにしか思えなかった。

コザ騒動

一九七〇年十二月二十日未明に、沖縄のコザ市（現沖縄市）で米兵が運転していた乗用車が通行中の基地労働者をはねて頭部に負傷させる事故を起こしたが、その処理（出動したMP［Military Police憲兵］は被害者を放置したまま事故車を動かそうとした）をめぐって通行人や付近の住民が憤慨、群衆五千人が暴徒化、米軍兵士の乗用車七十三台を炎上させ、二十一人が逮捕された。沖縄における米軍支配への反発が臨界点を超えての暴動となった（吉見／二〇〇九）。

三里塚闘争第一次強制代執行

一九七一年二月二十二日〜三月六日　千葉県成田市三里塚の新東京国際空港（成田空港）建設予定地で二万五千人の機動隊警察官に反対同盟の農民や学生が衝突し、負傷者一四二七人、逮捕者は四六一人（『連合赤軍〝狼〟たちの時代 1969-1975』一九九九）にのぼった。県が代執行終了を宣言した三月六日後も、反対派農民は地下に掘った壕に立て籠もって抵抗、最後の一人が排除されたのは三月二十五日だった（「実録・連合赤軍」編集委員会＋掛川正幸／二〇一〇）

大久保清事件（コラム8参照）

一九七一年三月三十一日から五月十四日、最後の被害者となった竹村礼子さんの兄が組織した民間捜索隊の追跡、張り込みによって逮捕されるまでに、大久保清（三十六歳）が犯した連続女性殺人事件。

府中刑務所を出所して間もない強姦致傷、恐喝等前科四犯の大久保が、群馬県高崎市の実家からマツダ・ロータリークーペに乗り、ベレー帽を被り、ルパシカ(ロシアの男物のブラウス風上衣)を着込み画家に扮してガールハント、次から次へと若い女性に声を掛け車に乗せ、一カ月あまりの間に八人を殺害し遺体を土中に埋めた。一九七三年二月二十二日に死刑が確定した。

連合赤軍の吉野雅邦は東京拘置所で大久保を見かけており、「とてもキレイな眼をしていて、僕は彼を見るたびに人間的なやさしさを感じていた」と述べている(大泉/一九九八)。この「魅力」にまんまとだまされて、八人もの若い女性が豹変する男の魔手によって蹂躙されたわけである。その後、一九七六年一月二十二日四十一歳で死刑を執行された。

「刑の執行当日、大久保は『お迎え』の声を聞くとガチガチと体を震わせ、腰を抜かして失禁してしまう。両脇を刑務官に抱えられ、刑場へ引き立てられても、怯え、いやがるだけで『最後の言葉』もなかったという」(別冊宝島編集部/二〇一九)

沖縄返還協定調印

一九七一年六月十七日　東京とワシントンをテレビの宇宙中継で結んで行われた。

一九六九年十一月二十一日に、訪米中の佐藤栄作首相とニクソン米大統領との共同声明の中で発表されたが、「核抜き・基地本土並み」問題は玉虫色の決着となった(『週刊 YEAR BOOK 日録20世紀1969年』一九九七）。そのため、「核抜き」の保証が不明確、基地の存在も「本土並み」ではないと屋良朝苗（やらちょうびょう）琉球政府主席は東京の調印式に欠席した（日本史教育研究会／二〇一四）。

連合赤軍の結成（詳細は第五章）

一九七一年七月十五日　共産主義者同盟赤軍派の赤軍中央軍と日本共産党革命左派神奈川県委員会の人民革命軍、双方の軍事組織が統合した。

ドル・ショック（ニクソン・ショック）

一九七一年八月十五日（ワシントン時間、日本時間では十六日）　ニクソン米大統領が金とドルの交換一時停止、一〇パーセントの輸入課徴金の賦課などのドル防衛策を発表（ドル・ショック、第二次ニクソン・ショックともいう。第一次は一九七一年七月の訪中表明）した。

ベトナム戦争にアメリカが戦費をつぎ込んだことによって、ドルの信頼は揺らぎ、ドルを売って金を買うゴールドラッシュが起きた。その結果一九七一年には米国の金準備は百億ドルすれすれにまで減り、金とドルの交換を停止する事態に及んだ。

「各国通貨とドルとの固定レート制も破綻、一九七三年三月からは各国通貨は変動為替相場制に移行し、ドルを基軸（国際）通貨とする制度は終わった。第二次世界大戦中の一九四四年七月にアメリカを中心として作られた国際経済秩序（ブレトン・ウッズ体制(*)）が崩れ去ったのである。これより、国際経済はリーダーシップなき状態となり、西欧と日本、アメリカの三極を中心とした経済パワー・ゲームの様相を呈することになったのである」(日本史教育研究会／二〇一四)

(＊) 一九四四年七月にアメリカのニューハンプシャー州ブレトン・ウッズホテルで開かれた連合国通貨金融会議で締結されたブレトン・ウッズ協定によって成立した世界通貨の体制。

三里塚闘争第二次強制代執行

一九七一年九月十六、十七、二十日　反対同盟が建てていた団結小屋を設けた鉄塔(農民放送塔)を機動隊が倒した。機動隊と反対派との攻防で、応援にきていた神奈川県警の機動隊員(『連合赤軍〝狼〟たちの時代 1969-1975』一九九九)三人が死亡、負傷者一八三人、逮捕者は四七一人に至った(『一億人の昭和史8』一九七六)。

中国、二十二年ぶりに国連復帰

一九七一年十月二十五日　アメリカ、日本は反対したが、国連が中華人民共和国政府を中国の正統政府と認め、台湾政府を国連から追放した(日本史教育研究会／二〇一四)。

土田国保警務部長宅小包爆弾事件

一九七一年十二月十八日　東京都豊島区の警視庁土田国保警務部長宅に郵送された歳暮品を装っ

た小包爆弾が爆発、夫人が即死、四男(中学二年生)が重傷を負った。この日が上赤塚交番事件からちょうど一年だったため、当初は京浜安保共闘の報復によるものと見なされた。

その後、一九七二年五月に東京都五日市町の火薬庫に火薬を盗みに入ろうとして逮捕された男、および一九七二年八月二十七日未明に東京都桧原村の道路工事現場で火薬を盗もうとして逮捕された石田茂(二十一歳)の自供から、増渕利行グループが捜査線上に浮上した(「サンケイ新聞」一九七三年三月十五日付)。増淵は赤軍派に所属しており、一九六九年の10・21国際反戦デーに向けて東京薬科大構内で鉄パイプ爆弾二十七本を作った疑いで、一九七二年九月十日に爆発物取締罰則違反で逮捕されていた。ところが、公判中に「でっち上げ」逮捕による冤罪であることが明らかとなり、逮捕された十名全員の無罪が一九八五年に確定した(『連合赤軍〝狼〟たちの時代 1969-1975』一九九九)。真犯人は今もって特定されていない。

一ドル＝三〇八円に

一九七一年十二月二十日　八月十五日にニクソン米大統領が発表したドル防衛策(ドル・ショック)により、主要各国の通貨が切り上げられた。十二月十七、十八日に、ワシントンのスミソニアン博物館で開かれた(『週刊 YEAR BOOK 日録20世紀 1971年』一九九七)十カ国蔵相会議で一ドル＝三〇八円(それまでは一九四九年のドッジ・ライン[1]による不況とシャウプ税制[2]以来の三六〇円で、一六・八八パーセントの切り上げ)の新しい固定為替相場制が定められたが、その後もドル売り・円買いは収まらずに激化し、一九七三年二月十四日に一ドル＝二六四円程度、スミソニアン合意はくずれ、世界経済は固定為替相場制から変動為替相場制に移行した。以降、一九七七年末に一ドル＝二四〇円、一九八六年末に一六〇円一〇銭とジリジリと円が上昇していくことになる。

(1) 一九四九年二月に来日したデトロイト銀行頭取ジョセフ・ドッジが日本復興のために振るった政策（半藤／二〇一八）

(2) 一九四九年五月十日に来日したカール・シャウプ博士を中心とする使節団によって作成された勧告に基づき、一九五〇年に施行された日本税制の基礎となった税制。

元日本兵横井庄一さんグアム島で発見

一九七二年一月二十四日　観光客でにぎわうグアム島の中心都市アガナ市から南へ十九キロ離れたタロフォフォのジャングルで発見された元日本兵は、元陸軍伍長の横井庄一さん（五十六歳）であった。戦死したものとされ、一九四五年七月三十日、父親に戦死公報が届けられ軍曹に昇進していた（『連合赤軍〝狼〟たちの時代 1969-1975』一九九九）。このニュースに同じクラスにいた米屋の井口君が興味関心を喚起されたのであろう。何某(なにがし)かの本を購入して、学校に持ってきていたことを覚えている。

十二年前の一九六〇年にもグアム島で元日本兵二名が発見され、五月二十八日に十九年ぶりの帰国を果たしていた。さらに、横井さんの発見から九カ月後の一九七二年十月十九日にはフィリピンのルパング島でも元日本兵が二名発見された。小野田寛郎(ひろお)元陸軍少尉（五十歳）と小塚金七元一等兵

（五十一歳）であった。非常に残念ながら小塚さんは現地の警察官と銃撃戦となり銃殺されてしまった。小野田さんは逃亡し、二年後の一九七四年三月九日に元上官の谷口義美元少佐からの任務解除の命令を受け、三十年ぶりにようやく祖国へ生還することができた。（『週刊 YEAR BOOK 日録20世紀 1974年』一九九七）

第十一回冬季オリンピック札幌大会開幕

一九七二年二月三日　テーマ曲はトワ・エ・モア歌唱の「虹と雪のバラード」、旋律、男女二人組のデュオのハーモニーが美しく、老若男女誰もが口ずさんでいた。

七〇メートル級ジャンプで日本選手が金銀銅独占

一九七二年二月六日　午前十時から宮の森シャンツェ（ジャンプ場）で行われた七〇メートル級ジャンプで、笠谷幸生（かさや）（ニッカウイスキー勤務、二十八歳）が金メダル、金野昭次（こんのあきつぐ）（拓殖銀行勤務、二十七歳）が銀メダル、青地清二（雪印乳業勤務、二十九歳）が銅メダルを受賞し、日本中が沸き返った。冬季オリンピックでの日本のメダル獲得は、一九五六年コルチナ・ダンペッツォ大会でのアルペンスキー男子回転種目の猪谷千春の銀のみで、日本が金メダルを獲得したのは初めてのこと。金銀銅の独占は、一九三二年ロサンゼルス大会での一〇〇メートル背泳、一九六八年メキシコ大会での体操種目別床運動についで三度目、冬季五輪では初の快挙だった。

メダルが期待できる数少ない種目として、異様なほどの期待と重圧の中で本番を迎えた三選手。後に笠谷は「前の二人がメダル圏内に入り、自分も気持ちが楽になって飛べた。個人競技でもチームワークがいいと、ああいうことがあるんですね」と言った。（『週刊YEAR BOOK 日録20世紀1972年』一九九七）

連合赤軍あさま山荘事件（詳細は第六章）

一九七二年二月十九日～二十八日　銃・爆弾を携えた連合赤軍の残党五人が、長野県軽井沢の河合楽器保養施設「あさま山荘」に管理人の女性を人質として籠城した事件。当時中学一年生だった筆者は、休み時間になるごとに教室のテレビをつけて、級友たちと固唾を呑んで実況中継を見ていた。

ニクソン米大統領、中国訪問

一九七二年二月二十一日　あさま山荘事件の最中、ベトナム戦争に行き詰まっていたアメリカが中国との関係改善（和解）に及んだのである。午前十一時二十七分（日本時間午前零時二十七分）、専用機で北京空港に降り立ったニクソン大統領は出迎えの周恩来首相と堅い握手をするのであった。この年七月に誕生する田中角栄内閣も中国との国交回復に意欲を示し、内閣成立二カ月後には共同声明に至るのである。

米中共同声明

一九七二年二月二十七日　米中共同声明、米は台湾を中国の一部として認め、米兵引き揚げを約束した。十七時半（日本時間十八時半）、ニクソン米大統領と周恩来中国首相による平和五原則の共同声明は世界を驚かせた。皮肉なことにこの翌日二十八日、あさま山荘に立て籠もっていた連合赤軍の、毛沢東主義を掲げ「反米愛国」をスローガンにしていた革命左派に属する坂口弘ら四人を含む五人は逮捕されるのであった。

連合赤軍「総括」リンチ殺人事件発覚（詳細は第五章と第七章）

一九七二年三月七日　二月十七日に森恒夫と永田洋子を逮捕した群馬県警が、妙義山籠沢の洞窟やその近くの岩かげから発見した、セーター、登山ズボン、下着、それらには人糞や尿がついており、刃物で断ち切られていて、その切り方が硬直した死体から着衣をはがす方法とそっくりだったことから「死者が出ている」ことを確信した。同県警があさま山荘事件の解決を待った後に逮捕者を追求して発覚した。これらは山での最後の「死者」となってしまった山田孝が身につけていたもので、迫り来る警察から一刻も早く逃げようとして、証拠品の隠滅が出来なかったがための発覚となったわけである。

その後、山田の他に十一名、さらに革命左派が単独で粛清していた二名を合わせると、十四名の死者が判明し、埋葬された遺体が土中から次々と発掘された。

ノーベル文学賞作家川端康成ガス自殺

一九七二年四月十六日　一九六八年十月十七日にノーベル文学賞の受賞が決まり、日本人初の文学賞受賞者となった川端康成(七十二歳)が、仕事場にしていた逗子市のマンション四階の自室で、ガス管をくわえて自殺した。遺書はなく、三月に受けた盲腸炎手術の予後がよくなかったための「健康上の理由」と考えられた。

川端は、一九七一年一月二十四日、二カ月前の十一月二十五日に自害した愛弟子の三島由紀夫の葬儀で葬儀委員長を務めた。一九五八年六月一日の三島の結婚式の際には媒酌人を務めてもいた。

沖縄返還、二十七年ぶりに本土(祖国)復帰

一九七二年五月十五日　施政権は日本に完全に返還されたが、「核ぬき」は深い疑惑に包まれ、基地協定はそのままで、広大な(沖縄全域で十二パーセント、本島だけでは十八・七パーセントをしめる(*)/『昭和日本史10』一九七七)米軍基地がこの後も存続するといった、新生「沖縄県」民九十五万人の願望としていた基地の「本土なみ」の水準にはとうてい及ばないものであった。記念式典が行われていた那覇市民会館に隣接する与儀公園では、沖縄県祖国復帰協議会(復帰協)が、「沖縄処分抗議、佐藤内閣打倒、5・15県民総決起集会」を開き(『昭和日本史10』一九七七)、怒りに燃える約一万人もの多くの人々が新たな「屈辱の日」(一九五二年四月二十八日の日米講和条約の

発効の日を屈辱の日として〔『連合赤軍〝狼〟たちの時代 1969-1975』一九九九〕としてデモ行進を繰り広げた。

（＊） 現在は沖縄全域で八パーセント、本島だけでは十四・六パーセントに減少している。

日本赤軍三名がテルアビブ空港で銃乱射

一九七二年五月三十日 日本赤軍三名がイスラエル・テルアビブ空港で銃を乱射、手投げ弾投擲により二十六人が死亡した。

パリのオルリ空港発のエールフランス航空機にローマ空港から搭乗した岡本公三（鹿児島大学農学部林学科、二十四歳）、奥平剛士（つよし）（京都大学工学部電子工学科休学中、二十六歳）、安田安之（京都大学工学部建築科、二十五歳）の三人が、テルアビブのロッド国際空港（現ベン・グリオン国際空港到着後（佐々／二〇一〇）、税関カウンター前でＡＫ47自動小銃を乱射、次々と手投げ弾（手榴弾）を投げ、犯人二人を含む二十六人が死亡、七十二人が重軽傷（六十八人が重傷）を負った。奥平と安田は手榴弾で自爆し死亡、岡本は空港内に飛び出したところを取り押さえられた。

岡本は三姉三兄弟の末っ子で、長姉は三十六歳、長兄（三十一歳）は東京大学文化人類学教室の助手、次兄はよど号乗っ取り犯人の岡本武だった。岡本は手記の中で永田洋子、森恒夫らを批判する一方、三島由紀夫の行動に共鳴していた。

佐藤栄作首相、引退表明

一九七二年六月十七日　佐藤栄作首相が引退を表明、七年八カ月（一九六四年十一月九日〜一九七二年七月七日）の長期政権（第一次〜第三次）に終止符が打たれた。

一九六四年十一月の東京オリンピック後の発足から史上最長の政権となっていた。折しもアメリカではこの日、ニクソン大統領再選委員会の警備主任ジェームズ・マッコード（四十九歳）ら五人がワシントン市の北西区にあるウォーターゲートビル六階の民主党全国委員会本部に侵入し盗聴装置を備えつけていたところを逮捕され、一九七四年八月九日にニクソン大統領が辞任に追い込まれる「ウォーターゲート事件」の発端となった。

沖縄返還を最大の政治課題に掲げた佐藤は曲がりなりにも公約を実行し、その業績等で一九七四年のノーベル平和賞を授与されるが、その決定に影響力のあった推薦者二人のうち一人は沖縄返還の必要性をアメリカ政府に繰り返し警告し後押しした（吉見／二〇〇九）ライシャワー元駐日大使であったという（中村／二〇〇五）。

自民党新総裁に田中角栄選出

一九七二年七月五日〝三角大福〟（三木武夫、田中角栄、大平正芳、福田赳夫）が佐藤栄作首相の後継総裁選に一斉出馬、田中・福田の決戦投票となり、〝三角大〟三派連合で田中角栄が選出された。

当時中学二年生だった筆者の記憶として、放課後の清掃の時間、野球部の藤原君が、よほど嬉しかったのか、かなり興奮した口調で周囲に吹聴していたことが思い出される。

田中新内閣発足

一九七二年七月七日　新潟県の農村に生まれ高等小学校（現在の中学校に相当）卒という学歴ながら首相にまで登り詰めた田中角栄（池上／二〇〇二）を、「今太閤」「庶民宰相」と呼ぶ角栄ブームが巻き起こり、外交では日中国交正常化の実現、内政では日本列島改造を基本路線に掲げ、首相就任一カ月前の六月、通産省大臣時代に自らが著した『日本列島改造論』（日刊工業新聞社）は百万部に迫るベストセラーとなった。

アラブ・ゲリラがミュンヘンオリンピック選手村を襲撃

一九七二年九月五日　パレスチナ解放機構（PLO、アラファト議長）ファタハ派内の国際遊撃部隊である〝黒い九月〟の八人がイスラエル選手団宿舎を襲い（『連合赤軍〝狼〟たちの時代 1969-1975』一九九九）、イスラエルのウエイトリフティング選手とレスリングコーチの二人を射殺し、選手、コーチ、役員の九人を人質にし、イスラエルで投獄されているアラブ・ゲリラ二三四人（テルアビブ空港乱射事件の犯人で終身刑判決を受け服役中だった岡本公三も含まれていた〔佐々／二〇一〇〕の釈放を要求した。

ゲリラと人質を乗せたヘリコプター三機が着いたミュンヘン郊外のフェルステンフェルトブルッ

ク空軍基地で、警官隊と銃撃戦、人質全員とゲリラ五人、警官、パイロット各一人が死亡、死者が十八人に達した。ゲリラ三人は逮捕された。平和なスポーツの祭典オリンピックが血塗られた。古代ギリシアではオリンピック開催中は戦争を中止したという。アメリカ選手団の旗手を務めたコノリー女子選手は、「ミュンヘンの期間中は北爆を中止するようニクソン大統領に請願したい」と選手村で平和を呼びかけた。しかし、その願いは空しく、アメリカ軍の北爆は休まずに続いた(朝日新聞「天声人語」一九七二年九月六日)。

コラム4▼連合赤軍メンバーが進学していた大学

森、永田が大学へ入学した一九六三年、坂口の一九六五年、坂東の一九六六年当時の四年制大学への進学率はわずか十二〜十三パーセントだった(「実録・連合赤軍」編集委員会+掛川正幸/二〇一〇)。坂口が入学した時には坂口の兄が、「やっと我が家からも大学生が出た」と大喜びしたほどであったという(坂口『あさま山荘 1972(上)』一九九五)。当時の大学生は社会の特権階級(エリート)であり、それゆえに社会意識も高かった(「実録・連合赤軍」編集委員会+掛川正幸/二〇一〇)。

革命左派のメンバーは横浜国立大学へ進学した者が非常に多い。連合赤軍に加わったメンバーの中だけでも、処刑された寺岡恒一、総括を要求され死んでいった大槻節子、金子みちよの二人、大槻の友人だった杉崎ミサ子、金子の内縁の夫だった吉野雅邦、事件前に逮捕された雪野建作と六人もいる。当時、国公立大学は一期校、二期校に分かれており、通称「横国」は、最難関の二期校として名を馳せていたことは年配の読者諸兄には説明無用であろう。一期校東大を第一志望とし、残念ながら合格できなかった学生が落ち着いた大学であった。吉野の場合は、現役では東大文Ⅱ、一浪して東大をあきらめ一橋大学経済学部を第一志望とし受験していた(大泉『あさま山荘銃撃戦の深層(上)』二〇一二)。

次に東京水産大学。これは創立者・川島豪が在籍していた大学ゆえである。連合赤軍に加わったメンバーでは、川島を師と仰いでいた坂口弘、総括によって死者となった尾崎充男、脱走した岩田平治と三人いる。この二つの大学の他にも首都圏の大学が多い。

赤軍派は、やはり創立者・塩見孝也が在籍していた大学ゆえ京都大学が多いのは当然であろう。連合赤軍のメンバーでは、最後に総括を要求され死んでいった山田孝とあさま山荘に籠城し逮捕された坂東国男の二名がいる。次によど号事件の主犯・田宮高麿の在籍していた大阪市立大学。同大学の森恒夫は田宮の「腰巾着」と一部では評されていたとか。その他には同志社大学など、関西ブントが赤軍派の母体であるがゆえ関西の大学が多い。他に福島県立医大の梅内恒夫がオルグに行っていた弘前大学生も多く、連合赤軍に加わったメンバーの中では、青砥幹夫と植垣康博の二人が在籍(事件後除名処分となる)していた。

さて、多くの「革命戦士」を輩出することになってしまった横浜国立大学。当時の週刊誌にこんな記事が出ていた。「週刊サンケイ」一九七二年三月三十一日号に、特集記事「『連合赤軍』大虐殺の全内幕」の中に掲載された記事の見出しは「〝兵士〟の温床となった横浜国大教授陣の立場」。〝二期校の東大〟であるがゆえ、「卒業して、一期校の大学院へはいっていく学生も多いですし、国家公務員試験でも旧制大学に劣りません。みんなそれほど勉強しているわけで、問題にされている学生は2〜3%の落ちこぼれとしか言えません。」（教育学部・日高昴教授）との自負もあるが、反面、「大半は東大、一橋大、東工大など、すべった学生が行くわけで、横浜国大そのものをめざすのは一割に満たないんじゃないですか。しょせん二番煎じなんですよ。そこで当然、心理の屈折が生まれ、コンプレックスがつきまとうわけです。だからガイダンスを受けても、途中からやめて、予備校へ戻るケースも多いですね」（代々木ゼミナール・高宮行男校長）とか、「入学直後、私は〝君たちは100%落武者だ。イヤイヤだったらすぐやめろ〟と学生をからかっているんです。イヤイヤ入学したため愛校心がないのは本当だろうし、不満があるから、かえって、一つやったろかという気持ちがないことはないでしょう」（田口武一工学部長）との見解が出されている。「一つやったろか」の思いが、途中で引き返す東大生（日和る、要領がいい、あるいは途中から過激セクトに乗っ取られてしまったと見るべきだろうか、東大安田講堂に最後まで籠城し逮捕された三七七名中、東大生は二十名〔*〕（佐々／一九九五）でわずか五・三パーセントであった）（参照、東大構内で逮捕された六三三名中、東大生は三十八名で六パーセント）と違って、とことんまで突き進ませてしまったのであろうか。

遺体が次々と掘り出され始めた一九七二年三月十日、衆院文教委員会で、自民党の松永光、社会党の川村継義らの委員が連合赤軍事件の犯人のほとんどが国立大学の学生である点を問題視し、大学当局の責任や政府のとるべき対策を質した。さらに松永委員は、「犯人の中に横浜国大の学生が多い、同大学の越村信三郎学長は責任を取るべきではないか」と質したのに対し、高見三郎文相は、「文部省にはどうこう指図する権限はないが、大学の管理者は自分の責任を感じてもらわなければならない」と答えた(「サンケイ新聞」一九七二年三月十一日付)。

さらに衆院文教委は三月二十九日、越村学長と宮城音弥東京工大名誉教授を参考人に呼んで懇親会を開き、連合赤軍事件の背景などを聞いた。越村学長は「多くの事件関係者を大学から出して国民に深くおわび申し上げたい」と前置きし、十五分間の予定のところを、延々と一時間にわたって事情を説明した。

「横浜国大には旧制の時代から自由主義と温情主義の伝統がある。一部の学生はこれを悪用して学問を放棄、過激な学生運動に走った。大学は五十年の伝統を破って学生の大量処分を行ったが、教育者としてのヒューマニズムは心の中で持ち続けたい」

「国立二期校であるためのコンプレックスも原因の一つにあげられる」

「神奈川県は東京と並んで地理的に一般の社会問題の影響を受けやすい。それだけ学生を反体制運動にかり立てることになる」

学長自身の責任問題については「一度は辞表提出を決意したこともあるが、職に踏みとどまって今回の事件を反省、教育のあり方を考えるのが学長として真に責任をとる道であると思う」と、辞任の意思のないことを明らかにした。

宮城名誉教授は、永田洋子がかかっていたバセドー氏病をめぐって、「この病気は性格に影響する場合もあることが問題とされている。保健面、精神面での教育も忘れてはならない」と心理学者としての立場から事件を分析した(「朝日新聞」一九七二年三月三十日付)。

(*) この点については異議があり、二〇一八年末に出版された『東大闘争50年目のメモランダム——安田講堂、裁判、そして丸山眞男まで』(ウエイツ刊)で、当時法学部三年生だった和田英二によると、法学部だけでも二十人が捕まり、逮捕者は八十人以上であったという。

第五章　連合赤軍の成立から「自滅」〜あさま山荘漂着まで

第三章で連合赤軍前史、すなわち赤軍派、革命左派（京浜安保共闘）の成立するまでの過程、さらに、それぞれの党派が成立後どのような活動を行っていったのかを時系列に従って綴った。ここでは、一九七一年七月十五日、二つの党派が合体し「連合赤軍」が結成されるまでの過程、さらに結成後の活動の内容を続けていくことにする。

以下に日誌風に時系列にあらましを綴っていく。章末に一九七一年十一月二十一日〜一九七二年二月二十日までの「山岳アジトに集結した29人の動静表」を資料として付したので参照されたい。

一九七〇年五月　赤軍派と革命左派が初めて接触

赤軍派からの申し入れで、赤軍派の松田久、革命左派の永田洋子と坂口弘の三名が会合、赤軍派がダイナマイトを要請した（『統一公判控訴審　連合赤軍総括資料集』一九九二）。

一九七〇年十二月　赤軍派・堂山道生の組織離脱
「森とは一緒にやっていけないし、彼を信用できない。今の状況で指導することに自信がない。もし塩見を奪還するというのであれば自分はもどる」という置き手紙を残して（坂東／一九九五）

一九七〇年十二月二十六日　両派の会合の設定
日比谷野外音楽堂で行われた柴野春彦人民葬の後、赤軍派革命戦線（合法部）の青砥幹夫と京浜安保共闘議長の牧田明三が話し合って、両派の会合が行われるはこびとなった（山平／二〇一一）。

一九七〇年十二月三十一日　森、坂東、永田、坂口、寺岡の会合
一九七一年一月一日にかけて埼玉県蕨（わらび）市の旅館の離れの一室で（永田『氷解』一九八三）、赤軍派の森恒夫と坂東国男、革命左派の永田洋子と坂口弘と寺岡恒一の五名が会合を持った。森は、革命左派の上赤塚交番襲撃を高く評価した。獄中の川島豪の奪還闘争をもくろんでいた革命左派は、交番襲撃で奪うことができなかった拳銃（赤軍派が持っていると噂されていた）の要請をした。しかし、その要請に森は曖昧な態度で坂東と相談し、赤軍派内で相談するのでそれまで返事を待って欲しいと答えた。坂東は心中で、「革命左派にやれる銃などないのに……と、森の見えだと見なしていた（坂東／一九九五）。路線の話では、森がスターリン[1]を批判しトロツキー[2]を擁護する主張を展開した

のに対し、永田はスターリン批判に抵抗を感じたものの反論することはできなかった(永田『十六の墓標(上)』一九八三)。赤軍派はトロツキー主義、革命左派はスターリン主義だったのである(坂東／一九九五)。

(1) スターリン(一八七九〜一九五三)は病死したレーニンに代わって権力を握った。「スターリン主義」と呼ばれる共産党の独裁体制をしき、党中央に都合の悪い人物を粛清した。スターリンの死後、かつての側近であったフルシチョフ(一八九四〜一九七一)第一書記が一九五六年二月、第二十回ソ連共産党大会の場で公然と前任者であったスターリンを批判した(『昭和日本史10』一九七七)。

(2) トロツキー(一八七九〜一九四〇)はレーニンに協力してロシア革命を起こしたユダヤ系の共産主義者。マルクス主義の原則に忠実に世界同時革命を起こすことにこだわった。革命を起こすタイミングは自分たちが決めるとするスターリンのソ連共産党からは党の指示に従わない「トロツキスト」のレッテルを貼られ弾圧を受け、メキシコに亡命したが、スターリンの派遣したテロリストに暗殺された(橋爪／二〇一〇)。

一九七一年一月上旬　森、永田、坂口の二回目の会合

大宮市の喫茶店で三名の会合が持たれた。永田洋子と坂口弘が、革命左派の銃の要請に対する赤軍派の返事を聞くためのものだった。森恒夫は「要請に応じないことに組織決定された」と言いにくそうに答えた。そのあと、アジトをどこに作るかという話になり、森は「都内に作る。地方に作ることは考えられない」、永田、坂口は「都内では非合法・非公然のアジトは守りきれないので地方に移した。地方にアジトをおいても活動できる」と言った(永田『十六の墓標(上)』一九八三)。

一九七一年一月中旬　森、永田、坂口の三回目の会合

革命左派の小山のアジト（12・18闘争後に、それまでの土浦から移り住んでいた。真岡銃奪取闘争前に引き払い館林に移すことになる）に森恒夫が一人で出向き、永田洋子と坂口弘が対応した。森は来たる一月二十五日の集会における赤軍派の基調報告（後に「赤軍」特別号に掲載）を二人に見せた。

一九七一年一月二十五日　赤軍派と革命左派の初の共同政治集会「蜂起戦争・武装闘争勝利政治集会」が千代田公会堂で開かれ、四五〇名が参加、両派がお互いにたたえ合った。革命左派は赤軍派に対し、「英雄的なハイジャック闘争は、全世界的なゲリラ戦争の波を日本の革命戦争の中に持ち込んだ。ゲリラの現実性を生々しく示した意義は、いくら強調してもしたりない」。一方、赤軍派は革命左派に対し、東京・志村署交番襲撃事件を取り上げ、「何という大胆、何という勇気、獄中の赤軍兵士は身震いし感激している」と応えた（「朝日新聞」一九七一年三月十四日付）。司会を務めたのは植垣康博と岩田平治で、壇上での発言者はすべてストッキングをかぶって登壇した。

一九七一年二月十四日　森、永田の会合

坂口弘は三日後の2・17闘争の最終的打ち合わせのために下館アジト（寺岡恒一と中島衡平がいた（読売新聞社会部／一九七二）に行き、大宮の喫茶店で森恒夫と永田洋子の二人だけの会合となった。森は、最初の会合でトロツキーを評価したことを撤回し、毛沢東思想への理解を示した。永田は、赤軍派が革命左派に近づいているという印象を持った(永田『十六の墓標(上)』一九八三)。

真岡猟銃強奪事件

一九七一年二月十七日午前二時頃、栃木県真岡市田町の塚田薬局兼銃砲店に電報配達を装い革命左派(京浜安保共闘)の六人が押し入り、一家四人を縛り上げたうえ、散弾銃十丁と空気銃一丁、散弾実包二三〇〇発(査証編集委員会編/一九八六)、ライフル実包六〇発を奪い、経営者(三十四歳)に一週間のけがを負わせて逃走した事件。

同日午前四時四十四分頃、東京都北区岩淵の国道で緊急配備中の警視庁が、男二人の乗った不審なライトバン(十六日二十一〜二十二時ころの間に茨城県笠間市高橋町で駐車中に盗まれた車両)を発見、免許証と車検証の提示を求めたが逃走、検問を突破。同日午前八時過ぎに尾崎康夫(二十三歳、横浜国大)と中島衡平(二十四歳、東京水産大)の二人が逮捕された。川島豪が二月二十日の裁判に出廷するため横浜拘置所から横浜地方裁判所(高橋/二〇〇二)へ移動する際に川島を奪還しようと実行したのだが、予想以上の警察の捜査体制に逃亡するのみの日々となってしまった。

実行犯の寺岡恒一、吉野雅邦、雪野建作、瀬木政児の四人に永田洋子、坂口弘が加えられて六人が指名手配された。六人は群馬県館林市、太田市、新潟県長岡市とアジトを新設しながら転々とし、最後に北海道札幌市に落ち着いた。散弾銃二丁(永田『十六の墓標(上)』一九八三)と空気銃一丁は長岡のアジトに残し(一九七一年二月二十七日、警視庁捜査本部によって散弾銃一丁と空気銃一丁が発見され押収された。「サンケイ新聞」一九七一年三月一日付）、北海道まで運んだものは定山渓（じょうざんけい）に埋めた。

札幌では、知人宅、旅館、マージャン荘の個室などで過ごした後、シンパサイザーが借りてくれた長屋に六人（五男一女）が三月初旬から、四月二十日に永田と坂口が赤軍派からの要請で上京してからは四人の男が五月末まで潜伏生活をした。長屋の部屋は六畳で、壁はベニヤ。床は波打ち、トイレは共同の老朽家屋であった。住民に怪しまれないよう共同トイレを使わずに洗面器に排泄し、台所に流すという徹底ぶり。一女の永田にはさぞこたえたことだろう。永田は、坂口と寺岡に厳しい逃亡生活を免れるために中国へ海外亡命し根拠地を作ることを提案した。

M作戦

赤軍派が一九七一年二〜三月に千葉県や神奈川県の郵便局、銀行等の金融機関を連続襲撃した強盗事件。二月二十二日に第一ゲリラ隊（大西隊）が千葉県市原市の辰巳台郵便局から七十二万円、二月二十七日に第二ゲリラ隊（新谷隊）が千葉県茂原市の高師郵便局から十万円、三月四日に第二ゲリラ隊が千葉県船橋市の夏見郵便局から一万五千円、三月九日に第三ゲリラ隊（松田隊）が神奈川県相模原市の横浜銀行相武台出張所から一五〇万円、三月二十二日に第四ゲリラ隊（坂東隊）が宮城県泉市（現・仙台市）の振興相互銀行黒松支店から一一五万円を強奪した。三月十五日に関博明（二十一歳、法大）、三月二十六日に**植垣康博**（二十二歳、弘前大）、三月二十九日に**森恒夫**（二十六歳）、**坂東**

国男(二十四歳、京大卒)、大西一夫(二十三歳、同志社大)、松浦順一(二十三歳、関大)、穂積満(二十一歳、弘前大)、金廣志(十九歳)の六人、四月五日に藤沼貞作(二十四歳、茨城大)、四月十日に石原保(二十一歳、東京水産大)、四月二十三日に近藤有司(二十歳、無職)、四月二十七日に高田英世(二十三歳、元同志社大)が指名手配され、三月十一日に城崎勉(二十三歳、徳島大中退)、三月十三日に新谷富男(二十三歳、同志社大)、三月十五日に松田久(二十二歳、茨城大)、三月二十七日に鈴木裕(二十歳、弘前大)、林慶照(二十歳)、四月五日に山口清(二十二歳、大商大)、四月十八日に村尾美幸(二十一歳、大阪府大)、四月二十日に石原保、五月一日に関博明、五月二十三日に大西一夫、六月一日に穂積満、六月二日に高田英世が逮捕された。

その後もM作戦は続けられ、五月十五日に坂東隊が横浜市南区で南吉田小学校の給料三二〇万円を、六月二十四日に坂東隊が横浜市港北区の横浜銀行妙蓮寺支店から四十五万円を強奪、六百万円を奪ったが失敗に終わった七月二十三日の松浦隊による鳥取県米子市の銀行襲撃が最後のものとなった。この作戦(の実行)で総額七百万円あまりを手に入れ、確かに活動資金は潤うことになったが、逮捕者の続出で組織は大打撃を受けた。

一九七一年三月十四日付の朝日新聞に、「危険な〝共闘〟の背景　孤立し、接近深める」との記事が出ている。理論面からみると、両派はもともと全く異質。赤軍派は「世界同時革命論」、京浜安保共闘は毛沢東理論に基づく「一国革命論」。資金を調達した赤軍派と猟銃などの武器を奪取した京浜安保共闘の野合？「過激闘争を繰り返すうち、既成の左翼勢力の中から孤立していき、それが両派の接近を深めたのではないか」との治安当局の見方と書かれている。

一九七一年三月二十六日付の朝日新聞に、「赤軍派　ハイジャックから1年　金融機関襲撃　京浜安保が刺激剤」との記事が出ている。「ハイジャック以来、何もしていない」という内部からの批判と京浜安保共闘による一連の武器調達作戦に刺激されてせきを切ったように始められたのが、今度の連続強盗事件によるM作戦だったと、治安当局は見る。

三月二十七日、川崎市生田区のアジトで、赤軍派の林慶照、鈴木裕、加藤和博が逮捕された。踏み込んだ警察官に熱湯を浴びせかけた玉振佐代子と関博明は逃走した（コラム2参照）。

四月三日、牧田明三京浜安保共闘議長（二十四歳）が一九六九年の9・3、4愛知外相訪ソ訪米阻止闘争関係の犯人隠秘容疑で越谷のアジトで逮捕された。2・17闘争に対する報復的な逮捕であった（永田『十六の墓標（上）』一九八三）。

四月十五日、革命左派の石井功子が大阪府門真市のアジトで、踏み込んできた警察官によって真岡の銃砲店襲撃の容疑で逮捕された（コラム2参照）。「私たちは関係ないから行こう」と一緒にいた川島陽子は逃走、川島に呼びかけられた**加藤倫教**（みちのり）は足がすくんでしまい、押し入れにしまっていたコーズマイト(土木や採石用の爆薬)が発見され、コーズマイト所持容疑で逮捕されてしまった(加藤倫教/二〇〇三)。

春の終わり頃から、獄中で革命左派と赤軍派の友好ムードが高まり、両派による新党結成が論じられるようになった。

四月二十三日、三日前の二十日に上京していた永田洋子と坂口弘が、赤軍派の森恒夫と映画館内で落ち合う。二人は森に案内された赤軍派のアジトに滞在することになった。この時より、両派の関係が深まることになる。五月半ば過ぎに、革命左派は山行のための支援金として赤軍派に三十万円のカンパを、赤軍派は革命左派に銃二丁(米子でのM闘争で押収された)の要請をした。

永田と坂口の東京での滞在中、坂口が永田に「山を使おう」と提起した。都内でその日のねぐらを捜して心身をすりへらすよりはましだと永田が同意した。永田は大学時代にワンダーフォーゲル部に所属しており山の経験があり、トレーニング山行で行ったことのある奥多摩の雲取山を提案した。

永田洋子と坂口弘に札幌から上京した寺岡恒一が加わり山中の活動拠点(山岳ベース)を捜した結

果、五月末に奥多摩湖畔の小袖川バス停から四キロほど奥にある鍾乳洞の近くの、使われなくなったバンガローを「小袖ベース」として利用することになった。これが最初の「山岳ベース」となった（九一頁の「山岳ベースの変遷」参照）。六月上旬までに入山したメンバーは、札幌からの**吉野雅邦**、雪野建作、瀬木政児に加え、**前沢虎義**、**金子みちよ**、**杉崎ミサ子**、早岐（はいき）やす子、向山茂徳、目黒滋子（四月三日に逮捕された牧田明三議長の恋人）であった。

六月上旬すぎ、獄中の川島豪や渡辺正則から新党結成を訴える内容の手紙が**永田洋子**に届いた（永田『氷解』一九八三）。川島からの手紙は、九日の拡大党会議で京谷健司から永田が受け取った。「（赤軍派の）花園も松平も大久保も反米愛国になったから、そろそろ赤軍派との新党を考えてみたら」と書かれていた（永田『十六の墓標（上）』一九八三）。

六月九日　丹波ヒュッテで拡大党会議を開催

小袖川バス停を通るバス路線の終点だった山梨県丹波山村での革命左派の会議。参加者は、小袖ベースに入山していた十一名（向山茂徳は三日前の六月六日に脱走していた）に、**加藤能敬**（よしたか）、**尾崎充男**、**大槻節子**、**伊藤和子**、**中村愛子**、**岩田平治**、京谷健司、浜崎和夫（または和男）の八名を加えた計十九名だった。

「銃を軸にした建党建軍武装闘争」路線を全員で確認した。「会議が終わると、酒を飲んで歓談し

山岳ベースの変遷

	革命左派	赤軍派	備考事項
1971.5.31 (or 末)	**小袖ベース** 東京都西多摩郡奥多摩町と山梨県北都留郡丹波山村との境の小袖川沿い	6.1 穂積満逮捕される 6.17 明治公園爆弾闘争	
1971.7.初め	**塩山ベース** 山梨県東山梨郡 三富村笛吹川上流		
1971.7.15	(統一→)連合赤軍結成	7.23 松江相互銀行米子支店襲撃	
1971.7.末	**丹沢ベース** 神奈川県足柄上郡山北町 河内川大滝沢上流		
1971.8.8	8.3〜4 早岐やす子を処刑 8.10 向山茂徳を処刑 8.21 雪野建作逮捕される 10.23 瀬木政児逮捕される	**福島県駒止スキー場小屋**	9.16 三里塚第2次強制代執行、警官3人が死亡 10.21 国際反戦デー
1971.10.下旬	**井川ベース** 静岡県静岡市田代大井川上流		
1971.11.初め	**牛首ベース**(数日のみ)		11.10 沖縄暴動、火炎瓶で警官1人が死亡
1971.11.13	静岡県静岡市安倍川上流 **井川ベース** 11.21 川島陽子ら逮捕される	**新倉ベース** 山梨県南巨摩郡早川町 黒桂河内川源流域	11.14 渋谷暴動、火炎瓶で警官1人が死亡
1971.11.24	**榛名ベース** 群馬県北群馬郡伊香保町 榛名山中の沼尾川沿い		12.18 土田警視庁警務部長宅で小包爆弾が爆発、夫人が即死 12.24 新宿・追分派出所でクリスマスツリー爆弾が爆発
1972.1.22	**迦葉ベース** 群馬県沼田市発地川上流鹿俣沢沿い		
1972.2.9	**妙義ベース** 群馬県碓氷郡松井田町裏妙義籠沢		

参考資料)「証言 連合赤軍－5－」25年目に跡地を巡る」(連合赤軍事件の全体像を残す会編、2005年)

た。みんな酔いが回って気分は上々、歓談は大いに盛り上がった。顔を赤くし、指名手配されている者もそうでない者も、肩を組んで歌を歌ったり、取っ組み合いをしてふざけた。私(坂口弘)も久しぶりにがぶ飲みし、心ゆくまで大声で喋りまくった。二年余り続いた武装闘争の間、みんなが心から楽しんだのは、この時の酒盛りと、秋の牛首峠(静岡県)の山小屋での腕相撲大会の二度きりだった。しかし、こうした賑やかな歓談の時も早岐さんは誰とも話さず、一人で酒を飲んでいた。それが私は気になった。向山君を活動に誘った東京水産大生の岩田平治君が私のところに来て、『向山を放っておいていいんですか?』と尋ねたが、私は『そうせざるを得ない』と答えた。次のベース移動の準備や、殲滅戦計画のため、構っていられないと思ったのである。しかし、この時、何らかの対策を立てておれば、或いは二カ月後の向山君殺害の悲劇は、免れたかもしれない。岩田君はこの時の無念の気持ちが強く、一九七三年に彼の裁判の証人として長野地方裁判所に私が出廷した時、この時のことを取り上げ、激しく私を詰る一場面があった」(坂口『続あさま山荘1972』一九九五)

この会議の後、**加藤能敬**と**大槻節子**の二人が山岳ベース入りした。

明治公園爆弾事件

一九七一年六月十七日二十時五十分頃、沖縄返還協定調印阻止闘争の集会後、東京都渋谷区千駄ヶ谷の明治公園横の観音橋交差点で、中核派が立木などを倒してバリケードを築き、出動した警察機動隊に投石や鉄パイプで抵抗していたおり、群衆(「朝日新聞」一九七二年三月十八日付)の中から中核派の頭上を越えて投げられた強力爆弾(ダイナマイト)(*)が機動隊の隊列に落下し、一瞬のうちに三十人の警察官が内臓露出などの重軽傷を負うという惨事となった。

米子市の松江相互銀行強盗で七月二十三日に逮捕されていた岩手県生まれの赤軍派福田宏(十七歳)が一九七一年九月、殺人未遂、爆発物取締罰則違反容疑で再逮捕されるが、投擲したのは九月二十五日に再逮捕された(やはり米子の銀行強盗で逮捕されていた)酒井隆樹(東北文理専門学校)であった。**森恒夫**が指揮したもので**青砥幹夫**も現場にいた。

(*) 安彦(二〇一八)の第一部対話の中で青砥が証言、植垣康博が同調している。

青砥「爆弾は作ってますよ。弘前でも。でもそれを含めて赤軍派が作った爆弾はね、一個も爆発していません。まともには」
安彦「一個も？」
青砥「明治公園のはね、あれは違いますから。ダイナマイトですから」
植垣「うんうん」

爆弾には、四日前の六月十三日に坂東隊が植垣の調査にもとづいて（坂東／一九九五）、長野県長谷村（現・伊那市）の工事現場から入手したダイナマイトの火薬が使われた（「実録・連合赤軍」編集委員会＋掛川正幸／二〇一〇）。

七月初め、革命左派は山梨県三富村（現・山梨市）西沢渓谷奥に設置した塩山ベースへ移動した。木立にビニールシートを張って屋根代わりにしたものだった。

七月六日、永田洋子と坂口弘はシンパである〝山谷の詩人〟梶大介（四十八歳、本名は北岡守敏）の葛飾区新小岩のアパートで森恒夫と会談、坂口が革命左派と赤軍派が新しい党派を結成することを提案したのに対し、森は「新党をつくることは当面無理だから、とりあえず軍の共闘を考えよう」と意見し（永田『氷解』一九八三）、軍事組織の共闘を主張した。

七月十三日、赤軍派の森恒夫と坂東国男がすっかり片づけられた小袖ベースへ出向き、永田洋子、坂口弘、寺岡恒一と会談、革命左派側が軍事組織の統合を承認、「統一赤軍」結成で両派が合意した。森の提起で五十年前の一九二二年七月十五日に日本共産党が設立されたので、それに因み七月十五日を結成日にすることが決まった。

七月十五日、「統一赤軍」が発足し、「全ての同志諸君！　連合〝赤軍〟を軸に徹底的に遊撃戦を闘い、米日帝国主義打倒、日本革命戦争、世界革命戦争勝利に向けて闘おう。連合〝赤軍〟を軸に武闘戦争を支持し、全人民蜂起に向けて闘おう」と武闘宣言を発した。

七月十九日、永田洋子と坂口弘が塩山ベースから下山し上京。千葉のアジトで塩見の六つの旗（「共産主義化」の初出）の掲載を森恒夫が要望（山平／二〇一一）、新機関紙「銃火」に載せる論文を森と打ち合わせた（坂東国男はすっぽかした。坂東／一九九五）。

七月二十三日、赤軍派の森恒夫と坂東国男が革命左派の新小岩アジトへ出向き、永田洋子、坂口弘と「銃火」の打ち合わせをした。この時、永田が脱走した向山茂徳と早岐やす子の処遇について森に話した。森は「我々にも同様の問題（持原好子の問題）が起きている。我々はヤル（殺す）ことにした。ヤルべきだ」と答えた。

一九七一年七月二十三日十三時四十分ごろ、鳥取県米子市の松江相互銀行を猟銃、刃物などを持った赤軍派の四人組が襲撃、現金約六百万円を奪い乗用車で逃走した。同日、国鉄伯備線の列車に乗っていた松浦順一(二十四歳)が上石見駅で、同じ列車に乗っていて生山駅で下車し、駅前からタクシーで岡山県新見市方面へ向けて逃走中だった福田宏(十七歳)が岡山県神郷町でそれぞれ逮捕された。福田が持っていたカバンの中から猟銃が発見され、それは京浜安保共闘が真岡で強奪していたものと判った。残る酒井隆樹(二十一歳)、近藤有司(二十歳)の二人も、翌二十四日午前零時十分に岡山県総社市内で乗用車に便乗していたところを逮捕された。一連のM作戦の最後の犯行となった。京浜安保共闘から松浦らに渡っていた猟銃は二丁で、もう一丁は一九七二年二月十四日に広島県福山市内の松浦が借りていた田んぼの中の一軒家から発見された。

七月末、革命左派は山岳ベースを神奈川県足柄上郡山北町の西丹沢渓谷の奥に移し「丹沢ベース」とした。

革命左派早岐やす子の処刑

一九七一年八月三日夜、墨田区向島のアパートで、七月十三日、殲滅戦に向けて瀬木政児、前沢虎義と共に小嶋和子が運転手を務め交番調査をしていた最中に静岡県の磐田駅で脱走した早岐やす子(二十一歳)に、金子みちよと大槻節子が睡眠薬入りの酒を飲ませ眠らせ、二十三時頃瀬木が早岐を起こして車に乗せ寺岡恒一と吉野雅邦が同乗、小嶋が運転する車で印旛沼へ運んだ。四日未明、寺岡、吉野、瀬木が早岐を絞殺し遺体を全裸にして埋めた。運転手の小嶋は激しく動揺し、処刑後、自力では歩けなかった。

八月六日夕、広島市中島町の広島平和記念公園で行われた新左翼系の「被爆二十六周年8・6広島反戦集会」の会場で、関西革命戦線のメンバー十人ぐらいと岩田平治、伊藤和子、寺林真喜江が赤軍派と革命左派が組織合同したとのビラを撒いた。このビラは、赤軍政治宣伝部の発行で、「統一された『赤軍』の下に結集し、徹底的に遊撃戦を闘い、日本革命戦争の大飛躍を!」と題し「七月十五日、共産主義者同盟赤軍派中央委員会と日本共産党(革命左派)神奈川県常任委員会がそれぞれの中央軍と人民革命軍の組織合同を決定した。統一された革命軍はロシア、中国の赤軍にならい新たに『赤軍』とする」とのアピール文がのせられていた(「朝日新聞夕刊」一九七一年八月七日付)。

八月八日、坂東国男と植垣康博が高崎のアジト(*)を引き払い、福島県駒止(こまど)スキー場の小屋へ移動した。小屋周辺で、銃の試射や爆弾の実験が行われた。ここを拠点に福島県の白河方面で交番殲滅戦をする計画だった。十三日の午後に進藤隆三郎、十六日には山崎順が合流した。進藤は合流する前に、(森が処刑するよう命じていた)持原好子を坂東隊から離脱させていた。

（＊）赤軍派のアジトの変遷　山梨県東八代郡石和町の緑風荘（一九七一年四月二日〜六月一日）、甲府市酒折町の小野アパート（同年五月十六日〜六月二十六日）、神奈川県横浜市保土ヶ谷区の美晴荘（同年五月二十日〜六月二十六日）、長野県更級郡上山田町の丸西アパート（同年五月二十八日〜六月二十六日）、西新宿のアジト（同年六月八日〜）、高崎市上並榎町のアパート（同年六月二十六日〜八月七日）と赤軍派はアジトを転々としていた。

八月九日、森恒夫は新小岩のアジトに出向き、統一赤軍の組織部についての打ち合わせをした。森は組織部に**青砥幹夫**、**行方正時**、塩見一子（塩見孝也の妻）、**遠山美枝子**を入れると言い、**永田洋子**は雪野建作、川島陽子、牧田明三の名をあげた。その後、永田は森に早岐やす子の処刑を報告した。森は「やる前に何か言わせたか？」と尋ね、永田は答えに詰まった。

革命左派向山茂徳の処刑

一九七一年八月十日、**大槻節子**が小平市のアパートに六月六日に小袖ベースから脱走した向山茂徳（二十歳）を呼びだし、**金子みちよ**と**杉崎ミサ子**が睡眠薬入りのウイスキー、睡眠薬粉末を塗ったスイカを勧めたが飲食しなかったため、二十二時半頃偶然を装ってアパートに訪ねてきた**吉野雅邦**と瀬木政児が、帰ろうとした向山に馬乗りしタオルで絞殺した。十一日未明遺体を全裸にして印旛沼の山林に埋めた。

八月中旬ごろ、赤軍派と新党をつくるように指示していたはずの獄中の川島豪が、統一赤軍の結成は反米愛国路線の放棄であり、両派の軍の合体ではなく連合であると主張し、統一赤軍の名称を「連合赤軍」に改めるよう要求した(永田『氷解』一九八三)。また、指導部が、納得できないものの「安易に独断専行で連合赤軍を作ってしまった」ことを自己批判し、新機関紙「銃火」に「統一された『赤軍』は中央軍と人民革命軍の連合軍である、新党結成をかちとる、イデオロギーの問題については今後整理し提起する」と明記した「付」を加えて出すことになった(渡辺／一九七二)。

八月十五日ごろ、**永田洋子**が丹沢ベースに瀬木政児の恋人である松本志信を連れてきた。

八月十八日、丹沢ベースで、両派の組織部会議が開かれ、赤軍派からは**森恒夫**、**山田孝**、**青砥幹夫**、**行方正時**の四人が参加し、森は「連合赤軍」への名称変更に同意した。

雪野建作逮捕

一九七一年八月二十一日深夜、真岡の猟銃強奪事件の中心人物として強盗傷人容疑で指名手配されていた雪野建作が新宿区の喫茶店で逮捕された(傍点部は「朝日新聞」一九七一年八月二十三日付／コラム2参照)。

八月二十二日、**森恒夫**と**青砥幹夫**が駒止スキー場の小屋の坂東隊に合流。青砥は翌日、植垣が作った鉄パイプ爆弾二本を持って下山した。

八月末、加藤倫教、元久兄弟、寺林真喜江、小嶋文子（小嶋和子の妹）の四人が丹沢ベースに入った。

八月三十日、革命左派と「殲滅戦は共同で行う」と取り決めていたにもかかわらず、すでに二人を処刑している革命左派に負い目を感じていた森恒夫が、なんとか実績を作って革左より優位に立ち主導権を握ろうとし（山平／二〇一二）、国道四号線沿いの小田川駐在所を攻撃し、警官を殺し拳銃を奪取する計画を立てていたが、前日からの台風による風雨、増水のため決行を延期した。

九月一日、森らは駒止高原の工事現場からダイナマイト一二〇本を入手した。

九月十一日、坂東国男、植垣康博、進藤隆三郎、山崎順の四人がそれぞれ武器を持って車に乗り込み小田川駐在所に出向いたが、駐在所に警官がおらず中止することになった。緊張感を失った四人は帰路、山崎に代わって「運転の練習をしたいから」と坂東が運転、急カーブを曲がりきれず羽鳥湖沿いの急斜面に車を落としてしまった。山崎が顔とかを少しすりむいた程度で無事だった（坂東／一九九五）が、作戦への意志の喪失は決定的となった。

九月十二日、森恒夫と山崎順の二人、続いて進藤隆三郎一人、最後に坂東国男と植垣康博の二人に分かれて下山した。

九月十四日、連合赤軍結成集会が四谷公会堂で開催され、学生ら約五百人が集まり、「秋に向けて武装遊撃戦を戦う」との宣言がなされた。

十月六日、赤軍派の植垣康博が行方正時の案内で革命左派の丹沢ベースに出向き、爆弾の製造法を教授した。青山のマンションで森の生活の世話(買い物、食事、洗濯など)で消耗していた植垣にとっては、「えっ、植垣さんがいるって！　どの人が植垣さん？」とスター扱いされ、革命左派の家族的雰囲気の居心地のよさと相まって、ちょっとした息抜きになった(植垣／二〇一四)。

十月二十二、二十三日、丹沢ベースから永田洋子、坂口弘、寺岡恒一の三人が上京、南青山のマンションで森、坂東と指導部会議を行い、共同軍事訓練の計画を立てた。

瀬木政児逮捕

一九七一年十月二十三日二十一時半すぎ、真岡の猟銃強奪事件に関わっているとして強盗傷人容疑で指名手配されていた瀬木政児(二十歳)が愛人の松本志信(二十一歳)とともに名古屋市中村区で逮捕された。二人は前日、丹沢ベースから逃亡していた。

十月二十四日、永田、坂口、寺岡が上京中で不在だったため、金子みちよが瀬木政児の逮捕に伴い丹沢ベースを撤収し、大井川上流の南アルプス「井川ベース」（林道から少し離れた所にあるガッチリした大きな廃屋（永田『十六の墓標（下）』一九八三）に移ることを指示した。

十月二十八日、植垣康博と山田孝が軍事訓練用の山岳ベース調査に出発。山梨県の早川の上流の支流である黒桂河内川（つづらこうち）の最深部（県道から転付峠へ向かう登山道を数キロはいり、ここからさらに南西へ数キロ）の早川町新倉の南アルプス山麓の標高一三七九メートル（黒柱岳は標高二四五〇メートル）の保利沢山南面にある（「朝日新聞夕刊」一九七二年三月十六日付）甲府パルプ株式会社の伐採飯場（小屋）をベース（新倉（あらくら）ベース）にすることを決めた。一番大きな伐採小屋は標高一七〇〇メートルほどのところにあった（高橋／二〇〇二）。山田はかつて赤軍派第二次政治局員だった経歴があるが、その後活動から遠ざかっており、森が指導権を握った二次赤軍派（二赤）にこの月（十月）に復帰していた。二人は十一月六日まで南アルプスを調査し、十一月七日に東京へ戻った。

十一月初めの数日、革命左派は静岡県の安倍川上流牛首峠の近く（永田『氷解』一九八三）の廃屋（ドラム缶風呂があった）で、その奥に寺岡恒一の指揮で（永田『十六の墓標（下）』一九八三）小屋を作っていた「牛首ベース」で過ごした。山の管理人ふうの人物が来たため井川ベースに戻ることになった。

十一月十三日、坂東国男、植垣康博、進藤隆三郎が新倉ベースに入った。坂東は、「ずいぶん感じの良い所で、狭いアジトで権力と対峙しているのと比べて、解放感を味わった」と述懐している(『統一公判控訴審　連合赤軍総括資料集』一九九二)。

是政アジトでの大量逮捕

一九七一年十一月二十一日、東京都府中市の革命左派の是政(これまさ)アジトなどで、川島陽子(アジトへ行くため国電中央線武蔵境駅のホームに降りたところで／コラム2参照)、加藤能敬、中村愛子、安江窓嘉(まどか)(岩田平治の恋人で二十歳)、小嶋文子(和子の妹で高校生)(以上はアジトのアパートで)の五名が逮捕された。またしてもベースの移動が迫られる(急がれる)ことになった。

十一月二十二日、森恒夫、山田孝、山崎順が新倉ベースに入った。

十一月二十三日、革命左派は群馬県榛名山への移動を開始し、小淵沢でテント泊し翌二十四日に到着、二十五日から小屋建設を始めた。建設地は、榛名山の蛇ヶ岳と、榛名湖の北端から流れ出す沼尾川の間の標高一〇〇〇メートルほどの(高橋/二〇〇二)谷の斜面で、近くに廃業した小さな温泉旅館「白雲荘」が廃屋になっており、その廃材を利用することができた。

十一月二十五日、山田孝が東京に行くため連絡係の進藤隆三郎とともに下山、翌日昼ごろ、進藤がベースに戻った。

十二月一日早朝、前日に森恒夫から共同軍事訓練に来る革命左派を迎えに行くよう指示を受けていた植垣康博がベースの第五の小屋(下から数えて五番目の小屋だったのでこう称していた)を出発した。植垣が尾根道に出たところで、設営したテントの前にいた山田孝、青砥幹夫、行方正時、テントの中にいた遠山美枝子と出くわした。この後、山田の案内で青砥、行方、遠山が新倉ベースに入った。一方、植垣は十時ごろ、待ち合わせ場所の新倉の鉄橋で革命左派の先発隊の杉崎ミサ子と大槻節子と落ち合った。後発隊との連絡、後発隊を待つために、大槻らが持ってきていたテントを黒柱河内川河口の岩かげに張り、一泊した。先発隊(二人)と後発隊(七人)に分けての移動は、身延駅での刑事の張り込み(青砥からの情報)を警戒しての坂口弘の対応だった。テントを張り終わった後、大槻が身延まで降りていき、十五時ごろ高崎駅近くの喫茶店で待機していた永田洋子らに身延駅が大丈夫であることを電話連絡した(永田『十六の墓標(下)』一九八三)。

十二月二日朝食後、後発隊が来る前に三人の荷物を尾根まで運び上げる際に、植垣康博が二人が水筒を持っていないことに気付いた。後発隊も持ってこないであろうと聞いた植垣はあきれたものの、自分の五リットル入りの水筒で当面はなんとかなるだろうが、水を持ってきてもらうようトランシーバーで頼まなければならないと判断した。これが「水筒問題」に発展することになる。十三時ごろ着いた永田洋子ら後発隊七人と合流、十五時半ごろ、尾根に着きテントを二つ張って夕食、一泊した。植垣はトランシーバーでベース小屋(第五の小屋)を呼び出したところ、坂東国男が出たので、明朝早く水と握り飯を持ってきてくれるよう頼んだ。

十二月三日、植垣康博と革命左派の九人は日の出前に起床、簡単な朝食をし出発した。十時ごろ、尾根道から別れるところに着き休憩していると、進藤隆三郎と山崎順が水筒を持ってきた。進藤は開口一番、威勢よく「あんたたち、どうして水筒を持って来なかったんだ。山に対する考えが甘いよ」と一喝した。十三時ごろ、第四の小屋の手前で、握り飯を持参した青砥幹夫と出くわした。青砥もまた、水筒を持参していないことを批判した。ベースにしていた第五の小屋には十五時ごろ着いた。森恒夫たちは歓迎よりも水筒の問題を批判し、赤軍派の革命左派への執拗な追求「水筒問題」に永田洋子らは辟易した。森の主導権(ヘゲモニー)を握るための先制攻撃であった。これに対する永田の反撃が「遠山批判」となる。

十二月四日朝食後、小屋の外で最初の共同軍事訓練として射撃姿勢訓練を行った。新倉ベースでの共同軍事訓練には赤軍派は全メンバーの九人、革命左派は選抜メンバーの永田洋子、坂口弘、寺岡恒一、吉野雅邦、前沢虎義、（逮捕された加藤能敬に代わっての）岩田平治、杉崎ミサ子、金子みちよ、大槻節子の九人が参加し、七日までの四日間実施された。

十二月五日の夕食後、革命左派の永田洋子たちが、赤軍派の遠山美枝子に対して質問しながら批判をし始めた。遠山の指輪、長い髪、その髪を会議中にとかす態度を問題視したのである。永田は、京谷健司から遠山のことを「非常に活発な人で、集会では赤軍派の男の人をあごで使い、いろいろ指図している。シミチョロ(*)だと言っても、イヤーネと言って笑いとばす楽しい人だ」と聞いており、非常に活発な女性活動家という印象を持っていた。金子みちよや大槻節子も、赤軍派の女性兵士として（アジトに踏み込んだ警察官に熱湯を浴びせて逃走した）玉振佐代子のイメージを持っていたため、期待が裏切られ失望したようである（永田『十六の墓標（下）』一九八三）。

（*）　女性用下着のスリップの当時の俗称であるシミューズがスカートからはみ出てチラッと見えること。

十二月六日朝、森恒夫が赤軍派だけの討論を提案、小屋の外の空き地で遠山に自己批判を要求、革命左派の二名の処刑に触れ、「革命左派の批判にいいかげんな気持ちで対応してはだめだ。遠山さんが総括できるまで山を降りない。山を降りる者は殺す」と言った。

十二月七日、共同軍事訓練最終日の最後は全員で肩を組んで「インターナショナル」の合唱、両派の親睦は最高潮に達した。永田洋子と坂口弘以外の革命左派メンバーは坂東国男と植垣康博の引率で榛名ベースへ戻っていった。坂東と植垣の役目は道案内のほかに、雪の上の足跡を消して帰ることであった。

十二月八日、新倉ベースに残った永田洋子と坂口弘は、森恒夫、山田孝と指導部会議。森は「銃による殲滅戦」論を展開、殲滅する相手は「権力」、矢面になるのは、公権力の実行機関である警察であった。永田は森の説明を、革命左派が掲げている「銃を軸とした建党建軍闘争」をより一層理論化したものと思い、信頼の気持ちを寄せた（永田『十六の墓標（下）』一九八三）。

十二月十日、永田洋子と坂口弘が青砥幹夫と山崎順の途中までの見送りを受けて新倉ベースから下山した。

十二月十二日夕刻、永田洋子と坂口弘が榛名ベースに到着した。永田は山本順一がいたことに驚いた。尾崎充男と小嶋和子が山本をオルグし入山入軍させたとのいきさつを聞いた。

十二月十四日、山田孝が「12・18柴野虐殺弾劾追悼一周年集会」に参加するため新倉ベースから下山した。その際、森恒夫は進藤隆三郎、行方正時、遠山美枝子の三人に、総括として雪の上の足跡を消してくることを命じた。三人が出かけた後、森は坂東国男、植垣康博らに、進藤たちに対する逃亡の警戒の必要を強調し、彼らからナイフや金銭をすべて取り上げ、弾薬と金銭を隠すよう指示した。

十二月十四日、大槻節子と岩田平治が「柴野虐殺弾劾追悼一周年集会(12・18集会)」に参加するため下山した。

十二月十五日、「榛名ベース」の小屋が完成し、革命左派は廃屋(白雲荘跡)から荷物を移動した。この時点で集結していたメンバーは、永田洋子、坂口弘、寺岡恒一、吉野雅邦、前沢虎義、杉崎ミサ子、寺林真喜江、金子みちよ、小嶋和子、加藤倫教、加藤元久、尾崎充男、伊藤和子、山本順一の十四人だった。

十二月十六日早朝、尾崎充男が合法部の京谷健司に会って集会の確認をするために下山した。山本順一も坂口弘の指示(購入した車の名義にシンパの名前を借りることと、中国行きをさぐるためにある人物に会うこと)で下山した。

十二月十六日、森恒夫と坂東国男の二人が榛名ベースに行くため新倉ベースから下山した。前日、森は青砥幹夫、植垣康博、山崎順の三人に、進藤、行方、遠山の活動を銃の訓練のみに限定し、総括については聞くだけにし、その内容を教えてはならないと指示していた(植垣/二〇一四)。

十二月十七日昼過ぎ、尾崎充男が榛名ベースに帰還した。尾崎は永田に、「12・18柴野虐殺弾劾追悼一周年集会」の主催がこれまでのように京浜安保共闘(革命左派の公然大衆組織)と革命戦線(赤軍派の公然大衆組織)ではなく、革命左派と赤軍派になっていたので、指導部との打ち合わせをせずに決めた京谷健司を追及したが拒絶されたことを報告した。

十二月十八日朝早く、前沢虎義と伊藤和子が軍からの代表として急遽「12・18集会」に参加するため上京した。

十二月二十日午後、森恒夫と坂東国男が榛名ベースに入った。歓迎の夕食会後、森、坂東、永田洋子、坂口弘、寺岡恒一、吉野雅邦の六人が炬燵で指導者会議を持った。森は革命左派の一人ひとりを評価し、夕食会で小嶋和子が「私のなかにブルジョア思想が入ってくることと闘わねばならないと思っています」と表明したことを「革命戦士の言葉でない」、尾崎充男を「軍人的でない」と問題視した。

十二月二十一日、前日から徹夜で行なわれた指導者会議で(路線問題を切り捨てたまま)新党結成の意志を一致させ「われわれになった」見地から、森恒夫と永田洋子は、両派別々にではなく共にかちとっていくべき(『統一公判控訴審　連合赤軍総括資料集』一九九二)「共産主義化」を追求していくことになった。

昼ごろ、12・18集会に参加した前沢虎義と伊藤和子が帰還し、主催名から革命左派の名前を降ろし、さらに集会での発言を求めたが、反対されたことを報告した。

夜、上京していた岩田平治が加藤能敬を連れて榛名ベースに帰還し、二人は岩田と大槻節子の二人が書き、加藤と中村愛子が賛同した(連合赤軍事件の全体像を残す会／二〇一七)「意見書」を意気揚々と永田に提出、前沢と伊藤を派遣し「12・18集会」を混乱させた指導部を批判した。永田ら指導部はこの批判を一蹴した。岩田はすぐに自己批判したが、加藤は納得しかねた態度であったため、集会での対応について逆襲を受けることになった。

加藤を追及していた最中に山本順一が妻(山本保子)子(十二月十一日生まれの生後十日の頼良)を連れて再びベース入りした。

十二月二十二日夕食後、全体会議で森恒夫が加藤能敬を批判した。是政アジトで逮捕されたとき、突破しようとしなかったこと、および警官と雑談したということを完黙したことにはならないと問題視してのものだった。前日の「われわれになった」ことで革命左派における永田の指導の独自性を否定し、革命左派内の問題に赤軍派(森)が初めて介入したのである。前日の永田の誘動(扇動)に応えての森が革命左派を直接指導する第一歩であった。

十二月二十三日夕刻、山田孝が榛名湖のバス停まで出迎えに行った金子みちよに案内され榛名ベースに入った。

十二月二十四日夜、加藤能敬が被指導部のメンバーをリードして大声で歌っていたのを、森恒夫がやめさせ、総括しようとしない加藤といくつかの発言を問題視していた小嶋の二人を作業からはずして総括に専念させると提起した。

十二月二十五日夕食時、森恒夫が加藤と小嶋の態度を改めて問題視し、「二人には食事をさせず、総括に集中させる」と言った(永田『氷解』一九八三)。

十二月二十六日夕食後、指導部会議で森恒夫が永田洋子ら革命左派の指導者に川島豪との分派闘争の決断を迫った。

深夜、手洗いのため小屋の外に出た永田洋子に、小屋の外にいた小嶋和子が、「夜、加藤が変なことをする」と訴えたことが発端となり、加藤能敬、小嶋への暴力的総括が始まることになった。総括中の身である加藤の不謹慎な態度に対して、森恒夫が「殴るか」と提案した。殴ることは指導であり、殴って気絶させ、気絶から覚めたときに別の人間に生まれ変わって共産主義化を受け容れるはずだと、森は巧みに理論付けた。高校で剣道部に所属していた森は、その稽古で何度か気絶した経験を持ち、人間は気絶から蘇ったときに新たな意識を持つという認識を持っていた。山田孝が森に「今一度、殴ることの意味を確認させてくれ」と問い質したのに対し、森は「新しい指導として殴る。共産主義を勝ち取らせるため」と即座に答え、山田も納得した。

「顔が二〜三倍に膨れるくらい殴れば気絶する」との森の目論見であったが、とんだ見当違いであった。二十分以上もの間、殴られながら詰問され続けていた加藤は、同様に詰問されていた小嶋が任務行動中に加藤と肉体関係を持ったと話したことで、非難的な追及を受ける。四十分が経過した頃から、それまで「そうです」とか「違います」とかの返答だけだった状態から、何名かの女性同志に対して手を握るとか接吻をするとかの行為をしたと白状してしまう。このことが、火に油を注ぐこととなり、森らは小嶋にも加藤を殴らせ、さらに加藤のハレンチ行為(坂口は「彼は、女性の誰某と寝たとか、キスをしたとか、手を触れたとか、洗いざらい告白させられた。その多くは、そう思ったということであり実際にあったことではないと思われる」と書いている(坂口／一九九六))の対象となった女性メンバーやその他のメンバーに対しても加藤を殴るよう促した(森／一九八四)。

ほとんどのメンバーに殴られ、最後は涙を流しながら尻込みしていた加藤の二人の弟までを永田が促し加担させたが、加藤は気絶しなかった。同罪と見なされ、最初の坂口弘と坂東国男の強烈な殴打を永田が見るに見かねて交代させた女性メンバー(金子みちよと伊藤和子)(『統一公判控訴審連合赤軍総括資料集』一九九二)の殴打を受け、正座させられていた小嶋は、「トイレに行きたい」との申し出たが、森に却下されその場で垂れ流してしまった(坂口『続あさま山荘1972』一九九五)。

これ以降、指導と称して暴力が正当化されることになる。縛られて食事も与えられず大小便を垂れ流しのまま放置されるのが当然になっていくのである。

〈いったん悪い方向に流れ出してしまうと、その流れを誰も止められない、その流れに誰も逆らえず、流されていくままとなってしまった……〉

十二月二十七日昼前、上京していた大槻節子が、東京まで迎えに行っていた杉崎ミサ子と寺林真喜江とともに帰還した。道すがらに杉崎から事態を聞いていたのであろう、大槻は意見書の問題についてすぐに自己批判した。

十二月二十八日の朝食後、坂東国男、寺岡恒一、山本順一が新倉ベースの赤軍派残留部隊を連れてくるために下山した。

夜、尾崎充男に総括が要求される。理由は、加藤を殴るときに「よくも俺のことを小ブル(プチブルジョア)主義者と言ったな」と個人的な恨みの発言をしたためだった。

十二月二十九日の朝食後、前沢虎義と岩田平治が中村愛子を連れてくるために下山した。昼過ぎ、坂東国男、寺岡恒一、山本順一が新倉ベースに到着した。坂東が寺岡の補足を得ながら、新党結成の経緯を植垣康博たちに説明、その後、坂東と寺岡が行方正時、進藤隆三郎、遠山美枝子の総括の点検を行った(植垣/二〇一四)。

昼食後、森恒夫が、ベースの全員が逮捕されることを考えて銃を埋めた場所の地図を合法部の京谷健司に渡していたと言った尾崎充男の敗北主義を克服させるために、尾崎が一九七〇年の12・18闘争で日和った(参加しなかった)ことを告白したことから尾崎に格闘をやらせようと提案、柴野を射殺した阿部貞司巡査長に見立てる相手役を(自分が名乗り出ることを期待している)森の懐を察した坂口弘が買って出た。体力に勝る坂口が尾崎を圧倒する段階になって森が制止させた。森は尾崎にねぎらいのことばをかけ、これで一旦総括は終わった。しかし夕方、シュラフに入っていた尾崎が鼻血を拭おうと、側を通った大槻節子に「ちり紙を取って下さい」と声を掛けたことで「甘えている」とシュラフから出され、森、坂口、山田孝、吉野雅邦に殴打されることになった。

十二月三十日夜、前沢虎義と岩田平治が中村愛子を連れて帰還した。

十二月三十一日朝食後、坂東国男、寺岡恒一、山本順一、青砥幹夫、進藤隆三郎、行方正時、遠山美枝子の七人が榛名ベースに入るため新倉ベースを出発した。坂東、山本、進藤、行方、遠山の五人が車で、寺岡と青砥の二人は東京にまわるよう坂東から指示された。植垣康博と山崎順は、坂東より(翌年の)一月二日か三日の昼に榛名湖のバス停の待合室に来るよう指示を受け第五の小屋を整理、指紋をふき取り、昼過ぎに第四の小屋に移った(植垣/二〇一四)。

夕刻、夕食のすいとんを作っているときに、立ったまま鴨居に縛られていた尾崎充男が「すいとん、すいとん」と独り言をつぶやき、これを聞いた森恒夫が「総括を考えようとしていない」と殴打、坂口弘、吉野雅邦、山田孝も続き、手拳で殴ったり、膝頭で蹴ったりした(森/一九八四)。

夜、坂東国男と山本順一が遠山美枝子、行方正時、進藤隆三郎を連れて帰還した。ベース(小屋)の中には、加藤能敬が坐ったまま、小嶋和子が横に寝かされるように、尾崎が立ったまま鴨居に縛られており、三人の異様な姿を見て、遠山、行方、進藤は驚き、意気消沈した。彼らの様子を森はつぶさに観察しており、後の総括要求につながっていく。遠山の髪の毛は形ばかり切ったもの、行方は非常に神経質な軽いノイローゼ的な様子、進藤の落ち着きのなさを森は見逃さなかった(森/一九八四)。坂東ですら、入口の鴨居のところに、うしろ手にロープで縛られ、立ったまままつりさげられている尾崎を見て、ギョッとし、いなくなっている間に進行した事態の激しさに圧倒される思いにとらわれたという(坂東/一九九五)。

この時、尾崎の様子がおかしいことに坂東が気付き(『統一公判控訴審　連合赤軍総括資料集』

一九九二)、会議中の森に伝えた。森の指示で見に行った吉野が尾崎の死亡を確認した。死者が出てしまったことに、森は内心激しく動揺したものの、気丈に「総括できなかった者の敗北死」と理由付けし自らと仲間の動揺を抑止した。

一九七二年一月一日零時過ぎ、大晦日の昨晩から続いていた全体会議中、森恒夫が進藤隆三郎のルンペンプロレタリア的戦役主義的傾向、闘争過程における日和見主義的傾向、逃亡し警察に通報しようとした〝女房〟持原好子を指導しえなかった問題を批判した。進藤は「縛ってくれ。革命戦士として総括し抜く」と発言したが、森は「縛ってくれと言えば殴られないと思ったら大間違いだ。我々はお前の要求を拒否し、我々が指導するということで縛る。皆に殴られて総括を深化しろ」と言って、自ら進藤を気絶させるために殴り、他のメンバーにも殴らせた。進藤は小屋の外の木に縛られていたところ容態が急変し、「もう駄目だー」と絶叫した直後に死亡した。森は殴る直前に、坂東国男と山田孝に「尾崎の時、膝で蹴ったのはまずかったかもしれない。だから死ぬ危険がないように手で腹を殴って気絶させよう」と言っていた(『統一公判控訴審　連合赤軍総括資料集』一九九二)にも関わらず、またしても加減を誤ってしまった。坂東らが、進藤を抱えて外に連れ出そうとしたとき「自分で歩いていけます」と言うのを聞いてほっとした気になっていたのだが、束の間であった。

初日の出前に、植垣康博と山崎順が榛名ベースに入るため新倉の第四の小屋を出発した。

夕刻、尾崎の死をさとらないようにと小屋の床下に縛られたままでいた小嶋和子の容態が急変、森恒夫と山田孝が胸を押しての人工呼吸、さらには伊藤和子、永田洋子、山田、森が口移しでの人工呼吸を続け蘇生を試みたが死亡した。極寒の屋外に縛られ放置されていた小嶋の体は冷え切っており、人工呼吸の間、永田が体をさすったり、岩田平治は近くに枯れ木を集めて火を燃やし暖めようとしたがすでに手遅れであった。

小嶋の死後、山田と森との間でやりとりがあった。

山田「死は平凡なものだ。死を突き付けても革命戦士になれない。考えて欲しい」

森「いや、そうではない。死は革命戦士にとって避けて通ることの出来ない問題だ。精神と肉体の高次な結合が勝ちとれていれば、死ぬことはない」

山田「うーん、精神と肉体の高次な結合か……よーし、分かった」

一月二日、遠山美枝子と行方正時への批判が始まる。遠山の理由は、合同軍事訓練の場で問題視され持ち越されていた、革命左派の女性メンバーと比較して戦士としての独立性、自立性、行動力に欠けており、そうした事が彼女の服装や化粧や態度にはっきり表れているということだった。行方の理由は、二線級で闘争に対して消極的（先頭に立って闘うのではなく人の後ろからついていくこと、自分が革命戦士になれないのではないかと思い自殺を考えたこと）、あるいは半合法活動に従事していた頃の女性問題（森／一九八四）というものだった。

昼頃（十二時過ぎ）、前沢虎義の榛名湖バス停からの（植垣／二〇一四）案内で（新倉からの）後発隊の植垣康博と山崎順が榛名ベースに入った。

夜、寺岡恒一が東京から青砥幹夫を連れて帰還し、全メンバーが揃った。

深夜、森恒夫らの激しい追及に「死にたくない」と答えることしかできなくなった遠山は、死への恐怖心を克服させようという永田洋子の提案により小嶋の遺体の運搬と埋葬を命じられた。これに行方が手伝うことを買って出た。

このときの状況を植垣康博（二〇一四）がこう書いている。

「私は、皆のあとについて外に出、床下に行った。もう三日の午前一時頃だった。遠山さんと行方氏は、小嶋さんの死体を床下から出すと、遠山さんが死体の脇の下から手を入れてそれを抱え持ち、行方氏が死体の足の方を持ち、引きずるようにして沢の上の方に運んで行った。そして、他の者は、懐中電灯で二人の足もとを照らしながら、『頑張れ、頑張れ』と声援を送っていた。その光景は、どうみても異様だった。しかし、その異様な事態のなかで、誰もが死をめぐって何の動揺もなく動いていること、遠山さんさえ死体埋めにちゅうちょしなかったこと、むしろ、私自身の方がその異様な事態に驚いてしまっていることから、なるほど私の方が遅れてしまっていると思ってしまい、山崎氏に、『俺たちの方が相当に遅れているな。ほんとに圧倒されちゃうよ』といった。ただ、三人の死をはじめ、事態のあまりの異様さに、こんなことをやっていいのだろうかという思いもあった。そこで、私は、坂東氏をつかまえて、『こんなことやっていいのか？』と聞いた。私は、それまでの気安さで、坂東氏とよく話し合ってみたかったのである。ところが、坂東氏は、ぶっきらぼうに、『党建設のためだからしかたないだろう』としか答えなかった。私の意見に耳を傾けていたそれまでの坂東氏とまったく違っていた」

このときの会話を坂東も覚えていて、一九八四年八月二十日にレバノンで書いた供述書にこう書いている。

「この頃から、私自身『総括する』ということが分からなくなっていきました。こんなことを今頃でなく、その当時にこそ言うべきことであったのですが、総括できていると思った進藤同志が批判され、榛名に着いてわずか一日で粛清され、しかも、自ら手を血で汚したことから、しかも、遠山同志への批判として言われていることで、私にも分からないことがしばしばあり、余計混乱していたのです。しかし、やはり、真に自分のつくり出した現実として直視していず、同志を軽蔑している分、間違っているとは自覚しえず、動揺する自分は、森、永田同志達に比べてまだまだ弱さがあり、分からないとか、いやだというべきではなく、ともかく、この厳しい共産主義化にかかわらねばならないと内容抜きに考えるようになったのです。だから、植垣同志達が榛名へ合流し、小嶋同志の死体埋めを遠山同志がやった後、植垣同志が、私に『こんなことやっていいのか?』と聞いてきた時、『党建設に必要なんだから仕方ないだろう』としか答えられなかったのです」「自分も混乱していてよく分からなくなっていると言うべきであったのに、と今は思います」(『統一公判控訴審　連合赤軍総括資料集』一九九二)

一月三日午前三時ごろ、小屋に戻ってきた山田孝が、寺岡恒一が小嶋の死体を皆に殴らせたことを問題視し、森恒夫に報告した。また、小嶋の死体を埋め終わり、要求された実践を終えて戻ってきた遠山美枝子に、森はさらに執拗に総括を促した。「自分で総括します」と答えた遠山に、森が「自分で総括するというなら援助しないぞ。自分で自分を殴れ！」と命じた。「顔を殴れ！」「唇を殴れ！」と森が言うままに、口から血が出て床にしたたり落ち、顔が円球形になるまで三十分以上、遠山は自分で自分を殴り続けた。

夜、中央委員会(C・C＝Central Committee)を結成する。七名が中央委員に立候補し承認された。序列は、森恒夫、永田洋子、坂口弘、寺岡恒一、坂東国男、山田孝、吉野雅邦の順であった。行方正時が「C・Cの結成に異議なしです。支持します。自分もすっきりしました」と発言したところ、森が「ちょっと待った。そんなことお前が言っていいのか」と発言をさえぎり行方の総括が始まった。森は新倉ベースでの共同軍事訓練以降、行方を遅れていると見なしていたのである。遠山美枝子、行方ともロープで縛られることになり、加藤能敬と合わせて再び三名のメンバーが小屋内の別々の柱に縛られる状態となった。

一月四日九時ごろ、加藤能敬が死亡した。森恒夫の指示を受けた坂東国男によって縛り直され、逃亡防止の目的で髪の毛を短く刈り取られ、逃亡を考えているのだろうと平手で殴られたりしながら森に詰問された数分後のことであった。森には加藤の死に顔が驚くほど淋しげな表情に見えたと後に「自己批判書」に記している。永田洋子は加藤の体を揺さぶり、涙を流しながら、「この馬鹿、どうして死ぬのよ」。弟の加藤倫教は、硬直してその場に佇んでいた。末弟の加藤元久は「こんなことやったって、今まで誰も助からなかったじゃないか！」と泣き叫んで、小屋の外へ飛び出して行った。

一月五日二十一時ごろ、小屋の近くに埋めていた尾崎、進藤、小嶋の遺体を掘り起こし、加藤の遺体とともにライトバンの荷台に乗せ、埋葬場所を調査してきた山田孝、寺岡恒一、坂東国男、吉野雅邦、前沢虎義が山本保子の運転で倉淵村（現高崎市）地蔵峠まで運び、埋葬した。

一月六日早朝に六人が戻って来たとき、寺岡恒一が山田孝の不必要な警戒心（人影などないのに「人影がある。伏せろ」と言ったこと）を問題だと森恒夫に告げた。

夕食後、行方正時が森の追及に、車で移動するときに逃亡しようと思っていたことや、家に帰ろうと思っていたことなどを話したため、森の指示により逃亡できないよう肩胛骨と大腿部の裏側を最後は寺岡恒一に薪で殴られ、逆海老型に縛り付けられた。その後、遠山美枝子への追及が始まった。遠山は、ブルジョア女性観とそれに基づく「女を売り物にする」行動を問題視され、森の指示により、行方と同様に肩胛骨と大腿部を山田や坂東らに殴られ、逆海老型に縛り付けられた。森が遠山の足の間に薪を挟んで縛れと指示したときに、寺岡が「男と寝たときみたいに足を広げろ」と言い、永田洋子に「矮小よ」と批判された。

一月七日十七時ごろ、全体会議中に永田洋子が遠山美枝子の異変に気付き、坂東国男と山田孝に知らせた。二人が遠山を縛っていた縄をほどき人工呼吸を開始、森恒夫が「酒を飲ませろ」と言い、永田に頼まれた坂口弘が酒を暖めたり処置を講じたが死亡した。

一月八日朝、山崎順、寺林真喜江、中村愛子が山本保子の運転する車で井川ベース跡へ荷物を取りに行った。また、岩田平治と伊藤和子が安江窓嘉（岩田の恋人）と小嶋文子（小嶋和子の妹で高校生）を連れてくるため下山、名古屋へ向かった。

大槻節子が地図などの買い物のために下山、麓の町へ出かけた。

前沢虎義と青砥幹夫が黒ヘルグループ（政治集会などに黒色のヘルメットをかぶって参加していたことからこう呼ばれるようになった無党派（ノンセクト）グループ）の奥沢修一をオルグするために下山、上京した。

一月九日一時ごろ、行方正時が死亡した。大槻節子から報告を受けた植垣康博が森恒夫に報告、森は少しも驚かず、「床下におろしておけ」とだけ言った。

二十一時ごろから、遠山と行方の遺体を車に乗せ、山田孝、寺岡恒一、坂東国男、吉野雅邦が山本順一の運転で倉淵村地蔵峠まで運び、埋葬した。

一月十一日、新アジトの調査に、植垣康博と杉崎ミサ子が迦葉山（かしょうざん）へ、吉野雅邦と寺林真喜江が赤城山へ、山本順一の車で出発した。

一月十二日、坂東国男と寺岡恒一が日光方面の調査に出発した。森恒夫は、総括を要求していた寺岡を監督させる目的で腹心の坂東を同行させたのである。

一月十三日、山田孝が資金集めのために下山、上京した。青砥幹夫が帰還し、奥沢たちのオルグがうまくいかず、もう一度会うことにしたということと前沢が少し遅れることを報告した。

一月十五日夕方、山田孝が帰還した。

一月十六日夕方、吉野雅邦と寺林真喜江が帰還した。

一月十七日夕方、植垣康博・杉崎ミサ子組、坂東国男・寺岡恒一組が帰還した。待ち構えていた森恒夫により寺岡への総括が始まった。総括の理由は、小嶋の遺体を埋めた際に、率先し他のメンバーにも遺体を殴らせた、杉崎が自立した革命戦士になるため寺岡と離婚すると表明したことを真面目に受けとめていない（永田『氷解』一九八三）、遠山を縛る際に「高原にしたように股を開け」との発言をしたことであった。

一月十八日一時ごろ、森恒夫は、寺岡恒一を分派主義者、スターリン主義者と断定、死刑を宣告した。森が「最後に言うことはないか」と問いかけると、寺岡は「革命戦士になりたかった」と落ち着いた声で答えた。最初に森が、続いて植垣康博、青砥幹夫がアイスピックで心臓部を刺したが、絶命させることができず、最後はロープを首に巻いて、数人が両側から引っ張り絞殺に及んだ。七時ごろ寺岡は死亡した。

森の厳しい追及に寺岡は「調査中、坂東さんを殺して逃げようと思った」「テントで寝ている時、ナイフで殺して逃げようと思った」と言及し、森の「何故しなかった」との質問に「隙がなかったからです」と答えた。坂東は寺岡のこの「告白」がでたらめであることを知っていた。

坂東によると、「寺岡同志は調査中、一貫して元気がありませんでした。山岳での調査活動をやっているときには、比較的元気であったが、夕食後、テントの中で沈みこんでいることが多く、何か話しかけるのも悪い感じがするくらいでした」「しかし、いよいよ山岳へもどるという日を明日にひかえる中で、どうしても話したいという感じで、彼の方から質問されたのです。『杉崎同志との離婚問題についてどう考えたらいいんだろうね。それから総括ということがよくわからないんだよね。坂東さんはどんな風に考えていますか』といわれたのです」(坂東／一九九五)「これには私自身困りました。私も実はさっぱり分からなくなっていたからです。自信過剰家で、分からないというのが嫌いな私は、『総括は必要なことだと思う。杉崎さんの問題は女性蔑視の問題として考えることではないですか』と答え、答えてから言わなければ良かったと後悔するものでした」(『統一公判控訴審　連合赤軍総括資料集』一九九二)「強気な人で、断固としてやっていたと思っていた同志のこの『弱気な』質問は、一瞬信じがたいものでした」「その日は、一日中調査したため疲れたのと、思いがけないかたちで、私自身をとらえかえさざるをえなくなったため、肉体的にも精神的にもすっかり疲れてしまい、ぐっすりと寝こんでしまいました。彼の方は一晩中考えこんでいた様子で、次の日、私のために朝食の準備までしたうえで起こしてくれたのです。ですから、もし彼が逃げようとして、本当にそうしようとしたら、簡単に逃げることはできたのです」(坂東／一九九五)

夜の全体会議で、寺岡の死刑に対する総括での発言が問題視され山崎順が追及されていた最中、帰りの遅れていた前沢虎義が戻ってきた(山平／二〇一一)。

一月十九日午前、森恒夫が山崎順に総括を要求、寺岡の処刑の際の追及に加わらず避けるような態度をとっていたことを問題視し、「自分も殺されると思ったというのはどういうことや」と追及した。

十三時ごろ、伊藤和子が名古屋から帰還、岩田の逃亡を報告した。このとき、山崎順が片膝を立てて芝居じみた感じで「逃げたな」と言ったのを森恒夫は聞き逃さなかった（『統一公判控訴審　連合赤軍総括資料集』一九九二）。

進藤の恋人だった持原好子（二十五歳）が一九七一年五月十五日、横浜市南区の小学校教員の給料ひったくり事件の容疑者として盗みの疑いで逮捕されたことをラジオのニュースで知り、山岳ベースを迦葉山へ移すことが決まった。

午後、森は永田洋子に、逃亡する畏れのある山崎を迦葉山へ連れて行けないのではと相談、永田は「調べてみてはどうか。ナイフを突きつけて死刑だと言って、その時の山崎の対応を見て判断しよう」と提案した。

夕刻、山田孝と山本保子が迦葉山ベースの建築資材の購入と、奥沢修一を再オルグするために下山した。

二十三時ごろ、寺岡の遺体を車に乗せ、坂口弘、坂東国男、吉野雅邦、植垣康博が、山本順一の運転で倉渕村地蔵峠まで運び、埋葬した。

一月二十日十三時ごろ、森恒夫が山崎順に常に利害を計算して動いていると批判、さらに逃亡の意思を追及、すっかり追いつめられ「殺してくれ」と答えた山崎に、「殺してくれというのなら、お前は死刑だ」と森が死刑を宣告した。寺岡のときと同様に、植垣康博、続いて坂東国男がアイスピックで胸部を刺したが絶命させることが出来ず、青砥幹夫、植垣、森の順でナイフで刺したが、それでもだめで、寺岡の時と同様、最後はロープを首に巻きつけて数人が左右から引っ張り、とうとう山崎は絶命した。すでに夕刻になっていた。

森恒夫は、八月十八日に革命左派の丹沢ベースに訪れた際、同派の女性兵士の自立した活動ぶりに驚き、特に金子みちよと大槻節子を高く評価した。それは十二月初旬の新倉での共同軍事訓練、十二月二十日に榛名ベース入りした日の夕食会までは変わらなかった。

ところが、榛名ベースでの共同生活で二人への評価が変わりだす。まずは十二月二十七日に東京から戻ってきた大槻のパンタロンやコートがカンパで買ったもの、その額を大槻がごまかしていたことから始まり、一月二日夜の全体会議で、植垣が大槻と結婚したいと言ったときの恥ずかしそうな態度を「女まる出し」、六〇年安保闘争の敗北の文学が好きだと言ったことに「女学生的」と批判した。丹沢ベースでは、妊娠していた金子のために「金子さん用に肝油を手に入れよう」と言い、革命左派の女性メンバーから歓声が上がったのだが、金子に肝油を渡すことなく、「金子は女寺岡だ」と批判することに至る(永田『十六の墓標(下)』一九八三)。

二十時からの全体会議で、森と永田洋子が大槻と金子の総括を要求。大槻の理由は、山崎と同じように計算づくで総括しようとしているというもので、金子の理由は、尾崎を、上赤塚交番で柴野を射殺した阿部巡査長に見立てた坂口と決闘させたことを批判したこと、官僚的であること、指導部の者と被指導部の者に態度を変えること、主婦気取りであること、妊娠中なのに食事に配慮せず任務で外出したときに食事をしそれを隠していたこと、吉野との離婚を安易に言ったりして情愛に欠けることなどであった(永田『十六の墓標(下)』一九八三)。

大槻の総括要求については、永田は『十六の墓標(下)』で次のように書いている。「大槻節子さんは革命左派の女性のなかでは最も活発で男性に負けない程の活動力があった。一度も弱音を吐いたことはなかった。しかも、暴力的総括要求にも率先して行動していた。こうした点で、当時においても最も評価されるべき一人であった。だから、大槻さんにたいしての総括要求が繰り返し行われていくなかで、私自身どうしてそんなに繰り返し総括要求するのかわからないほど彼女への総括要求ははっきりしないものであった」総括を要求したのは森であったことを暗示して責任は森にあると書いたようにもとれるが……。

二十三時ごろ、山田孝と山本保子がレンタルしたワゴン車に建設資材と工具を積み、奥沢修一を連れて帰還した。

一月二十二日、迦葉山ベース建設部隊が三班に分かれ、五時に先発隊として坂東国男と杉崎ミサ子が山本順一運転の車で、七時頃に第二陣として吉野雅邦、前沢虎義、中村愛子、加藤元久が出発、八時頃に第三陣として植垣康博、青砥幹夫、伊藤和子、加藤倫教が出発。森恒夫、永田洋子、坂口弘、山田孝、金子みちよ、大槻節子、寺林真喜江、山本保子、頼良、奥沢修一は榛名ベースに残った。

一月二十三日夕方、青砥幹夫と山本順一が迦葉山ベースから榛名ベースに戻ってきた。夜、山崎の遺体を車に乗せ、坂口弘、山田孝、青砥幹夫、寺林真喜江が、山本保子の運転で、倉淵村地蔵峠(十二塚)まで運び、埋葬した。

一月二十四日未明、山崎の遺体の埋葬の帰途、榛名ベースの近くで山本保子運転の車が側溝に落ちて故障。朝食後、山田孝と奥沢修一がレッカー車に引き上げてもらうために出発。昼過ぎ、車を整備工場のレッカー車で引き上げてもらい修理のため高崎市まで運んだ。修理の間、二人は銭湯に入った。夕方遅くに、修理を終えた山田と奥沢が榛名ベースに戻った。

一九七一年五月十五日の横浜市南区での小学校教員の給料ひったくり事件の容疑者として、坂東国男、植垣康博、山崎順、進藤隆三郎の四人が盗みの疑いで指名手配された(「朝日新聞」一九七二年一月二十五日付)。

一月二十五日零時過ぎ、坂口弘、青砥幹夫、奥沢修一が山本順一運転の車で榛名ベースを出発、迦葉山の小屋建設現場へ向かった。

八時ごろ、山田孝が資金集めのために出発、上京した。

一月二十六日早朝、坂口弘と青砥幹夫が奥沢修一の運転で迦葉ベースから榛名ベースへ移動。坂口が森恒夫と永田洋子に山本順一の報告をした。

坂口の報告の内容は、前日の朝、迦葉山ベースに着いたところで、山本がぬかるみに車をはめて動けなくしてしまった際に、山本は自己批判せず坂口に悪態を付いたこと、その夜の全体会議で総括を求めたところ、山崎の死刑のとき、足を押さえ物理的に手伝っただけ、C・Cの決定通りにしてきただけだとの言明に及んだため、正座させたというものであった。報告を受けた森は坂口に、「殴って縛るべきだ」と言い、永田は「逃亡できないようにちゃんとしてあるの？」と聞いた。坂口は、坂東と吉野の二人が両脇について見張りをしていると答えた。森は「坂東がついている以上は大丈夫だろうが、早く戻って殴り縛るべきだ」と言った（永田『十六の墓標（上）』一九八三）。

坂口（『続あさま山荘1972』一九九五）は、榛名ベースに着いたときの光景を次のように書いている。「榛名ベースに着くと、驚くべき光景を目にした。金子みちよさんが中央の柱に、大槻節子さんがタンスに、それぞれ足を投げ出し、寄り掛かるようにして縛られていたのだ。この二人の革命左派出身女性メンバーに対しては、ずっと前から断続的に総括が求められていたが、進展がはかばかしくないということで、一月二十二日に出発した迦葉建設部隊から外されていた。そうした経緯はあったが、私が二日前に（正確には一日前と思われる／筆者注）榛名ベースを発った時の雰囲気からして、よもや縛られることはあるまいと思っていた。だから非常に驚いたのだった。森君と永田さんの二人から、『大槻は、向山が下山した後、密かに彼と会って関係を維持していたことを告白したので縛った』『金子は、〝今まで吉野君について闘争に関わって来たが、これからもそうする〟と言ったので（つまり、これまで別れると言ってきたことと矛盾することを言ったので）縛った』という説明があった。私は、黙って聴いているだけだったが、大槻さんについては大変なことを告白したもんだ、と思った」

昼食後、坂口弘と寺林真喜江が奥沢修一の運転で榛名ベースを出発、迦葉ベースへ向かった。青砥幹夫は榛名ベースに残った。両ベース間の連絡を、青砥に代わって寺林がすることになったためである（永田『十六の墓標（下）』一九八三）。

一月二十八日早朝、坂口弘と坂東国男が奥沢修一の運転で榛名ベース残留組を収容するために迦葉ベースを出発した。

一月二十九日一時過ぎ、森恒夫、永田洋子らが迦葉ベースに到着した。移動は、レンタカーのライトバンを奥沢修一が運転し、大槻節子と金子みちよは縛られたまま荷台に乗せられ、山本保子は、運転免許証を紛失した奥沢といつでも交代できるように奥沢の隣に坐った。山本の横に森が坐り、頼良を抱いた坂口弘、永田、坂東国男が後部座席に座った。青砥幹夫は、山田が戻ってくることになっていたので榛名ベースに残った（永田『十六の墓標（下）』一九八三）。到着後、大槻と金子は、山本順一が入れられているテントに運び込まれた。

朝食後、寺林真喜江と奥沢の二人が買い物、山田との連絡、青砥の迎えのため車で出発した。

十九時ごろ、未完成の小屋へ荷物を運び込む。山本順一、大槻、金子の三人は床下の柱に縛られた。

夜、寺林と奥沢が青砥幹夫を連れて戻ってきた。

一月三十日一時ごろ、小屋の床下の柱に縛られていた山本順一が死亡した。加藤倫教と共に30分おきに見張りに行っていた植垣康博が、首をたれていた山本の頭を起こしてみると、瞳孔が開いていた。

朝、寺林真喜江と奥沢修一が、レンタカーの交換と山田を迎えに行くため東京へ向かった。

二十時ごろ、床下に縛られていた大槻節子が死亡した。吉野雅邦らと共に床下に降り、直前に大槻を殴るよう仕向けられた植垣康博が、首をたれていた大槻の顔を上げて見ると、瞳孔が開きコンタクトレンズが端の方にずれていた。植垣はびっくりし、呆然として声も出せなかった(植垣/二〇一四)。

一月三十一日三時ごろ、奥沢修一と寺林真喜江が資金集めに行っていた山田孝を連れて迦葉山ベースへ帰還。森恒夫は、山田が高崎で車の修理中に奥沢と銭湯に入ったこと、シンパからのカンパが目標額に達せず、新たな車も手に入れなかったことを批判した。

二月一日、森恒夫が山田孝に、任務中に風呂に行ったこと、しかもそれを批判されると一人で行けば問題なかったと答えたことを、日常的な闘争の放棄と官僚的な闘争への関わりを示しているとして総括を要求した。

二月二日二十二時ごろ、山本順一と大槻の遺体を車に乗せ、坂口弘、坂東国男、吉野雅邦が、奥沢修一の運転で白沢村高平小芝の杉林まで運び、埋葬した。

二月三日朝食後、山田孝が、前日の森恒夫と永田洋子の提案による「一日水一杯」での薪拾い実践をやらされた。午前中の植垣康博・寺林真喜江、午後の坂東国男・植垣の監視下で態度が違ったということで、山田は殴られ、〇・一パーセントの可能性が〇・〇一パーセントになったと森に言われ、逆海老状に縛られてしまった。

植垣(二〇一四)を引用すると、「山田氏は私(植垣)が指示した時には、『そうか』と答えていたのに、坂東氏が指示すると、『はい』と答えて、言葉遣いが変わり、しかも動作も早くなった。私は、この山田氏の態度の変化にいささかムッとし、問題だと感じた。(中略)森氏に報告を求められた私は、『山田は、どれが立ち枯れの木かわからないでいた。僕も一緒に作業したが、僕の作業の量の方が山田より多かった。それに、坂東さんが来てから態度を変え、僕のいうことはあまり聞かなかったが、坂東さんのいうことはよく聞いた』と批判的に報告した」。森が言った〇・一パーセントという数値の根拠は、森自身の再復帰時の革命家への再生の可能性は一パーセント、それをこの時点ではもっと厳しいものと考えて示したものであった(森／一九八四)。

二月四日六時半頃、坂口弘たちが、前夜、青砥幹夫たちが車で運んできた荷物を背負って小屋に戻ってきたときに、金子みちよが死んでいることに気付いた。金子は妊娠八カ月の身重の体であった。反抗的に「今の私では駄目だということですか?」と怒ったように言ったり、「私は山にくるべき人間でなかった」と涙を流す金子を、総括する態度でないと見なした森恒夫たちは、子供を取り出して自分らの手で革命戦士として育てる決意をしており、そのためには開腹手術も行うつもりであることを二月一日にメンバー全員に告げていた。確かに、メンバーの中には医学科の青砥、看護科の伊藤和子と中村愛子、薬剤師の永田洋子と医療スタッフは揃っていたわけではあるが、それにしてもである。実際のところ、話を聞いた青砥は青ざめたという。森にしては二人をみすみす死なせてしまったことは痛恨の極みだったに違いない(森／一九八四)。

夕方前、森と永田がカンパと車両をシンパに要請するために下山することになり、奥沢修一と中村愛子が二人を沼田駅まで送る。二人は二十二時頃東京に着き、夜遅くアジトのマンションの一室に入った。

二十三時ごろ、金子の遺体を車に乗せ、坂東国男、吉野雅邦、植垣康博が、奥沢修一の運転で白沢村高平黒岩の杉林まで運び、埋葬した。

二月五日七時ごろ、坂東国男、吉野雅邦、植垣康博、青砥幹夫、前沢虎義、加藤倫教、加藤元久、奥沢修一、杉崎ミサ子、寺林真喜江、伊藤和子の十一人の榛名ベース解体部隊が出発した。迦葉ベースに残ったのは、坂口弘、山本保子、頼良、中村愛子、衰弱した山田孝だけだった。

二月六日十時ごろ、山本保子が頼良を残したまま脱走した。

二月七日零時過ぎ、坂口弘はベースを妙義山に移動することを決断し、中村愛子に頼良を抱かせ、百万円を持たせ、榛名ベース解体部隊に連絡に行くよう指示した。

八時ごろ、頼良を抱いた中村は、タクシーで榛名湖畔に到着するが、運転手に母子心中を疑われ、連絡を受けた高崎署に保護された。(詳細は第二章1、コラム9参照)

昼ごろ、撤収作業を終えた榛名ベース解体部隊は、迦葉ベースに戻るため榛名湖畔からバスに乗り渋川へ。十四時過ぎ、沼田行きのバスを待っていた渋川のバス停の待合室から前沢虎義が脱走。残りのメンバーは夕刻から深夜にかけて迦葉ベースに戻った。

夕刻、榛名ベースの焼却跡と乗り捨てられたライトバンが発見された(「朝日新聞」一九七二年二月十七日付)。(詳細は第二章1)

十九時ごろ、坂口と青砥幹夫と奥沢修一が車を借りるために下山、前橋へ行ったが疑われて借り入れに失敗、タクシーで迦葉山に戻った(坂口『続あさま山荘1972』一九九五)。

二十三時ごろ、青砥と奥沢が車を借りるために再び下山、東京へ向かった。

二月八日十五時ごろ、青砥幹夫と奥沢修一が二トントラックを借りて帰還した。十八時ごろ、青砥、杉崎ミサ子、寺林真喜江、伊藤和子が列車で妙義湖畔へ向かうべく出発。それを追うようにトラックグループも出発。荷台には寝袋に入れられた山田孝と荷物が積まれ、荷物の隙間に実弾を装填した銃を持つ吉野雅邦、植垣康博、加藤倫教、加藤元久が入り込み、上からシートが被せられた。車内の座席には運転手の奥沢修一と坂口弘と坂東国男が座った。

二月九日四時ごろ、トラックグループが妙義湖付近に到着し、テントを設営し荷物と山田孝を入れた。坂口弘と奥沢修一はトラックで妙義湖畔まで下り、列車グループを待ち、七時に合流した。

二月十日三時、坂口弘ら全員が妙義山籠沢の洞窟へ移動を開始、荷物を持ち、寝袋の山田孝を引っ張り上げながら急斜面を移動した。

二月十二日二時ごろ、山田孝が死亡した。見張りをしていた伊藤和子が坂口弘に、山田が死ぬ少し前に「総括しろだって、畜生！」と言って麦飯の粒を吐き捨てたと伝えた（坂口『続あさま山荘1972』一九九五）。

二月十三日早朝、奥沢修一と青砥幹夫が二トントラックを返すために下山、坂口弘が同乗し東京へ。坂口は、森恒夫と永田洋子がいるアジト(マンション)を訪ねた(コラム5参照)。

夕刻、青砥と奥沢は、新たに借りたステーションワゴンで籠沢に帰還した。

二月十四日朝、坂口弘が妙義ベースに戻るため出発した。

持原好子が一九七一年六月二十四日の横浜銀行妙蓮寺支店からの四十五万円の強奪を自供、強盗の疑いで再逮捕され、坂東国男、植垣康博、山崎順、進藤隆三郎の四人が同じ疑いで再び指名手配された(「朝日新聞」一九七二年二月十五日付)。

寺林真喜江が一九七一年秋に西丹沢山中(丹沢ベース)で爆弾を製造しようとしていたとの疑いで、火薬類取締法違反の容疑で指名手配された。同容疑で加藤倫教の自宅も捜索された。捜査のきっかけは一九七二年十二月三十日に狩猟に行った人が、山中の中川大滝沢支流マスキ嵐沢のキャンプ場近くの、めったに人の入らぬ場所に長期間キャンプをはった跡があるのを見つけ、松井田署へ届けたことによる(「朝日新聞」一九七二年二月十五日付)。

夕刻、上京していた坂口が洞窟に戻って来た。

夜、革命左派が一九七一年二月十七日に真岡市の銃砲店から強奪した猟銃の一丁が福山市の一軒家で発見された。この家は、米子市の松江相互銀行に強盗に入り逮捕された赤軍派の松浦順一が、事件前の七月十二日ごろに偽名を使って二年契約で借りていた貸家だった。

二月十五日夜、森恒夫と永田洋子が妙義ベースへ行くため東京を発った（永田『氷解』一九八三）。二十三時ごろ、山田の遺体を車に乗せ、吉野雅邦、植垣康博、青砥幹夫が、奥沢修一の運転で、下仁田町まで運び、埋葬した。

二月十六日朝（「連合赤軍事件緊急特集号」一九七二）、または二月十一日十時頃（金井『死者の軍隊（上）』二〇一五）、群馬県沼田市の迦葉山の国有林でスギ百本を使って建てた（「サンケイ新聞」一九七二年三月十一日付）山小屋が発見され、押収品の謄写版から（「連合赤軍事件緊急特集号」一九七二）吉野雅邦の指紋が検出された（「朝日新聞」一九七二年二月十七日付）。

森恒夫と永田洋子が午前中横川駅で降り、籠沢の洞窟に向かって歩いていたところ、正午ごろ、警察車両とすれ違い職務質問を受けた。

十三時過ぎ、ベース移動の先発隊として植垣康博、青砥幹夫、杉崎ミサ子、森と永田へ連絡しなければならない坂口弘を乗せ、奥沢修一が運転していた車が、森らを職務質問した二人の刑事に停められた。一人が助手席に座っていた植垣に、「アベックを見ませんでしたか？」と尋ねた。刑事が追っているのは一時間ほど前に職務質問した森と永田の二人で、刑事は、坂口らを上流で行われている工事の関係者だと思い込んだ。植垣は窓を開けたが、坂口は奥沢に発車するよう指示。しかし、車は泥に車輪を取られてスタックしてしまった。坂口たちと工事現場の作業員が車を押し出そうとしても動かない。植垣は「あんた達も手伝って下さい」と、何と二人の刑事にまで協力を要請、刑事も加わってくれたがそれでも動かない。そこに、ダンプカーが通りかかり、そのダンプに牽引してもらっているとき、刑事の一人が「連絡してくる」と言って林道を走りだした。あわてた坂口は、指名手配になっていない奥沢と杉崎に金を渡し、東京に行くよう指示、坂口、植垣、青砥は「道具を取りに行く」と言って車から離れた。奥沢と杉崎は、ドアロックし籠城した。（詳細は第二章2）

十四時三十分ごろ、坂口、坂東国男、吉野雅邦、植垣、青砥、加藤倫教、加藤元久、寺林真喜江、伊藤和子の九人が山越えを開始した。彼らは警察犬の導入を予想し登山道を避け、足跡のつかない沢を登り、山を越えて長野県を目指した。積雪期の山越えは地元の住民でさえ敬遠する危険なルートだった。先頭は登山経験の豊富な植垣が務めた。加藤倫教の記述を引用する。

「妙義山に移動した頃には、私はもう精神的にも肉体的にもかなり疲れてきていた。自分でもまずいとは思うのだが、——たとえ元気がないことを理由に幹部から総括の対象にされても、もう構わない。そんな投げ遣りな気持ちが強くなっていた」（加藤倫教／二〇〇三）

「警察と銃で戦うことになるかもしれない。そんな緊迫した状況が突然訪れたことで、それまでのどこまでも沈みこんでゆくような気持ちが吹っ飛んでいくようだった」（加藤倫教／二〇〇三）

二十二時四十五分、車に九時間あまり籠城した奥沢と杉崎が逮捕された。容疑は森林窃盗で、小屋を作るために周囲の国有林を伐採したはずだと、警察庁警備局公安第一課課長補佐亀井静香（後の代議士）の苦肉の思いつきによる罪状であった。迦葉山アジトに出入りしていた男女を目撃していた地元民を現場に同行し、証言を得て逮捕に踏みきった。二人の長時間の籠城は、坂口たち九人の逃走を助けた。

二月十七日九時三十分ごろ、森恒夫と永田洋子が、警官に対する殺人未遂と公務執行妨害の現行犯で逮捕された。(詳細は第二章3、コラム2参照)

十時ごろ、山越え部隊の九人は、トランジスタラジオで森と永田が逮捕されたことを知った。逃走は、昼間は空からのヘリコプターでの捜索を受けるため、夜間の雪中行軍であった。この日は、夜が明けた六時半ごろに、小さな洞穴に隠れ、ヘリコプターの音が消えた十七時ごろ、洞穴から出て出発した。

二十三時ごろ、谷急(やきゅう)山の山頂に到達。沢を下り、恩賀部落を通過。

二月十八日夜明けごろ、九人は和美(わみ)峠付近の窪地で仮眠。

森と永田が逮捕された妙義山の洞窟に残された遺留品から寺岡恒一と植垣康博の指紋が検出された(「朝日新聞」一九七二年二月十九日付)。

二十三時、九人は、地図に載っていない別荘造成地(レイクニュータウン)に入り込んで戸惑う。道路上にかまくらを作り仮眠をとる。

二月十九日五時ごろ、食料や衣服を買うために、植垣康博、青砥幹夫、寺林真喜江、伊藤和子の四人が出発。バスに乗り軽井沢駅に行き着く。（詳細は第二章4）

九時、レイクニュータウンに残っていた坂口弘たち五人は、ラジオのニュースで植垣たち四人が逮捕されたことを知る。坂口は、部隊が離散したときの集合場所を茨城県大子町の袋田の滝に決め、各自に十万円ずつ渡した。十時過ぎ（金井『死者の軍隊（上）』二〇一五）へリコプターが来たので、五人は走り出し、カーブを曲がり一〇〇メートルほど先にあった別荘（さつき山荘）の雨戸を外しガラス戸を割って鍵を開け、中に入り込む。台所にあったマカロニを茹でて食べ、湯を沸かして体を拭いたり、頭を洗い、ひげを剃ったりした。

十五時ごろ、山荘に接近する話し声を聞く。機動隊員が近づいてきた。五人は散弾銃や拳銃を構えた。「（中に）誰かいるようだったら、出てこい」と機動隊員が雨戸を引いた瞬間、彼らは銃弾を放った。連合赤軍が結成以来掲げてきた「銃による殲滅戦」がこの瞬間に開始された。（詳細は第二章5）

十五時六分、「レイクニュータウンを検索中、過激派のグループのアジトらしい別荘を発見した。付近で発砲の音がする」（長野県警察本部警務部教養課／一九七二）の至急報が発せられた。

十五時三十分、機動隊員との銃撃戦の末、五人は河合楽器健康保険組合軽井沢保養所あさま山荘に逃げ込んだ。歴史に残る「あさま山荘事件」の始まりであった。

この日、妙義山の洞窟に残された遺留品から坂口弘の指紋が検出された（「朝日新聞夕刊」

一九七二年二月十九日付）

コラム5▼特別手配犯四人が同席

一九七二年二月十三日、東急百貨店本店の喫茶部での出来事である。

森恒夫、永田洋子、坂口弘の連合赤軍首脳陣に共産同関西派軍事地下組織RG（Rote Gewalt）の竹内毅の四人が同席した。二月一日から、警察庁により特別手配されていた公安関係五人のうちの四人が一同に会したのである。森と永田の二人は、カンパを得るために迦葉ベースを二月四日の夕方前に出発、二十二時頃に東京に着き、十日に東急百貨店のそばの道で、偶然竹内と出くわし、森が声をかけ（雪野建作氏私信による）同店の喫茶部に入って三人で話をした。十三日にもう一度ここで会う約束をし別れていた。坂口は、森から上京指示を受け、十三日の早朝、妙義山ベースを出発、九時頃、森と永田のいるマンションに到着していたのである。

全国一斉に捜査強化月間を設けての手配制度、その最上位に位置づけられている警察庁の特別手配があり、新聞紙上でも、その捜査に関する記事の中には、特別手配犯を〝大物〟と称していた。筆者は、特別手配犯が同時に二人以上逮捕されたのは、森と永田の一件だけで、それ以前にもそれ以後にも事例はないと認識している。もしこの時、一網打尽にされていたら、「特別手配犯四人を同時逮捕」としてビッグ・ニュースとして報じられたことであろう。大胆にも危険な会合を持っていたものである。

四人は、この後鍋物屋に行き、座敷にあがって鍋物を食べビールを飲みながら話をしたとのことである（永田『十六の墓標（下）』一九八三）。この四日後に逮捕され、翌年の元旦に自死した森と二〇一一年二月に獄中死した永田にとっては、生涯最後の会食で、アルコールになったのであろう。

この会合の後、永田から「森さんが好きになったので、坂口さんと離婚し、森さんと結婚することにする。これが共産主義化の観点から正しいと思う」と告げられ、傷心のうちに妙義山の山岳ベースに戻り、その後あさま山荘に立て籠り逮捕された坂口は、死刑確定囚として今も東京拘置所に収監されている。竹内は一九七六年十月十四日に逮捕される（『連合赤軍〝狼〟たちの時代 1969-1975』一九九九）。

刑期を終え社会復帰している竹内毅は、そのときの会合で、内ゲバとどう対応するかという話になったときに、森がハンカチで目を押さえていたのが印象的だったと述懐している（雪野建作氏私信）。当然、竹内も知らなかったが、そのときすでに「総括」により十二名が山岳アジトで死に絶えていたのである。果たして森は落涙してしまったのだろうか。

山岳アジトに集結した29人の動静表

←共同軍事訓練→

1周年集会

	1971年11月										1971年12月																			
	21日	22日	23日	24日	25日	26日	27日	28日	29日	30日	1日	2日	3日	4日	5日	6日	7日	8日	9日	10日	11日	12日	13日	14日	15日	16日	17日	18日	19日	20日
森 恒夫		新倉	新倉	新倉	新倉	新倉	新倉	新倉	新倉	新倉	新倉	新倉	新倉	新倉	新倉	新倉	新倉	新倉	新倉	新倉	新倉	新倉	新倉	新倉	新倉					榛名
永田 洋子	井川	井川		榛名	榛名	榛名	榛名	榛名	榛名	榛名			新倉	新倉	新倉	新倉	新倉	新倉	新倉			榛名	榛名	榛名	榛名	榛名	榛名	榛名	榛名	榛名
坂口 弘	井川	井川		榛名	榛名	榛名	榛名	榛名	榛名	榛名			新倉	新倉	新倉	新倉	新倉	新倉	新倉			榛名	榛名	榛名	榛名	榛名	榛名	榛名	榛名	榛名
寺岡 恒一	井川	井川		榛名	榛名	榛名	榛名	榛名	榛名	榛名			新倉	新倉	新倉	新倉			榛名	榛名	榛名	榛名	榛名	榛名	榛名	榛名	榛名	榛名	榛名	榛名
坂東 国男	新倉	新倉	新倉	新倉	新倉	新倉	新倉	新倉	新倉	新倉	新倉	新倉	新倉	新倉	新倉	新倉		新倉	新倉	新倉	新倉	新倉	新倉	新倉	新倉					榛名
山田 孝		新倉	新倉	新倉	新倉		新倉	新倉	新倉	新倉	新倉	新倉	新倉	新倉	新倉	新倉	新倉	新倉	新倉	新倉	新倉	新倉	新倉							
吉野 雅邦	井川	井川		榛名	榛名	榛名	榛名	榛名	榛名	榛名			新倉	新倉	新倉	新倉			榛名	榛名	榛名	榛名	榛名	榛名	榛名	榛名	榛名	榛名	榛名	榛名
青砥 幹夫											新倉	新倉	新倉	新倉	新倉	新倉	新倉	新倉	新倉	新倉	新倉	新倉	新倉	新倉	新倉	新倉	新倉	新倉	新倉	新倉
植垣 康博	新倉	新倉	新倉	新倉	新倉	新倉	新倉	新倉	新倉	新倉			新倉	新倉	新倉	新倉		新倉	新倉	新倉	新倉	新倉	新倉	新倉	新倉	新倉	新倉	新倉	新倉	新倉
行方 正時											新倉	新倉	新倉	新倉	新倉	新倉	新倉	新倉	新倉	新倉	新倉	新倉	新倉	新倉	新倉	新倉	新倉	新倉	新倉	新倉
遠山 美枝子											新倉	新倉	新倉	新倉	新倉	新倉	新倉	新倉	新倉	新倉	新倉	新倉	新倉	新倉	新倉	新倉	新倉	新倉	新倉	新倉
山崎 順		新倉	新倉	新倉	新倉	新倉	新倉	新倉	新倉	新倉	新倉	新倉	新倉	新倉	新倉	新倉	新倉	新倉	新倉	新倉	新倉	新倉	新倉	新倉	新倉	新倉	新倉	新倉	新倉	新倉
進藤 隆三郎	新倉	新倉	新倉	新倉	新倉	新倉	新倉	新倉	新倉	新倉	新倉	新倉	新倉	新倉	新倉	新倉	新倉	新倉	新倉	新倉	新倉	新倉	新倉	新倉	新倉	新倉	新倉	新倉	新倉	新倉
前沢 虎義	井川	井川		榛名	榛名	榛名	榛名	榛名	榛名	榛名			新倉	新倉	新倉	新倉			榛名	榛名	榛名	榛名	榛名	榛名	榛名	榛名	榛名			
岩田 平治	井川	井川		榛名	榛名	榛名	榛名	榛名	榛名	榛名			新倉	新倉	新倉	新倉			榛名	榛名	榛名	榛名	榛名							
尾崎 充男	井川	井川		榛名	榛名	榛名	榛名	榛名	榛名	榛名	榛名	榛名	榛名	榛名	榛名	榛名	榛名	榛名	榛名	榛名	榛名	榛名	榛名	榛名	榛名		榛名	榛名	榛名	榛名
金子 みちよ		井川		榛名	榛名	榛名	榛名	榛名	榛名	榛名			新倉	新倉	新倉	新倉			榛名	榛名	榛名	榛名	榛名	榛名	榛名	榛名	榛名	榛名	榛名	榛名
杉崎 ミサ子	井川	井川		榛名	榛名	榛名	榛名	榛名	榛名				新倉	新倉	新倉	新倉			榛名	榛名	榛名	榛名	榛名	榛名	榛名	榛名	榛名	榛名	榛名	榛名
大槻 節子		井川		榛名	榛名	榛名	榛名	榛名	榛名				新倉	新倉	新倉	新倉			榛名	榛名	榛名	榛名	榛名							
加藤 能敬	×	×	×	×	×	×	×	×	×	×	×	×	×	×	×	×	×	×	×	×	×	×	×							
伊藤 和子	井川	井川		榛名	榛名	榛名	榛名	榛名	榛名	榛名	榛名	榛名	榛名	榛名	榛名	榛名	榛名	榛名	榛名	榛名	榛名	榛名	榛名	榛名	榛名	榛名	榛名			
寺林 真喜江	井川	井川		榛名	榛名	榛名	榛名	榛名	榛名	榛名	榛名	榛名	榛名	榛名	榛名	榛名	榛名	榛名	榛名	榛名	榛名	榛名	榛名	榛名	榛名	榛名	榛名	榛名	榛名	榛名
小嶋 和子	井川	井川		榛名	榛名	榛名	榛名	榛名	榛名	榛名	榛名	榛名	榛名	榛名	榛名	榛名	榛名	榛名	榛名	榛名	榛名	榛名	榛名	榛名	榛名	榛名	榛名	榛名	榛名	榛名
山本 順一																			榛名	榛名	榛名	榛名	榛名	榛名	榛名					
加藤 倫教	井川	井川		榛名	榛名	榛名	榛名	榛名	榛名	榛名	榛名	榛名	榛名	榛名	榛名	榛名	榛名	榛名	榛名	榛名	榛名	榛名	榛名	榛名	榛名	榛名	榛名	榛名	榛名	榛名
加藤 元久	井川	井川		榛名	榛名	榛名	榛名	榛名	榛名	榛名	榛名	榛名	榛名	榛名	榛名	榛名	榛名	榛名	榛名	榛名	榛名	榛名	榛名	榛名	榛名	榛名	榛名	榛名	榛名	榛名
山本 保子																														
中村 愛子	×	×																												
奥沢 修一																														

その日、どこのベースに宿泊したかを示す表である。
空欄は、ベース外での泊（あるいは不明）を示す。

╳＝逮捕後の勾留期間
■＝死後
━＝脱走後の逃亡期間
░＝？

1971年12月	21日	22日	23日	24日	25日	26日	27日	28日	29日	30日	31日
森	榛名	榛名	榛名	榛名	榛名	榛名	榛名	榛名	榛名	榛名	榛名
永田	榛名	榛名	榛名	榛名	榛名	榛名	榛名	榛名	榛名	榛名	榛名
坂口	榛名	榛名	榛名	榛名	榛名	榛名	榛名	榛名	榛名	榛名	榛名
寺岡	榛名	榛名	榛名	榛名	榛名	榛名	榛名		新倉	新倉	
坂東	榛名	榛名	榛名	榛名	榛名	榛名	榛名		新倉	新倉	榛名
山田			榛名	榛名	榛名	榛名	榛名	榛名	榛名	榛名	榛名
吉野	榛名	榛名	榛名	榛名	榛名	榛名	榛名	榛名	榛名	榛名	榛名
青砥	新倉	新倉	新倉	新倉	新倉	新倉	新倉	新倉	新倉	新倉	
植垣	新倉	新倉	新倉	新倉	新倉	新倉	新倉	新倉	新倉	新倉	新倉
行方	新倉	新倉	新倉	新倉	新倉	新倉	新倉	新倉	新倉	新倉	榛名
遠山	新倉	新倉	新倉	新倉	新倉	新倉	新倉	新倉	新倉	新倉	榛名
山崎	新倉	新倉	新倉	新倉	新倉	新倉	新倉	新倉	新倉	新倉	新倉
進藤	新倉	新倉	新倉	新倉	新倉	新倉	新倉	新倉	新倉	新倉	榛名
前沢	榛名	榛名	榛名	榛名	榛名	榛名	榛名	榛名		榛名	榛名
岩田	榛名	榛名	榛名	榛名	榛名	榛名	榛名	榛名		榛名	榛名
尾崎	榛名	榛名	榛名	榛名	榛名	榛名	榛名	榛名	榛名	榛名	■
金子	榛名	榛名	榛名	榛名	榛名	榛名	榛名	榛名	榛名	榛名	榛名
杉崎	榛名	榛名	榛名	榛名	榛名	榛名	榛名	榛名	榛名	榛名	榛名
大槻							榛名	榛名	榛名	榛名	榛名
加藤 能	榛名	榛名	榛名	榛名	榛名	榛名	榛名	榛名	榛名	榛名	榛名
伊藤	榛名	榛名	榛名	榛名	榛名	榛名	榛名	榛名	榛名	榛名	榛名
寺林	榛名	榛名	榛名	榛名	榛名	榛名	榛名	榛名	榛名	榛名	榛名
小嶋	榛名	榛名	榛名	榛名	榛名	榛名	榛名	榛名	榛名	榛名	榛名
山本 順	榛名	榛名	榛名	榛名	榛名	榛名	榛名		新倉	新倉	榛名
加藤 倫	榛名	榛名	榛名	榛名	榛名	榛名	榛名	榛名	榛名	榛名	榛名
加藤 元	榛名	榛名	榛名	榛名	榛名	榛名	榛名	榛名	榛名	榛名	榛名
山本 保	榛名	榛名	榛名	榛名	榛名	榛名	榛名	榛名	榛名	榛名	榛名
中村										榛名	榛名
奥沢											

1972年1月	1日	2日	3日	4日	5日	6日	7日	8日	9日	10日	11日	12日	13日	14日	15日	16日	17日	18日	19日	20日
森	榛名	榛名	榛名	榛名	榛名	榛名	榛名	榛名	榛名	榛名	榛名	榛名	榛名	榛名	榛名	榛名	榛名	榛名	榛名	榛名
永田	榛名	榛名	榛名	榛名	榛名	榛名	榛名	榛名	榛名	榛名	榛名	榛名	榛名	榛名	榛名	榛名	榛名	榛名	榛名	榛名
坂口	榛名	榛名	榛名	榛名	榛名	榛名	榛名	榛名	榛名	榛名	榛名	榛名	榛名	榛名	榛名	榛名	榛名	榛名	榛名	榛名
寺岡		榛名	榛名	榛名		榛名	榛名	榛名	榛名	榛名	榛名						榛名	■	■	■
坂東	榛名	榛名	榛名	榛名		榛名	榛名	榛名	榛名	榛名	榛名						榛名	榛名	榛名	榛名
山田	榛名	榛名	榛名	榛名		榛名	榛名	榛名	榛名	榛名	榛名	榛名			榛名	榛名	榛名	榛名		榛名
吉野	榛名	榛名	榛名	榛名		榛名	榛名	榛名	榛名	榛名						榛名	榛名	榛名	榛名	榛名
青砥		榛名	榛名	榛名	榛名	榛名	榛名						榛名	榛名	榛名	榛名	榛名	榛名	榛名	榛名
植垣		榛名	榛名	榛名	榛名	榛名	榛名	榛名	榛名	榛名							榛名	榛名	榛名	榛名
行方	榛名	榛名	榛名	榛名	榛名	榛名	榛名	榛名	■	■	■	■	■	■	■	■	■	■	■	■
遠山	榛名	榛名	榛名	榛名	榛名	榛名	■	■	■	■	■	■	■	■	■	■	■	■	■	■
山崎		榛名	榛名	榛名	榛名	榛名	榛名		榛名	榛名	榛名	榛名	榛名	榛名	榛名	榛名	榛名	榛名	榛名	■
進藤	■	■	■	■	■	■	■	■	■	■	■	■	■	■	■	■	■	■	■	■
前沢	榛名	榛名	榛名	榛名		榛名	榛名											榛名	榛名	榛名
岩田	榛名	榛名	榛名	榛名	榛名	榛名	榛名												—	—
尾崎	■	■	■	■	■	■	■	■	■	■	■	■	■	■	■	■	■	■	■	■
金子	榛名	榛名	榛名	榛名	榛名	榛名	榛名	榛名	榛名	榛名	榛名	榛名	榛名	榛名	榛名	榛名	榛名	榛名	榛名	榛名
杉崎	榛名	榛名	榛名	榛名	榛名	榛名	榛名	榛名	榛名	榛名							榛名	榛名	榛名	榛名
大槻	榛名	榛名	榛名	榛名	榛名	榛名	榛名	榛名	榛名	榛名	榛名	榛名	榛名	榛名	榛名	榛名	榛名	榛名	榛名	榛名
加藤 能	榛名	榛名	榛名	■	■	■	■	■	■	■	■	■	■	■	■	■	■	■	■	■
伊藤	榛名	榛名	榛名	榛名	榛名	榛名	榛名												榛名	榛名
寺林	榛名	榛名	榛名	榛名	榛名	榛名	榛名		榛名	榛名						榛名	榛名	榛名	榛名	榛名
小嶋	■	■	■	■	■	■	■	■	■	■	■	■	■	■	■	■	■	■	■	■
山本 順	榛名	榛名	榛名	榛名	榛名	榛名	榛名	榛名	榛名	榛名	榛名	榛名	榛名	榛名	榛名	榛名	榛名	榛名	榛名	榛名
加藤 倫	榛名	榛名	榛名	榛名	榛名	榛名	榛名	榛名	榛名	榛名	榛名	榛名	榛名	榛名	榛名	榛名	榛名	榛名	榛名	榛名
加藤 元	榛名	榛名	榛名	榛名	榛名	榛名	榛名	榛名	榛名	榛名	榛名	榛名	榛名	榛名	榛名	榛名	榛名	榛名	榛名	榛名
山本 保	榛名	榛名	榛名	榛名		榛名	榛名		榛名	榛名	榛名	榛名	榛名	榛名	榛名	榛名	榛名	榛名		榛名
中村	榛名	榛名	榛名	榛名	榛名	榛名	榛名		榛名	榛名	榛名	榛名	榛名	榛名	榛名	榛名	榛名	榛名	榛名	榛名
奥沢																				榛名

テント泊

	1972年1月											1972年2月																			
	21日	22日	23日	24日	25日	26日	27日	28日	29日	30日	31日	1日	2日	3日	4日	5日	6日	7日	8日	9日	10日	11日	12日	13日	14日	15日	16日	17日	18日	19日	20日
森	榛名	榛名	榛名	榛名	榛名	榛名	榛名	迦葉	迦葉	迦葉	迦葉	迦葉	迦葉	迦葉																	
永田	榛名	榛名	榛名	榛名	榛名	榛名	榛名	迦葉	迦葉	迦葉	迦葉	迦葉	迦葉	迦葉																	
坂口	榛名	榛名	榛名	榛名	迦葉	迦葉	迦葉	迦葉	迦葉	迦葉	迦葉	迦葉	迦葉	迦葉	迦葉	迦葉	迦葉	迦葉		妙義	妙義	妙義	妙義		妙義	妙義				あさま山荘	
寺岡																															
坂東	榛名	迦葉	迦葉	迦葉	迦葉	迦葉	迦葉	迦葉	迦葉	迦葉	迦葉	迦葉	迦葉	迦葉	迦葉	榛名	榛名	迦葉		妙義	妙義	妙義	妙義	妙義	妙義	妙義				あさま山荘	
山田	榛名	榛名	榛名	榛名						迦葉	迦葉	迦葉	迦葉	迦葉	迦葉	迦葉	迦葉	迦葉		妙義	妙義	妙義									
吉野	榛名	迦葉	迦葉	迦葉	迦葉	迦葉	迦葉	迦葉	迦葉	迦葉	迦葉	迦葉	迦葉	迦葉	迦葉	榛名	榛名	迦葉		妙義	妙義	妙義	妙義	妙義	妙義	妙義				あさま山荘	
青砥	榛名	迦葉	榛名	榛名	迦葉	榛名	榛名	榛名	迦葉	迦葉	迦葉	迦葉	迦葉	迦葉	迦葉	榛名	榛名			妙義	妙義	妙義	妙義	妙義	妙義	妙義					
植垣	榛名	迦葉	迦葉	迦葉	迦葉	迦葉	迦葉	迦葉	迦葉	迦葉	迦葉	迦葉	迦葉	迦葉	迦葉	榛名	榛名	迦葉		妙義	妙義	妙義	妙義	妙義	妙義	妙義					
行方																															
遠山																															
山崎																															
進藤																															
前沢	榛名	迦葉	迦葉	迦葉	迦葉	迦葉	迦葉	迦葉	迦葉	迦葉	迦葉	迦葉	迦葉	迦葉	迦葉	榛名	榛名														
岩田																															
尾崎																															
金子	榛名	榛名	榛名	榛名	榛名	榛名	榛名	迦葉	迦葉	迦葉	迦葉	迦葉	迦葉	迦葉																	
杉崎	榛名	迦葉	迦葉	迦葉	迦葉	迦葉	迦葉	迦葉	迦葉	迦葉	迦葉	迦葉	迦葉	迦葉	迦葉	榛名	榛名	迦葉		妙義	妙義	妙義	妙義	妙義	妙義	妙義					
大槻	榛名	榛名	榛名	榛名	榛名	榛名	榛名	迦葉	迦葉																						
加藤 能																															
伊藤	榛名	迦葉	迦葉	迦葉	迦葉	迦葉	迦葉	迦葉	迦葉	迦葉	迦葉	迦葉	迦葉	迦葉	迦葉	榛名	榛名	迦葉		妙義	妙義	妙義	妙義	妙義	妙義	妙義					
寺林	榛名	榛名	榛名	榛名	榛名	迦葉	迦葉	迦葉	迦葉	迦葉	迦葉	迦葉	迦葉	迦葉	迦葉	榛名	榛名	迦葉		妙義	妙義	妙義	妙義	妙義	妙義	妙義					
小嶋																															
山本 順	榛名	迦葉	榛名	榛名	迦葉	迦葉	迦葉	迦葉	迦葉																						
加藤 倫	榛名	迦葉	迦葉	迦葉	迦葉	迦葉	迦葉	迦葉	迦葉	迦葉	迦葉	迦葉	迦葉	迦葉	迦葉	榛名	榛名	迦葉		妙義	妙義	妙義	妙義	妙義	妙義	妙義				あさま山荘	
加藤 元	榛名	迦葉	迦葉	迦葉	迦葉	迦葉	迦葉	迦葉	迦葉	迦葉	迦葉	迦葉	迦葉	迦葉	迦葉	榛名	榛名	迦葉		妙義	妙義	妙義	妙義	妙義	妙義	妙義				あさま山荘	
山本 保	榛名	榛名	榛名	榛名	榛名	榛名	榛名	迦葉	迦葉	迦葉	迦葉	迦葉	迦葉	迦葉	迦葉	迦葉															
中村	榛名	迦葉	迦葉	迦葉	迦葉	迦葉	迦葉	迦葉	迦葉	迦葉	迦葉	迦葉	迦葉	迦葉	迦葉	迦葉	迦葉														
奥沢	榛名	榛名	榛名	榛名	迦葉	迦葉	迦葉	迦葉	迦葉	迦葉	迦葉	迦葉	迦葉	迦葉	迦葉	榛名	榛名			妙義	妙義	妙義	妙義	妙義	妙義	妙義					

第六章　あさま山荘の内と外

この章では「あさま山荘事件」の一部始終を扱う。あさま山荘での攻防を、時系列に記していく。試みとして、当時は全く判らなかった山荘内の事柄を網かけで囲んで、明らかだった(見えていた)山荘外の事柄と区別して表記することにした。あさま山荘事件の位置づけは、籠城した五人にとって、総括からの解放↓本来の「敵」との遭遇、内部から外部への方向転換、ようやく殲滅戦に行き着いた昂揚感といったところであったろう。

二月十九日

十五時三十分　坂口弘は一〜一・五メートルの至近距離から牟田泰子(三十一歳)に散弾銃を向けて、「静かにしろ!　騒がなければ何もしない!　われわれのことはニュースを聞いて知っているだろう」と凄みをきかせて言った。夫人は、恐怖に襲われているようだと感じ取った坂口は

「騒ぎさえしなければ何もしない」と、今度は穏やかな口調で数回繰り返した。坂東国男が土足で管理人室に入ってきたので坂口が振り返ったその隙に、夫人は入り口と反対側の窓枠によじ登って部屋から脱出しようとした。坂口は夫人の黄色いセーターの端を掴み、夫人の肩にもう一方の手を掛けて引きずり降ろした。そして窓側に回って退路を塞いでから、また散弾銃を向け、「逃げるな！　逃げたらぶっ放すぞ！」と言って、夫人を脅しつけた。夫人は恐怖に竦んだ。それで坂口はまた、「逃げたり、騒いだりしなければ何もしないから」と穏やかな口調で言った。

その後、坂口は夫人から、山荘の客はスケートに行っていること、主人は犬を連れて散歩に出ていて、山荘には夫人のほかには誰もいないということを聞き出した。坂口は坂東らに「彼女の気持ちが分からないから縛っておく」と言い、ベッドルームの上段と下段のベッドを連結した梯子に夫人の背をもたせかけ、脚を前に伸ばせて座らせ、洗濯用の紐を使って、左右の上腕を梯子に縛り付け、後ろ手にした両手、両足、足首、両膝と順次縛っていった。夫人を緊縛し終えた坂口は、坂東に「三階の主だったところにバリケードを築いてくれないか」と頼んだ。その後に坂口と吉野雅邦の間で方針をめぐる対立があった。坂口は、牟田泰子を人質にして森らの逮捕者全員の釈放を要求、当局にその逃亡を保証させようと発案、これに対し、吉野は、そんなことができるわけがないと否定し、車を奪って逃亡することを提案した。ところが、車のキーがなかったため吉野案は実現不可となった。

あさま山荘北側外観図　　（佐々1996p113をもとに作成）

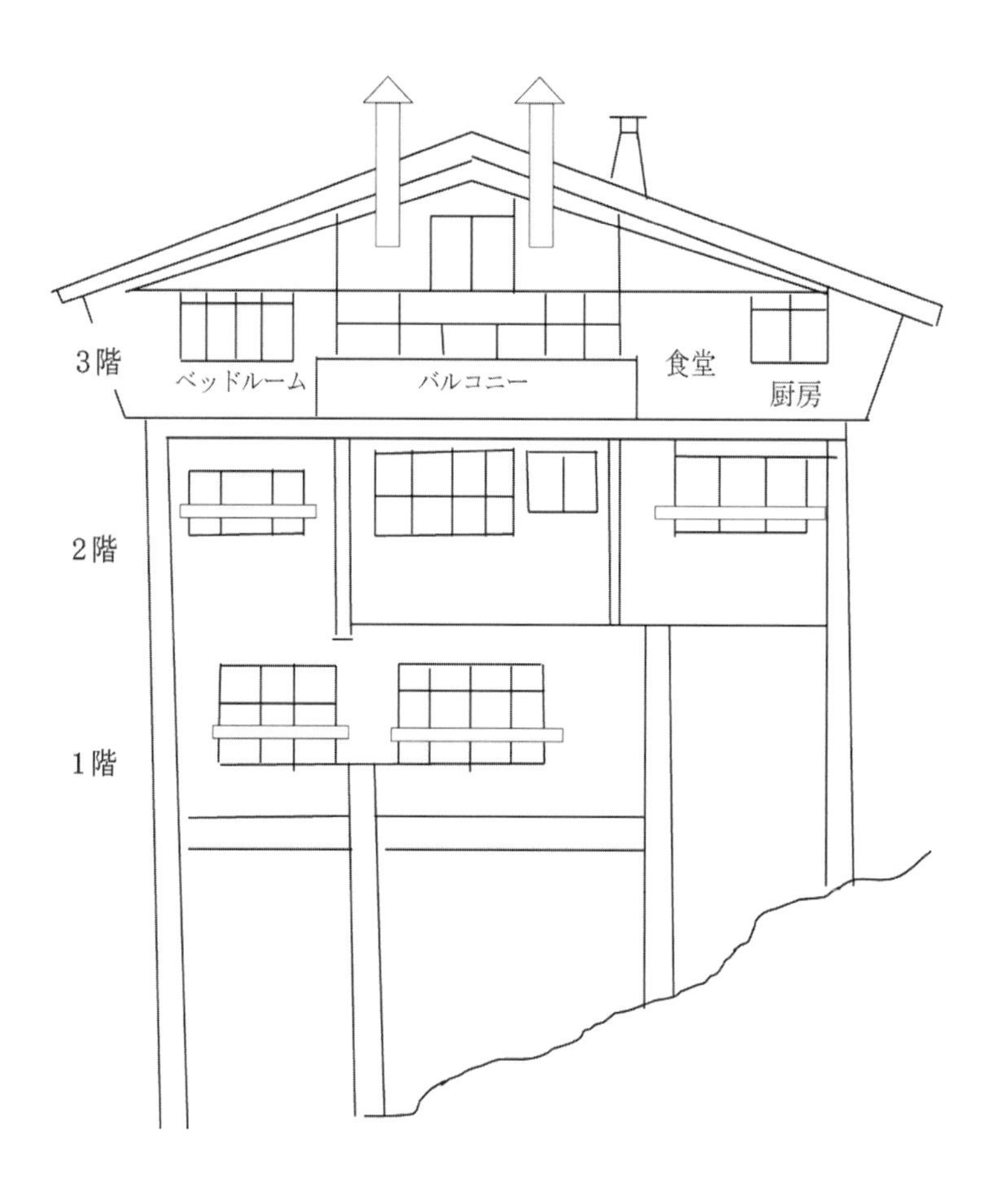

十五時三十分頃　愛犬を連れて散歩中の牟田郁男(三十五歳)が泊まり客の車の故障の修理連絡で帰宅時間が遅くなったので、レイクニュータウンの管理事務所に立ち寄り、心配しているであろう妻に電話をかけた。電話には知らない男が出たが、すぐに切れた。

玄関ホールの受け付けにある電話のベルが鳴ったので坂東国男が受話器を取り上げ「はい、もしもし」と言ったが、すぐ元に戻して切った。

パトカーが何台もレイクニュータウンに入ってくるのを見て胸騒ぎを覚えた牟田郁男は、ボーリング場からもう一度電話をかけたが誰も出なかった。

また電話のベルが鳴ったので、協議して受話器を外しておくことにした。

十五時四十分　三階のバルコニーに出ていた坂東が警官隊に向けてライフル銃を発砲した。

山荘の一〇〇メートル先にいた永瀬洋一郎巡査(二十四歳)の腰に弾丸が命中した。

山荘のはるか下の池の所に警官が立っていて、連合赤軍が潜んでいて危険だからここから先へは入れないと牟田郁男に説明、牟田は自分の家に帰るんだと言ってもだめだった。ふと、あさま山荘を見上げると、開けたはずの雨戸が全部閉まっており、牟田は自分が管理しているあさま山荘に連

あさま山荘3階平面図　（佐々1996p112、および北原2007p33をもとに作成）

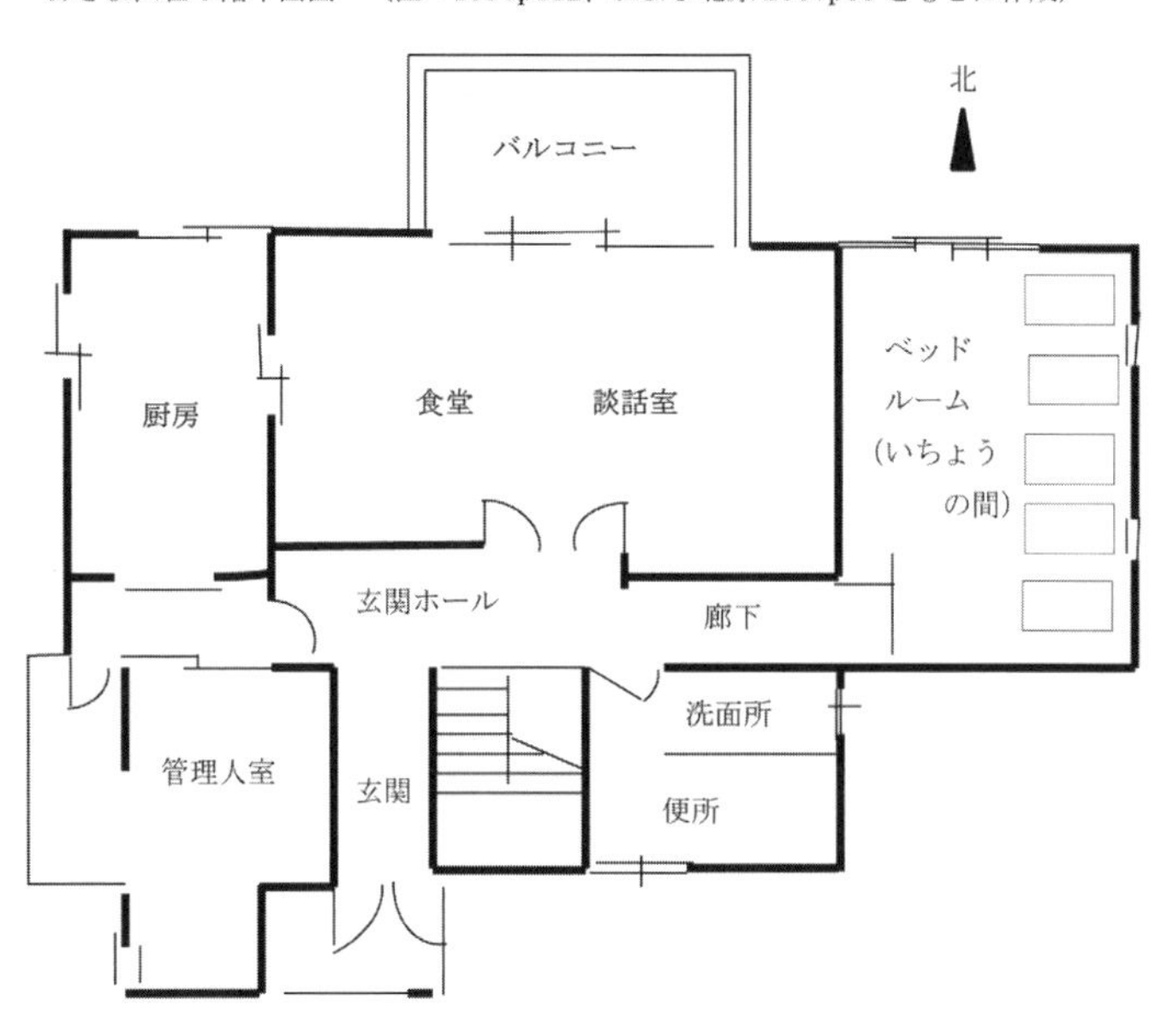

中が入っていると確信し警官に告げた。ただちに軽井沢署に無線連絡され、連合赤軍の一味があさま山荘に逃げ込み、管理人の妻が人質になっていることが明らかになった。

山荘に戻ることができない牟田郁男は、あさま山荘から三軒離れた日本プロレス興業軽井沢山荘の管理人・下川正美（五十七歳）に電話し、「うちの様子がおかしい。警官に止められて行けないので、悪いけどちょっと見てきてくれませんか」と頼んだ。

坂口弘と坂東国男がベッドルームで一休みしているところに、玄関ホールで見張りについていた加藤元久がやって来て、「『奥さん、奥さん』と言って、誰か呼びに来ている人がいる」と報告した。坂東が出ていって玄関ホールから玄関の扉に向かって、「奥さんは中に居るぞー」と大声で答えた。
バリケード作りと、その傍ら、管理人室から電気炬燵、カラーテレビ、ラジオカセットなどを、厨房から冷蔵庫、灯油ストーブ、炊飯用電気釜、鍋、食器などを他所から懐中電灯、乾電池をベッドルームに運び込み、ベッドルームを拠点化した。

軽井沢警察署に「連合赤軍軽井沢事件警備本部」、長野県警本部内に「連合赤軍軽井沢事件本部連絡室」が設置された(長野県警察本部警務部教養課／一九七二)。また、事件発生の報告を受けた警察庁では、事案が事案であるだけに、警察庁・関東管区警察局より十余人の特別幕僚を軽井沢に派遣することを決めた。派遣幕僚団のトップには丸山昂警備局参事官、ナンバー2として佐々淳行警備局付監察官が指名された。後日、公安第一課、過激派担当の亀井静香警視が加わることになる。午後遅く、後藤田正晴警察庁長官が佐々にメモ用紙に書いて渡した指示は次の通りであった。
(1) 人質牟田泰子は必ず救出せよ。これが本警備の最高目的である。
(2) 犯人は全員生け捕りにせよ。射殺すると殉教者になり今後も尾をひく。国が必ず公正な裁判により処罰するから殺すな。
(3) 身代わり人質交換要求には応じない。とくに警察官の身代わりはたとえ本人が志願しても認めない。殺される恐れあり。
(4) 火器、とくに高性能ライフルの使用は警察庁許可事項とする。

（5）報道関係と良好な関係を保つように努めよう。
（6）警察官に犠牲者を出さないよう慎重に。
これを見た佐々は、あり得ない百点満点の警備だと思い、なにか解禁してもらえないかと意見具申したが却下されたとのことである(佐々／一九九六)。

夕刻　群馬県警は、長野県境一帯に連合赤軍グループがまだ潜伏しているとみて、下仁田町の県境近くにある神津牧場の家族、従業員十人を避難させた(「朝日新聞」一九七二年二月二十日付)

十八時過ぎ　ベッドルームで夕食。坂口弘が牟田夫人に「一緒に食べないか？」と誘ったが、夫人は「いりません。」と断った。食事は、客用に用意されていた米九合とおでんを失敬し、久しぶりの白いご飯にありつくことができた。

食事後、坂口は坂東国男と吉野雅邦に、「彼女に侵入の目的を話さねばならんな」と言い、牟田夫人に改まった調子で話した。「これから侵入の目的を話す。われわれは共産主義者だ。われわれの目的は政府権力を倒すことにある。今は警察権力と闘うことが最大の目的だ。われわれがこの山荘に侵入したのは、例えて言えば、デモをしている時に警官に追われて民家に助けを求めたようなものだ。だからあんたは人質じゃない。山荘の管理人だ。われわれはあんたに、ただこの場所を借りているだけだ」。牟田夫人は「手足を自由にして下さい。ここから出て行って下さい」と言った。坂東が「われわれは戦争を無くすために戦っているのだ」と言って説得したが、夫人は繰り返し身柄の解放を求め、彼らの訴えに耳を貸さなかった。

十九時　五人全員、電気炬燵に入って、カラーテレビ(*)でニュースを視聴する。最初に映ったのは、さつき山荘の上の道路で、負傷した機動隊員が、同僚の肩を借りて足を引きずりながら歩いている姿であった。これを見て坂口は初めて自分たちの銃撃によって負傷者が出ていたことを知った。続いて、森と永田の二人が、妙義山中で逮捕されて連行されて行く場面、さらに、軽井沢駅で捕まった植垣ら四人の顔写真が映し出された。植垣ら四人全員が目をつぶっていたので、坂口は「彼等は、捕まったら目をつぶるように申し合わせていたのか?」と言った。あさま山荘の全景も映され、坂口らは、この山荘が攻めるに難く守るに易しの思っていた以上の要害の地であることを知った。

牟田夫人が尿意を訴えたので、坂口は坂東に「彼女の縄を解いて、トイレに連れて行ってくれないか」と頼み、坂東が紐の端を持ったまま向かいの洗面所に連れて行った。坂東は「規則だからドアは開けておく。俺は、外で反対の方を向いているから」と言って、緊縛のままドアを閉めなかったと坂口に報告した。坂口は、そこまでしなくてもいいのではないかと思ったが、坂東の強硬さに怯(ひる)んで、坂東を諫(いさ)めなかった。

(*)　一九七二年当時は白黒テレビの世帯普及率が七五・一パーセントでカラーテレビの六一・一パーセントを上回っていた。一九七三年になると、カラーテレビが七五・八パーセント、白黒テレビが六五・四パーセントとなり、以後カラーテレビの時代へと移っていく(「消費動向調査」内閣府より)。

十九時ごろから、数回にわたってマイクを使った山荘への呼びかけが行われた。「山荘にいる諸君に告げる。君たちは完全に包囲されている。逃げることはできない。ただちに武器を捨てて出てきなさい。管理人の奥さんは全く無関係な人だ。奥さんを返しなさい。人質をとることは最も卑劣な行為だ。君たちも抵抗をやめて出てきなさい」

二十四時近く　坂口弘が夫人に「食べないか?」とご飯を勧めたが「いりません」。少しでも食べてもらおうと、箸にご飯を乗せて口元に持っていくと、ほんの一口だけ食べた。おでんとてんぷらも一口食べた。この後、坂口と加藤元久がベッドで久しぶりに布団にくるまって寝た。坂東国男は夫人の見張り、吉野雅邦と加藤倫教は外の見張りについた。

二月二十日

六時　警察の呼びかけが始まる。「こちらは軽井沢警察署長です。山荘内の学生諸君、いつまで卑劣な行為を続けるのだ。銃を捨てて出てきなさい」。同時に報道各社のヘリコプターが轟音を降らして山荘上空に飛来し、旋回を始めた。

朝食後　坂口弘、坂東国男、吉野雅邦の三人が食堂ホールで今後の方針を協議、加藤兄弟はベッドルームに残り夫人の監視を行った。坂口が二人に考えを聞くと、吉野が「山荘から打って出て包囲網を突破すべきだ」と主張した。これに対し坂口と坂東は「山荘は重包囲されているのだ。そんなこと出来っこない」と異口同音に反対した。坂口は「彼女を、われわれの逃走の取引に使う手はどうか?」と言うと、坂東が即座に「やれるんではないか」と答えた。吉野は「警察が応じるはずがない」と反対した。坂口は坂東に、「牟田さんを逃走の取引に利用するのは無理かもしれんな。逃走は諦めて徹底抗戦をやろうや」と言った。坂東は納得しかねたが、坂口が逃走先の選定などの困難をあげると、坂東も納得した。吉野が「徹底抗戦をするんだったら牟田さんを人質に取っておく必要はないのではないか。解放すべきではないか」と言った。それに対し坂口は「いや、それは出来ない。彼女を解放したら、われわれのことが全部警察にバレてしまう」と反対した。吉野は食い下がったが、坂口は頑なに吉野の意見を退けた。協議後、三人はベッドルームに戻り、加藤兄弟を別室に連れだして決定事項を伝えた。兄弟が黙って聞いていたので、坂口は二人が了承したものと理解した。果たして兄弟の心中はいかがだったのか、彼らの著述を以下に引用する。

加藤元久「兄はみんなのいないところで、『山に逃げてもいいいんじゃないか?』とぼくに言ってきたりしてくれた。しかし、ぼくは坂口さんを信頼していたし、〝ここで死ぬ〟という覚悟はもう充分すぎるほど持っていた。ぼくは坂口さんの意見に、また、その方針に全面的に従っていこうとしていた。その時の自分を振り返ってみると、ひどく純粋な気持ちであったように思う。どうもうまく表現できないのだが、全面的に信頼する指導者の前に、ぼくは自分の存在を預けた、という気持ちがあった。だから兄が『逃げてもいいいんじゃないか』と言ってくれた時にも、むしろそれは兄の弱さかも知れない、と思ったりした。自分の頭の中で考えた方針や戦術というものではなかったが、ただ、『ぼくは坂口さんに従っていく』というのが唯一のぼくの意見だった」（加藤B生／一九八七）

加藤倫教「平凡な一市民を人質に取ることは、国民を敵に回すことになる。そのことを坂口たちは理解していないようだった。いくら『おとなしくしていれば危害を加えない』などと約束してみたところで、牟田さんの意思に反して警察と私たちの攻防戦に無理やり巻き込んでいること自体が、危害に他ならなかった。（中略）坂口たちが議論して決めた方針は、この山荘で『銃による殲滅戦』を徹底的に戦いぬくというものだった。だが、本来私たちが実現を目指していた『人民遊撃戦争』というものは、ヒット・エンド・ラン方式で、警察・自衛隊・米軍をゲリラ的に襲撃し、敵の人員に損傷を与え、敵の武器を奪って自らの武装を強化していき、長期的に彼我の勢力を逆転して革命を勝利させるというものであった。籠城して『銃による殲滅戦』をやるというのはこじつけでしかなかった。武装闘争を掲げているものが、警察に対して無抵抗で降伏するわけにはいかない。また、多くの同志たちに『銃による殲滅戦』を戦い得る革命戦士になることを要求し、死にまで至らしめた『共産主義化のための総括』に加担してきた責任感から、こうした意義付けをむりやりしてみたに過ぎなかった。――ここですべてが終わるのだろう。私は、もはや闘いの結末を待つ心境だった。おそらく、坂口たちにしても心の底では同じ事を感じているに違いなかった」(加藤倫教／二〇〇三)

「私は『あさま山荘』の中では、誰かと会話を交わした記憶がほとんどない。それ以上追い詰めたくなかったので牟田さんには話しかけなかったし、弟とは持ち場が違うので話すことができなかった。すでに、指導部の人間と話し合う気持ちは失せていた」(加藤倫教／二〇〇三)

坂東国男が、山荘内にある食料品を探し出し、全てベッドルームに運び込んだ。坂東は、それらを整理してメモし、「上手く使えば一カ月は持つな」と言い、**坂口弘**も相槌を打った。

十一時過ぎ　牟田郁男の呼びかけ「泰子ーっ、元気か！　頑張るんだぞ！」

牟田泰子はうつむきながら涙を流してじっと聞いていた。**坂口弘**は「警察に言われてやっているだけだよ」と冷たい語調で言った。坂口は、内部に異変がないことを知らせる意図で、外していた電話機の受話器を元に戻した。

十二時前　**坂口弘**が牟田夫人の縄を解き、少しむくんでいた手を揉んで、炬燵に当たらせてテレビを見させた。そこへ戻ってきた**坂東国男**は何も言わなかった。坂口は、坂東は強硬派ではあるがゴリゴリではない。自分と似て押しの強いタイプではないと認識した。

夕食時　電気釜の電気が切れると加藤元久が、すぐ蓋を取って杓文字でよそおうとした。それを見た牟田夫人は、「ご飯は少しそのままにしておいた方がおいしいよ」と言ってたしなめた。元久は素直に従い、じっとご飯が蒸れるのを待った。「もういいでしょう」と夫人が言うと、待ってましたとばかり蓋を取ってご飯を椀に盛る二人のやりとりを見ていた坂口弘には、母子のように映り、微笑ましい思いだった。牟田夫人が余裕を取り戻したと思った坂口は、「牟田さんは、どうして子供を作らないの?」と冗談半分に聞いた(坂口／一九九六を改編)。

夜遅く、管理人室の押し入れから屋根裏に上がっていた吉野雅邦が、「いい物見つけたよ」と得意気にベッドルームに戻ってきた。吉野は階段の真上に当たるところに換気口を発見したのであり、吉野の案内で現場に行った坂口と坂東国男は、そこに銃眼を作ることにした。

二月二十一日

朝　坂口弘は、警察が盗聴器を仕掛けてくるであろうという警戒から、また牟田夫人に自分たちのことを知られないように名前を変えることを提起した。「ここはあさま山荘だから山の名前がいいだろう」と坂口が言い、坂口は「浅間」、坂東は「立山」、吉野は「富士山」、加藤倫教は「赤城」、加藤元久は「霧島」を名乗ることになった。

朝　さつき山荘の便所内から検出された指紋により、吉野雅邦が籠城している五人のうちの一人と断定された。

十一時十四分から三十分間　牟田泰子の夫の郁男、および実父の毛利計雄(五十六歳)が山荘に呼びかけた。

妙義山の洞窟の遺留品から山本順一・保子夫妻、前沢虎義の指紋が検出された。長野県警の捜査本部は、群馬県内の山岳アジトなどから指紋が検出された梅内恒夫があさま山荘に立て籠っている五人のうちに含まれているのに違いないとの見方をいっそう強めた(「朝日新聞」一九七二年二月二十一日付)

十四時すぎ　牟田郁男が泰子への激励の手紙とともに泰子の好物の果物(バナナ、リンゴ、みかん)を差し入れたいと申し出た。山荘前まで届ける、この危険な任務を大久保伊勢男警視庁九機隊長が買って出た。十四時二十分、無事、玄関前に置くことが出来た。その後、装甲車のマイクから山荘に、「玄関前に果物が置いてあります。これは、奥さんのからだを心配した夫の郁男さんが差し入れたものです。受け取って渡しなさい。手紙もはいっています。これも奥さんに渡しなさい」と呼びかけたが、山荘からの反応はなかった。

十七時半すぎ　坂口弘の母親菊江(五十八歳)、吉野雅邦の父良一(五十四歳)、母淑子(五十一歳)が山荘に向かって説得の呼びかけを行う。

坂口の母「もう、いさぎよくね、中の奥さんを返してください。代わりがほしければ私が行きますよ」

吉野の母「奥さんがどんな思いをしていらっしゃるか。凶悪犯とおんなじにならないようにね」

吉野の父「以前、お前が社会のために役立ちたいと言っていたことと行動がまるで違うではないか」

三人の訴え(叫び)は三十分近くも続いた。

坂口弘は母親の説得の声を聞き、「老けたな」とポツンと一言言った。三人の話が終わると、**吉野雅邦**は坂口に、「俺たちがいつも二人で行動しているので母たちも一緒に来たんだね。やはり俺たちは縁があるね」と言った。坂口は黙って頷いた。**坂東国男**は「警察が利用しやがって。汚い奴らだ」と言った。坂口も吉野もこの言葉に頷いた。坂口は牟田夫人に「俺の実家は千葉で花屋をしている。田舎だから村八分にされていると思う」としんみりした口調で言った(坂口／一九九六を改編)。

十九時　テレビのニュースで、ニクソン米大統領一行の中国訪問の様子を見た。坂口らは、自分たちの武闘路線が根底から覆される事態の訪れにショックを受けた。

二月二十二日

九時過ぎ　昨夜に続き、坂口の母と吉野の母の2人が山荘玄関前の特型車からマイクを使って説得を始めた。突然の発砲音！

吉野の母「お母さんが撃てますか！」

再び発砲音！　説得は中断された。

吉野雅邦が発砲した！

吉野がまた発砲した！

吉野が猟銃を持ってベッドルームに戻ってきた。坂口弘は吉野の目が潤んでいるのを見た。動揺しているなと見てとった坂口は、「君のお母さんはインテリだからよく話すね」と嫌みを言った。

十一時三十分頃　特型車が竹竿の先にトラメガを付けて玄関先に置こうとする。

吉野雅邦が「トラメガを使って、われわれの主張を訴えよう」。坂口弘は「このまま黙って抵抗していくことがわれわれの主張なんだ」と、吉野の主張を押さえ込んだ。

十一時五十八分　一人の男が警備の虚をつき、山荘の玄関にたどりつき、玄関脇に置かれていたビニール包み（前日、人質の夫の郁男が託した妻宛の手紙とリンゴ、みかん、バナナの果物が入っていた）をドアをあけてバリケードの上に置いた。警官や遠く離れた報道陣に向かって右手をあげたりして合図をしていたところ、中から撃たれて倒れ込んだ。が、しばらくすると頭をあげ、右手をあげ、あたりを見回し、自力で立ち上がり道路の方に歩き出した。見守っていた警備車が前進、機動隊員がすばやく救出した。男は新潟のスナック経営者田中保彦（三十歳）で、前夜十九時二十五分頃にも犯人の説得をと立入禁止区域に侵入し、軽犯罪法違反で検挙されていた。

加藤元久がベッドルームの坂口弘のところに来て「玄関先に妙な男が来ているので見に来てくれませんか？」と言った。その直後、屋根裏にいた坂東国男が下に顔を突き出して、「おーい、浅間さん。玄関先に妙な男が来ているぞー」と大声で言った。

坂口が玄関ホールに行くと、吉野雅邦がいて坂口に報告した。それを聞いた坂口は、管理人室へ行き、そこの押し入れの壁をくり抜いて造った銃眼から外を見た。男は管理人室の壁を叩きながら、「赤軍さん、赤軍さん。私は文化人です。あなた方の気持ちは分かります。私は牟田さんの身代わりに来ました」などと言った。しばらくのあいだ押し問答が続いたが、加藤元久が「男が機動隊に向かって片目をつぶったりして何か合図していた。絶対デカだ」と断言し、坂口も男のウインクを何回も確認し、しばらく逡巡した後、男の首筋に照準を当てていた坂口は、山岳ベースで山崎の胸をアイスピックで突き刺した場面を思い起こして自分を鼓舞し、引き金を引いた。

十四時四十分頃　銃眼からのぞく銃口の写真を撮影しようと接近していた、長野県管区機動隊分隊長の三村哲司巡査部長(三十歳)の右足に銃弾が命中した。さらに、三村の救助に赴いた隊員の小林定雄巡査(二十二歳)がライフルで銃撃され首筋に被弾した。

機動隊員に吉野雅邦が散弾銃を発砲した。

ライフルを撃ったのは坂東?

さつき山荘の便所の蛇口に残されていた指紋から坂東国男が籠城している五人のうちの一人と断定された。吉野に続く二人目の断定で、この時点で坂口弘が含まれていることが確実視されていた。

二十時十分　山荘への送電が打ち切られ、山荘は真っ暗になる。二カ所に設置された投光器が山荘を照射した。

突然、テレビの画面が消え、部屋は真っ暗になった。

二十三時十六分　投光器を狙撃、一つを破壊した。

二月二十三日

尾崎充男が籠城の一人と断定されたとの誤報が出される(「サンケイ新聞」一九七二年二月二十四日付)。妙義山の洞窟に残されていたアジビラの指紋とあさま山荘内のメガネをかけた男の写真から長野県警の連合赤軍警備取締本部が断定したとのことであった。

革命左派が利用した井川ベースの小屋が発見された(「朝日新聞」一九七二年二月二十五日付)。

十四時三十分　人質の安否確認のための強行偵察が開始される。

十五時四十分~十六時三十分　二階風呂場の窓ガラスを破って山荘内に七発の催涙ガス弾を撃ち込まれた。坂口弘は冷蔵庫からレモンを取り出し、また、牟田夫人の化粧バッグからクリームを探し出し、夫人に「レモンは目の周りに擦り付け、クリームは顔、首、手など皮膚の露出部分に塗るといいですよ」と言って、自分も塗り付けた。

新聞社のカメラマンが撮影した写真から坂口弘が確認された。

二月二十四日

零時三十分からの五分間と五時十二分からの十二分間の騒音（擬音）戦術、これは、催涙ガス弾の発射音、機動隊指揮官の号令、警備車のディーゼルエンジン音などを録音したテープを大音量で流し、犯人たちを眠らせないように、また出来るだけ発砲させて弾薬を消耗させようという作戦であった。合わせて投石も行った。

九時三十分　坂東国男の母親芳子（五十歳）がスピーカーで説得、「クニちゃん、みんな誘って、そこにいるご婦人とねえ、ならんでさあ、みんな出てきてネ、ごはん食べましょう」

妙義山籠沢のほら穴アジトで見つかっていたザックのメモ用紙から進藤隆三郎の指紋が検出された（「朝日新聞夕刊」一九七二年二月二十四日付）。

十六時二十三分　放水開始

散弾銃を乱射した。

二月二十五日

十一時四十三分　放水開始

十二時過ぎ　放水で穴があいたバルコニー下の二カ所と玄関口から発煙筒が次々と投げ込まれた。

十四時　玄関前の道路で土嚢壁の構築が始まった。

五人は様子を見ていたが、土嚢がどんどん積まれて包囲網が縮まるのに危機感を覚え、十六時過ぎから、山荘の銃眼D、E、Fから発砲、十六発の銃弾を発射した。

長野県警警備取締本部の野中庸本部長が夜の記者会見で、撮影された写真の分析などから寺岡恒一（誤認）と吉野雅邦の二人が確認されたと発表した。

二十三日午後からの強行偵察で、煙突から集音マイクを垂らしたり様々な方法で仕掛けた盗聴器だが、あまりの低気温のため電池が機能しなかったりで、全く功を奏していなかった。無気味だったのは、犯人側が一言も発しない、射撃音のみで、人質はもうこの世にいないのではと危惧されたりしていた。

二月二十六日

九時三十分　泰子の母、毛利千佐香（五十歳）が、「やっちゃーん、もうすぐだからね。頑張るのよーっ。元気な顔を見せてくださーい」とマイクで呼びかけた。

泰子は「顔だけでもいいから出させて下さい」と坂口弘に哀願したが、坂口は「今、顔を出せば警察の勝ちになる。警察がやらせているんだよ」と冷たく言って拒絶した。

午後　牟田夫人は、見張っていた坂口に「あとで裁判になった時、私を証人に呼ばないで下さい」と言った。坂口は「呼ばないから安心して欲しい」と答えた。

夕方（十八時過ぎ）　寺岡恒一の父親一郎（六十歳）、母親百合子（五十歳）がスピーカーで説得。父親は、「最後まで抵抗するのが日本人の特徴だが、私はそれではいけないと思う。君の評価はこれからの君の行動にかかっている」と訴えた。

誰か（坂東か？　金井『死者の軍隊（上）』二〇一五）がポツンと「この世にいない者の親を呼ぶんだからなぁ」と言った。

夜　坂口弘は、坂東国男と吉野雅邦の二人に「彼女をちゃんとオルグして中立を誓わせよう」と提案し、牟田泰子に話した。

「われわれは、決して貴方を傷つけたりはしない。今後、警察との闘いが一層熾烈になるだろうが、この約束は絶対に守る。われわれがあさま山荘に入ってきたのは、警察と闘うためである。

だから、貴方を人質として利用する積もりはない。貴方は元通り、山荘の管理人として振る舞って欲しい。われわれは貴方に、味方についてくれ、などと言う積もりはない。同じように、警察側について欲しいとも思っていない。どちらの側にもつかず、管理人としての立場を守って欲しいのだ」

夜　吉野が坂口に言った。

「坂東君が任務中に菓子のつまみ食いをするのを見てしまった。自分はもう彼に対して腹立たしさを抑えることが出来ない程だ。実を言うと、妙義山に移った頃からずっと、そっちと彼に対しては、強い反発を感じてきた。この山荘に来てからもそうで、今もそうした気持ちが残っている。これから警察と闘い抜く上で、こんな状態ではいけないと自分でも思うんだが、といってどうしてよいか分からない。とにかく全員で討論したい」

菓子のつまみ食い程度のことで、こんなにも怒る吉野を理解できない坂口は、坂東よりも、むしろ吉野に対して腹立ちを覚えて、「今頃になって何を言い出すんだ、一緒に闘ってきた仲ではないか。大体いいか。君はまだ、金子みちよの総括が出来ていないんだぞ。その総括をやり抜かねばならない身なんだぞ。忘れるなよ」と強い口調で言った。

二月二十七日

七時　吉野の母親と寺岡の父親がマイクで呼びかけ説得した。

十四時十五分～十七時十五分　軽井沢署の警備本部に中隊長以上の指揮官が集まり、最後の〝突入作戦会議〟が開かれた。野中本部長は「人質の心身の健康状態は一九八時間の監禁でもう限界と判断する。従って明二十八日を期して強行突入し、人質救出作戦を決行する。人質の救出を最大の任務とし、焦らず、我が方にも犠牲者を出さないよう時間をかけて実施する。なお銃による抵抗に対しては私の責任で拳銃使用を命ずる」と訓示した（佐々／一九九六）。

二十二時　軽井沢署の道場に設けられた報道センターで記者会見、立錐の余地がないほど各社の記者で埋め尽くされた広い道場で、野中本部長が「Xデイ（強行突入決行日）」を明二十八日とすることを発表した。

深夜～翌日未明（五時）　猛烈な投石

坂口弘「ピッチングマシンを使っているのかなぁ」

二月二十八日

八時五十一分　一回目の投降勧告および強行検挙の事前警告（井上／二〇〇三）。

九時二十五分　二回目の投降勧告および強行検挙の事前警告（井上／二〇〇三）。

九時五十五分、最後の勧告警告を伝える。

「山荘の犯人にふたたび告げる。……間もなく部隊は泰子さん救出のため、君らに対して実力を行使する。君たちが銃をもって抵抗すれば、警察はやむを得ず必要な措置をとる。もう一度機会を与える。今こそ君たちの将来を決める時だ。射撃をただちに止めなさい。泰子さんを解放しなさい。話があるのなら銃を捨てて、白い布を持って警察官の見える所に立ちなさい」

十時　野中本部長が無線で攻撃開始命令を発する。同時に、「ただ今から実力をもって牟田泰子さんを救出する。無駄な抵抗はただちに止めなさい」と警告が繰り返される。

十時七分　二発のガス弾を山荘内に撃ち込んだ。

十時五十四分　クレーン車による直径七〇センチ、重量一・七トンのモンケン（ビルの解体工事に使う鉄球）攻撃が開始され、階段踊り場の壁が五分で破られた。人質は二階白樺の間に監禁されていると見なしていたので、犯人のいる三階と二階を分断し、その間に人質を救出する作戦であった。破った箇所から放水が開始された。

モンケン攻撃にひるんだ吉野雅邦と加藤元久がベッドルームの入り口の手前に後退してきた。ひるまなかったのは坂東国男。坂口弘が屋根裏にいた坂東に、「おーい、下りて来なくてもいいのか?」と大声で聞くと、坂東は「最後まで頑張れるうちは頑張る」と応え、坂口は舌を巻いた。

十一時十分頃　坂口はラジオで機動隊に突入命令が出たことを聞いた。さらに、自衛隊がレンジャー部隊を出動待機していると聞き、高揚して「自衛隊が出動したぞー」と皆に知らせたが、これは坂口の聞き間違いで、実は警視庁所属の部隊であった。

十一時二十四分　警視庁第九機動隊が一階に突入した。

十一時二十六分　ラジオが「一階を警視庁第九機動隊が占拠しました」と放送。坂口は、階段の手前にいた吉野と加藤元久に大声で知らせた。

十一時二十七分　土嚢から顔を上げた警視庁特科車両隊高見繁光警部（四十二歳）の額に銃弾が命中（十二時二十六分に死亡）。

十一時三十七分　ラジオから「負傷したのは警視庁特科車両隊の中隊長高見繁光警部です。高見警部は上田の小林脳外科に収容する予定です。まだ収容されたという連絡は入っておりません。また、けがの程度も現在のところは判りません」とのアナウンスが流れた。

十一時四十七分　土嚢から出て山荘に突入しようとした第二機動隊員大津高幸巡査（二十六歳）の左目に散弾銃の粒弾が命中（失明に至った）。

十一時五十四分　玄関前で、指揮をとっていた警視庁第二機動隊長内田尚孝警視（四十七歳）の顔面に銃弾が命中（十六時一分に死亡）。

十一時五十五分　長野県機動隊が二階を制圧したが、予測ははずれ、牟田泰子は白樺の間にいなかった。

十一時五十六分　三階の厨房を制圧していた第二機動隊四中隊長の上原勉警部（三十八歳）の顔面に散弾銃数発が命中。

ラジオが「警視が撃たれました。重体です」と放送。これに牟田夫人がベッドから身を乗り出して、「銃を発砲しないで下さい！　人を殺したりしないで下さい！　私を楯にしてでも外に出て行って下さい！」と叫んだ。

十二時三十分過ぎ　警察の攻撃がやむ。モンケンを先端に取り付けたクレーン車のバッテリーのターミナルが壊れてエンジンの始動が出来なくなったためで、これ以降動くことはなかった。

十二時三十分過ぎ　屋根裏にいた坂東国男と加藤倫教がベッドルームの奥に撤退してきた。坂口弘は彼らに、「三階が駄目だったら二階へ行く予定だったが、行かなくて良かったな」「あしたでなくて良かったな。あしたじゃ命日が四年に一回しかない」と言った。この年は閏年だったのである。

これと同じことを佐々淳行も、決行日を一日延期することを示唆してきた警察庁警備課長に対して電話で言っている。「一日延ばせば、二十九日でしょうが。もし殉職者が出たらどうするんです。四年に一回しか命日、来ないじゃないですか‼」(佐々／一九九六)と。

加藤倫教「私たちの発砲で二人の幹部警察官が死亡したということを、ラジオをずっと聞いていた坂口から聞かされていた。**坂口弘**は『やった。警官を殲滅したぞ』と言って、前線にいる四人にニュースを伝えたのである。

私は十二人の同志たちに対して厳しい『総括』要求をし、死に追い詰めた永田や森に追随してきた自分の責任を果たすという意味で警察と対峙している今、闘わねばならないと思っていた。警官に向けて引き金を引くことに躊躇はあったが、やるしかないと思った。

だが、二十一日にニクソン米大統領が中国を訪問し、世界情勢は大きく変わろうとしていた。私や多くの仲間が武装闘争に参加しようと思ったのは、アメリカのベトナム侵略に日本が加担することによってベトナム戦争が中国にまで拡大し、アジア全体を巻き込んで、ひいては世界大戦になりかねないという流れを何が何でも食い止めねばならない、と思ったからだった。私たちに武装闘争が必要と思わせたその大前提が、ニクソン訪中によって変わりつつあった。——ここで懸命に闘うことに、何の意味があるのか。もはや、この闘いは未来には繋がっていかない……。そう思うと気持ちが萎え、自分がやってしまったことに対しての悔いが芽生え始めた。屋根裏から下に降りてからは、私はもう警察と闘うことはしなかった。兄が死に、私は逮捕されれば重罪であることは確実だった。せめて弟だけは早く親元に帰したい。弟が重罪に問われるような行動をとらないためにも、早くこの『闘い』が終わって欲しいと願った」(加藤倫教／二〇〇三)

十二時三十九分　野中本部長はついに、「射角を考慮して、ライフルを含め拳銃を適正に使用して制圧検挙せよ」との命令をくだした(長野県警察本部警務部教養課／一九七二)。

十二時四十分　ラジオが「警備本部は、拳銃を使用して犯人を逮捕せよ、との命令を出しました。」と伝えた。

十二時四十七分　**坂口弘**が南側山麓に居並ぶ報道陣に、人が命懸けで闘っているときに何ということだと腹を立て、報道陣目がけて拳銃を三発発射、一発が信越放送の小林忠治カメラマン(三十六歳)の右膝裏を貫通した。

十四時五十分　坂口が厨房の天井に開いていた穴目がけて、点火した鉄パイプ爆弾を投擲、厨房内で爆発、食器棚の下で監視にあたっていた警視庁第二機動隊員の中村欣正巡査部長(三十歳)が右腕に重傷を負った。

十五時三十分　屋根裏に向けての放水が始まった。

十五時四十分　放水に代わってガス弾が撃ち込まれ催涙ガスが充満し始めた。

十六時三十分頃　次から次へと一〇〇～二〇〇発の催涙ガス弾が撃ち込まれた。

十六時三十五分　警察側は、犯人が屋根裏に潜んでいると想定し、屋根裏の二つの銃眼およびベッドルーム上方の破壊穴に向け拳銃を六発発射、威嚇した。

十六時五十二分　催涙ガスで呼吸困難となった坂口弘がベッドルーム北側端の上段ベッドから素手で窓ガラスを割った。前方を見たら、浅間山が正面に聳えており、山荘侵入後十日目にして初めて見た浅間山の山容に、だからあさま山荘なんだと得心した。

十七時過ぎ　バルコニーに機動隊の一部が進出、バリケードの横からベッドルームの窓に向けガス弾を発射、坂口が拳銃で応射しようと引き金を引いたが発射しなかった。

十七時三十分　日没。投光器による照射が開始された。

左の散弾銃を持っているのが坂口弘、右の眼鏡をかけているのが吉野雅邦
（写真提供・朝日新聞社）

十七時五十分頃　この時点で五人と人質は、ベッドルームの北東角隅の二段ベッドの下段にかたまっていた。談話室とベッドルームの壁に開けられた穴からベッドルーム側への放水が行われる。

吉野雅邦が一九九九年五月六日付で小学校以来の親友である大泉康雄に送った手紙にはこう書かれている。

「ベッドルーム奥のベッド下段に入り込んだ坂口君と私（吉野）は、加藤弟が渡してくれた楯のベニヤ板が放水で吹き飛ばされたあと、後方の加藤弟らに頼んで掛け布団を受け取り、これを頭から被り放水の直撃を避けていたのです」（大泉『あさま山荘銃撃戦の深層（下）』二〇一二）

坂東国男が、坂口弘の肩を台にして散弾銃を構え、四、五発発砲、坂口は鼓膜が破れるような大発砲音だったと記して坂東の無神経さをなじっている。

十八時五分　「間もなく（放水の）水が切れる」との至急報が入るや、大久保九機隊長が「隊長命令ッ、一斉に突入、検挙せよッ」と号令を出した。
十八時七分　水が切れた。

再び吉野雅邦が一九九九年五月六日付で大泉に送った手紙の文を拾う。

「放水がやんだので、私（吉野）は接近するだろう警官を狙撃して闘うべく、布団をはねのけ身を起こさねばと思ったのですが、そうして相手を殺すことにも、また自分がその結果反撃され殺されることにも恐怖感を覚え、身がすくみ、布団をはねのけられずにいたのです。その時、すぐ脇で首を並べて同じように布団に潜っていた坂口君が、『やっと総括できたな』と言ったのです。戸惑いながらも、私は五人の中では最後までベッドに入り込まず入り口方向を守るべく中央で頑張っていたことが認められたことに、いくらかの嬉しさも感じて『うん』と答えたのですが、これを機に身体から力が抜けていき」（大泉『あさま山荘銃撃戦の深層（下）』二〇一二）

十八時十分　坂東国男が拳銃を発射（十七時過ぎに坂口弘が引き金を引いたときは発射しなかったのだが、この時は発射した）、弾丸が談話室側突破口からベッドルームに躍り込んだ九機副隊長伝令の隊員遠藤正裕巡査（二十三歳）の右眼に命中し、失明に至った。

三度、吉野雅邦が大泉に送った手紙の文を拾う。

「やがて何秒かのちに、一人の警官が半ば泣き声に近い喊声（かんせい）を上げて近付き、布団の上から覆い被さってきたのです。布団の上に固い板状のものを感じたので、恐らく警官がジュラルミンの楯を布団の上から押しつけ、体重をかけたのだと思います。その時、私がしたことは、手にしていた散弾銃を手放し、そして眼鏡を取って袋叩きにされるための準備をしたことだったのです。銃を手放したのは、既に発砲する意思をなくしており、いずれ押収されるなら所持しても意味がないと感じたことや、抵抗姿勢を放棄し降伏した証とし、それによって袋叩きをなるべく回避したいとの思いもあったことは否めません。布団の上から押さえ込んだ警官は、興奮に震える声で、『逮捕したぞぉー』と叫び、すぐにドタドタと何人かの警官の足音が聞こえ、やがて布団がめくられ、私は引き出され、両脇の下を持ち上げられつつ連行されたのです」（大泉『あさま山荘銃撃戦の深層（下）』二〇一二）

突入してきた機動隊員たちは、大楯を前面にし、ベッドを一つ一つ調べていく。ついに北東隅のベッドに集まっている犯人らを発見、雪崩をうって殺到した。まず、警視庁九機第四中隊第一小隊長仲田康喜警備捕（三十五歳）が目の前に出ていた手首をつかんで引きずり出し、手錠をかけようとしたところ、おや、手首が細い、（体重が軽い）、女だッと気付き、その女性が「私は違います」と言った（長野県警察本部警務部教養課／一九七二）。牟田泰子さんだと判った仲田小隊長、手を放し、女性におおいかぶさっていた男の手首に手錠をかけた。目の上に散弾を撃ち込まれても屈しなかった第四中隊分隊長目黒成行巡査部長（二十九歳）が女性を背中にしょって談話室へ脱出する。五人の犯人は次々と機動隊員に制圧され、手錠を掛けられ逮捕された。

十八時十五分　人質救出、「人質確保、生命異状なし」の連絡。
十八時二十分　犯人五名が逮捕された。

やがて、山荘から引きずり出された五人は、隊列をなして待ち構えていたマスコミ関係者のフラッシュを浴びながら一人ずつパトカーまで連行された。実況中継のテレビの画面で加藤元久、吉野雅邦、加藤倫教、坂東国男、坂口弘の順に連行される五人の姿が大写しになった。連行する機動隊員はテレビカメラの前で、「この野郎、何だこのザマは！」と怒号を浴びせていた。十八時二十分に関東地方で八六パーセントの記録的な視聴率に達していた（累積到達視聴率は九八・二パーセントに達した〔『週刊 YEAR BOOK 日録20世紀 1972年』一九九七〕）。

加藤倫教の記述を引用する。

「私は、正しい情勢分析をすることができなかったのだ。自分が立ち上がることで、次から次へと人々が革命に立ち上がり、小から大へと人民の軍隊が成長し、弱者を抑圧する社会に終止符が打たれる。そんなことを主観的な願望だけで夢見ていた。その自らの浅はかさ、未熟さを思い知り、自分を叩きのめしてやりたいほどの悔しさを感じていた。だから、逮捕され、引き立てられて行くことには何の感慨もなかった。ただ、せめて正義を実現する社会を夢見た志だけには誇りを持ち、毅然と歩こうと考えたのだった」（加藤倫教／二〇〇三）。

吉野雅邦が大泉へ宛てた手紙の文章を引用する。

手錠をかけられ機動隊員に連行される坂東国男（中央後方左）。写真提供・朝日新聞社

「思いの外、全く殴られなかったことに一方で安堵し、息苦しい闘争の終結に解放感を抱きながら、私は『これではいけない。殺されるまで闘い続けなければいけなかったんだ』との思いが込み上げてきて、途中で歩くのをやめて抵抗したりしたのですが、二人にガッチリと腕を固め持ち上げられ、この抵抗も形だけのものとなったのです。軽井沢署二階の取調室に入れられた直後、腰にピストルを下げた制服警官が入室しすぐ脇に立ち、私の肩の辺りにピストルが来た時も、これを奪って警官を殺そうとして殺される闘いをせねば、との考えが横切り身体が強張りましたが、結局はそれも為し得ず『日和った』ままとなったのです」（大泉『あさま山荘銃撃戦の深層（下）』二〇一二）

十八時過ぎ　坂東の父親基信（五十一歳）が大津市栗津町の自宅で自殺した。

本章の記述は、山荘内部のものは、五人の籠城犯の一人だった坂口弘の『あさま山荘1972（下）』（彩流社）、山荘外のものは、警察サイドでの警察庁・佐々淳行『連合赤軍「あさま山荘事件」』（文藝春秋）と長野県警察本部警務部教養課『連合赤軍「あさま山荘事件」の真実』（ほおずき書籍）、およびマスコミサイドの久能靖『浅間山荘事件の真実』（河出書房新社）を読み合わせながら構築した。また、やはり五人の籠城犯の一人だった加藤倫教の『連合赤軍少年A』（新潮社）からも一部引用した。よって、詳細を知りたい読者は、これらの書籍を読まれることをお勧めしたい。

コラム6▼あさま山荘事件とカップヌードル、河合楽器のピアノ

あさま山荘事件の前年にあたる一九七一年に一個百円で発売が開始された日清食品のカップヌードル。弁当が凍り付いてしまう極寒の冬の軽井沢で機動隊員が食べる姿に全国から問い合わせがあった。「あれは一体なんだ?」

カップヌードルは、機動隊員だけでなく、取材陣をも感激させた。

当時、警視庁クラブにいた新聞記者宮本貢は次のように書いている。

「ぼくらのもとには、お湯入りのポット、信越線各駅の駅弁が届きました。庶務係はかけずり回ったようです。それらといっしょに、見たこともない食品がありました。縦長の紙コップの中に、固まった麺状のものが入っています。どうやらポットのお湯をこれに注いで食うらしい。他社の記者たちが見守る中で、雪の中で、銃を持った連合赤軍から少し離れて、ぼくはお湯を注ぎ、麺がほぐれるのを待ちました。うまかったぁ。こんなに手軽でうまいものがあるのか。日本人は偉大だと、ぼくはおよそ場違いな感動に浸ったものです。前年の9月に発売されたカップヌードルを、ぼくはこんなふうに初体験しました」（『連合赤軍〝狼〟たちの時代 1969-1975』一九九九）

あさま山荘事件がもたらした影響、日清食品にとっては、全く予期せぬ、出費なしの宣伝の機会になったことに間違いない。

ちょうど、このコラムを構想していた頃放映されていた（二〇一八年十月一日〜二〇一九年三月三十日）、カップヌードルを開発した安藤百福の半生を綴ったＮＨＫの朝ドラ「まんぷく」で、この場面が出なかったのには少々がっかりしたものである。事件が事件だっただけに、朝ドラにはふさわしくないと判断されたのであろう。

カップヌードルの話は有名なので、今さらと思われる読者も多かろう。そこで、蛇足だが逸話を一つ加える。あさま山荘が河合楽器の保養所だったことから、事件後、河合楽器のピアノもよく売れたらしい（朝山／二〇一二）。意外なあさま山荘効果（不謹慎？）があったのだ。

コラム7▼「かみそり」後藤田正晴はじめ警察側の白眉

後藤田正晴はあさま山荘事件当時五十七歳の警察庁長官だった。二〇〇五年に九十一歳で没する。

「犯人は全員生け捕りにせよ」との指示を出した人物である。

事件三十年後の、新聞社のインタビュー。インタビュアーの記者の「オウムと連合赤軍についてよく比べられるけれども、このことについてどう思われますか?」の問いに、「オウムというのは自分達のためだけに、私利私欲のためだけにやったんだ。ところが連合赤軍というのは、手段・方法は間違っていたし、やったことに対してやっただけの責任は取ってもらわなければいけないけれども、あの人達は、自分達の身を犠牲にして、世の中をよくするために闘ったんだ。そういう意味では全然違うんだ。」連合赤軍事件の全体像を残す会の中心人物である雪野建作は、「後藤田さんは、彼らは決して人質に危害を加えないというふうにみているわけです」と言う。(連合赤軍事件の全体像を残す会/二〇一三)

後藤田長官から現場での指揮を命じられた佐々淳行は、事件解決後、自宅に戻り、「深い眠りに落ちた」とき、後藤田からの電話を受ける。後藤田から「佐々君か? あのなあ、色々言うとる奴はおるが、だ、君をおいてあれだけやれる奴はおらんかった。よくやってくれた。お礼を言います。ご苦労様でした。疲れたろう。ゆっくり眠ってくれ」と言われ、いたく感激し、(二人を殉職させてしまった責任から)警察を辞めることを思いとどまったと記している(佐々/一九九六)。

犯人側、警察側の双方にリスペクトされた人物、それが「かみそり後藤田」という切れ者だったわけである。

あさま山荘事件当時三十五歳、警察庁警備局公安第一課課長補佐として事件解決に向けての作戦に加わっていた亀井静香元代議士は、次のように述懐している。

「事件が解決したのは、警視庁と長野県警が協力して死力を尽くしたからだが、けっして威張れるような作戦ではない。しかし、私は同僚を殺した犯人グループに対して、なぜか一方的な憎しみを感じなかった。彼らのやったことは明らかに間違っている。しかしその動機は、恵まれない人民をどうにかしたい、つまり『他』の幸せを望む思いにあった。取り調べでも、その気迫は伝わってきた。彼らを批判する人物に私は、けしからんというのは容易だが、そのあなたは金儲けに明け暮れエゴイスティックな生活をしているではないか、と言ったこともある。志ある若者がなぜ誤った道に足を踏み入れたのか。そこに政治の責任を感じたが故に、私は警察庁を退職し、衆院選出馬を決意した。だからもし事件がなかったら、亀井静香という代議士は存在しなかっただろう」(亀井／二〇〇五)

故佐々淳行氏(二〇一八年死去)は、事件当時四十一歳、後藤田警察庁長官から現場指揮官を拝命した人である。事件後書いた本が長野県警の顰蹙を買ったりしたが、テレビに出演されている氏を二、三度見たことがあるが、語っているうちに感情が高まってくるのであろう、目を真っ赤にして時に涙まで流し熱弁を振るう姿に、熱血漢ぶりを感じた。決して悪い人ではない、出る釘は打たれるタイプの人だなと感じた。佐々は「人命は地球より重い」との名言でとられた超法規的措置(釈放)を苦虫をかみつぶして地団駄踏んで悔しがった(はず)に違いない。

もう一人、警察側の「大物」、悲劇の将とでも形容すべきか、筆者の記憶に残っている「男」がいる。お歳暮を装った小包爆弾の爆発によって夫人を失った警視庁土田国保警務部長(一九九九年死去)の記者会見での「君らは卑怯だ」との一言は、当時中学一年生だった私の胸を打った。即死した夫人や重傷を負った四男(十三歳、学習院中等科二年生)の家族には何の罪もないのにという憤りを感じたものだ。警察側は犯人の検挙に総力を挙げたことに違いない、一九七三年三月十五日に赤軍派の増渕利行ら男女四人を逮捕したのだが、全くのでっち上げであった。真犯人を特定するに至らず迷宮入りとなってしまった。

最後に、秦野章警視総監(二〇〇二年死去)の人となり(人道主義)を紹介しておく。

一九六九年十一月十七日の佐藤首相訪米阻止闘争で、首相機が飛び立った三十分後の庁内での記者会見で、「死人がでなくてすんだことが、いちばんよかった」「東京駅ホームで、十六日けがした看護婦伊藤さんの頭は、レントゲンの結果、心配ないそうだ。おなかの赤ちゃんは、さらにくわしい検査がいる。お気の毒だった」とけが人のことを気にした(「朝日新聞夕刊」一九六九年十一月十七日付)。

赤軍派に所属した上原敦男は筆者と同郷の香川県高松市出身、明大二部で重信房子や遠山美枝子らとともに現代思想研究会というサークルを作った人物で、東大安田講堂攻防戦で最後まで赤旗を降り続けた強者である。その上原が後年、何かのパーティで、東大闘争時の警視総監であった秦野章を紹介され、会話を交わした。当然、安田講堂攻防戦の話となり、秦野が「僕はあのとき、学生に死者を出さないということを一番に考え、同時にうちの子ら(機動隊員)にも死者を出さないことを願ったんです」。上原は、下の階から攻めのぼってくる機動隊に、上からガソリンを撒いて火を点けようと主張する学生が出たときに、「ダメだ。ダメだ。それは絶対やっちゃいけない」と制止した話をした。すると、秦野は感動した面持ちになり、「今日はありがたい話を聞かせてもらった」と上原に深々と頭を下げたという（山平／二〇一二）。

戦場での敵方ながらのフェアープレーを讃えた場面であった。

第七章　あさま山荘事件後──その後の連合赤軍

あさま山荘事件は終わった。ところが、連合赤軍事件はこれで解決したわけではなかった。あさま山荘の落城をもって一件落着したのではなかったのである。警察は、山岳アジトから指紋を検出している「残党」の捜索を引き続き行う必要があった。梅内恒夫、寺岡恒一、尾崎充男、前沢虎義、山本順一・保子夫妻、あるいは、榛名湖畔で赤ん坊を抱いて謎の行動をしていた中村愛子などである。このうち、梅内、寺岡、尾崎の三人は、あさま山荘に籠城していると目されていた。しかし、寺岡、尾崎、それに山本順一は、いくら捜そうにも「地上」にはもういなかったのである。その後、「謎の男」梅内以外は様々な形で警察の手中に収まるのである。この年の流行語となった「総括」の判明、さらに逮捕された連中の送検、起訴、リーダー森恒夫の自殺、「人命は地球より重い」とする「超法規的措置」、判決、永田洋子の獄中死……と続いていく。一難去ってまた一難？　台風一過ならぬ大事件一過を、やはり時系列で綴る。

逮捕された連合赤軍のメンバーは、それぞれ別々の警察署に留置され、取り調べを受けることとなった。別々の警察署に留置する理由は、「一緒にしておくと、すぐ近くに仲間がいるという安心感から精神的に強くなる。それに互いに自供の見張り役になる」とは、群馬県警警備一課の高橋次席の言(「朝日新聞」一九七二年二月二十一日付)である。

一九七二年二月二十九日十時〜　長野県警、警察庁現地警備取締本部による現場検証。あさま山荘管理人の牟田郁男が立ち会った。後藤田正晴警察庁長官も山荘を視察した。いちょうの間(ベッドルーム)のベッドから鉄パイプ爆弾一個と散弾数百発が発見された。

二月十九日以来、軽井沢警察署に設置されていた「連合赤軍軽井沢事件警備本部」は解散し、代わって野中本部長を捜査本部長とする「連合赤軍軽井沢事件特別捜査本部」に切り替えられた(長野県警察本部警務部教養課/一九七二)。

長野県警・警察庁の特別捜査本部は、内田尚孝警視庁第二機動隊長と高見繁光警視庁特科車両隊員をライフルで射殺したのは、犯行前後にライフルを所持しており、ライフルから新しい指紋が検出された坂東国男と断定した(「サンケイ新聞」一九七二年三月二日付)。しかし、その後高見隊員は猟銃の改造弾で撃たれた可能性が強まり、犯人の特定が出来なくなった(「朝日新聞夕刊」一九七二年三月十三日付)。

持原好子の自供から、長野県上伊那郡長谷村大曲の広瀬建設の工事現場へ侵入し、ダイナマイトなどを盗んだとして、森、坂東、植垣の三人に対して爆発物取締罰則違反、盗みの疑いで逮捕状をとり、進藤隆三郎、山崎順の二人を同容疑で全国に指名手配した(「朝日新聞」一九七二年三月一日付)。進藤、山崎の二人はすでにこの世にいなかったのだが……。

三月一日一時過ぎ、田中保彦が肺炎を併発し、入院先の上田市の小林脳神経外科病院で死亡、あさま山荘事件での三人目の死者となった。

午後、長野県警特別捜査本部が、坂口ら五人を殺人、殺人未遂、不法監禁、爆発物取締罰則違反、火薬類取締法違反、銃刀法違反、公務執行妨害現行犯で長野地検へ送検した。

三月三日、警視庁極左暴力取締本部が、遠山美枝子を爆発物取締罰則違反で指名手配した。手配中の行方正時とともに一九七一年九月から十月にかけて、東京・練馬の喫茶店やアジトなどで、「すでに爆弾は用意したから、これで交番などを襲撃しよう」と赤軍派活動家を扇動した疑い。遠山はすでにこの世にいなかったのだが……。

三月五日、奥沢修一が山岳ベースで同志が死亡したことについて自供を始める(椎野編/二〇〇二)。

三月六日、加藤倫教が山岳ベースでの同志殺害について自供を始める（高橋／二〇〇二）。

群馬県警は、殺人未遂と公務執行妨害で逮捕している森恒夫と永田洋子、森林法違反で逮捕している杉崎ミサ子と奥沢修一を爆発物取締罰則違反、火薬類取締法違反、銃砲刀剣類所持等取締法違反の疑いで再逮捕、寺岡恒一を指名手配した（「朝日新聞」一九七二年三月七日付）。

横浜地検は、持原好子を横浜市の横浜銀行妙蓮寺支店に押し入り四十五万円を強奪したとして強盗罪で起訴した（「朝日新聞」一九七二年三月七日付）。

三月七日、連合赤軍軽井沢事件特別捜査本部が軽井沢署から長野県警警察本部に移された（長野県警察本部警務部教養課／一九七二）。

十一時ごろ、群馬県警過激派犯罪警戒取締本部は、森恒夫らの自供から、下仁田町西野牧・千駄木山の森林で山田孝の遺体を発見した。

長野県警小諸署で取り調べを受けていた加藤倫教が「山岳アジトで十二人を殺している」と言い出し、連絡を受けた特別捜査本部は騒然となった。すぐに、一部自供していた青砥幹夫と加藤元久が追及され、二人ともその事実を認めた。「大量リンチ殺人」が発覚したのである（滝川／一九七六、北原／二〇〇七）。

三月八日、渋川警察署に勾留中の森恒夫が前橋地裁あてに、「遺体を早く遺族に手渡して欲しい」との上申書を書いた。

群馬県警過激派犯罪警戒取締本部は、森、永田、奥沢、杉崎の四人を爆発物取締罰則、火薬類取締法、銃刀法違反で前橋地検へ送検した(「朝日新聞夕刊」一九七二年三月八日付)。

三月九日、群馬県警は、森ら四人の自供から山田以外に二人以上が殺害されていることをつかんだ(新聞報道)。

十六時半(「サンケイ新聞」一九七二年三月十日付)、長野地検連合赤軍事件特捜本部が、青砥幹夫、植垣康博、寺林真喜江、伊藤和子の四人を森林法違反、銃刀法違反、公務執行妨害などの疑いで起訴した。また、この四人を群馬県籠沢における爆弾、実包、火薬類不法所持の爆取、火取、銃刀法違反で再逮捕した(長野県警察本部警務部教養課/一九七二)。

群馬県警は、山本保子を迦葉山アジト建設の際、保安林のヒノキ、スギなど百本を切ったとして森林法違反、前沢虎義を他人名義の運転免許証に自分の写真を貼って偽造したとして有印公文書偽造の疑いで指名手配した。

三月十日、群馬県警は、森恒夫らの自供から十二人が殺害されていることを確認した(新聞報道)。

十時四十三分、群馬県利根郡白沢村高平黒岩の杉林で金子みちよの遺体を発見した。

十時四十五分、利根郡白沢村高平小芝の杉林で山本順一と大槻節子の遺体を発見した。

二十時三十分、山本保子が愛知県警中村署へ出頭した（コラム9参照）。

三月十一日十一時十五分、群馬県警は、加藤元久らの供述から、群馬郡倉淵村水沼町中尾十二塚（通称〝地蔵峠〟）の森林で山崎順の遺体を発見した。

群馬県警過激派犯罪取締本部は、中村愛子を森林法違反容疑で指名手配した。手配のねらいは山本頼良（三カ月）の安否確認、救出であった。

二十時五十六分、前沢虎義が練馬署へ出頭し、事情聴取後二十二時五十分に逮捕された。

三月十二日九時十分、群馬県警は、森恒夫らの自供から、地蔵峠の杉林で尾崎充男、進藤隆三郎、加藤能敬、小嶋和子の四人の遺体を発見した。

三月十三日十時ごろ、群馬県警は、前日に続き地蔵峠付近の杉林で寺岡恒一、遠山美枝子、行方正時の三人の遺体を発見した。

二十一時五十分、岩田平治が長野県警辰野署に出頭、銃刀法違反の疑いで逮捕された。

二十二時七分、中村愛子の知人の届け出により、千葉県警市川署が行方不明だった山本頼良を無事保護した（コラム9参照）。

二十三時二十八分、中村愛子が警視庁に出頭、森林法違反の疑いで逮捕された。これで山中アジトに集結した二十九人全員が逮捕、あるいは遺体が発掘された。

三月十七日、長野県警は坂口ら九人を、妙義山アジトにおける山田孝リンチ殺人、死体遺棄で再逮捕した(長野県警察本部警務部教養課／一九七二)。

三月二十一日、長野地検の連合赤軍事件特捜本部は、坂口弘、坂東国男、吉野雅邦の三人を殺人、殺人未遂、監禁、銃刀不法所持、爆発物取締罰則違反、火薬類取締法違反、公務執行妨害、住居侵入、森林法違反の九つの罪の共謀共同正犯で起訴した。加藤倫教、加藤元久の二人については、山田孝の殺人、死体遺棄で拘置のまま処分を保留した(「サンケイ新聞」一九七二年三月二十三日付)。

三月二十四日、吉野雅邦が、早岐やす子と向山茂徳を殺害し、いずれも千葉県印旛郡印旛村瀬木一本松の印旛沼西側に埋めたと自供した(「サンケイ新聞」一九七二年三月二十五日付)。

三月二十五日、長野県警は坂口ら九人を、迦葉山アジトにおける金子みちよ、山本順一、大槻節子の三人のリンチ殺人、死体遺棄で再逮捕した。長野県警は岩田平治を、榛名アジトにおける手製爆弾、火薬類不法所持の爆取、火取違反で逮捕した。

十四時過ぎ、千葉県警は、吉野雅邦に立ち会わせて、印旛郡印旛村岩戸西原の杉林で早岐やす子、向山茂徳の二人の遺体を発見した。

四月八日、永田洋子が高崎署から松井田署に移送された(高橋／二〇〇二)。「永田洋子って誰?」ととぼける永田を、夕刻になると近くの寺の鐘の音が響き、あの大久保清(第四章参照)でさえ自供に追い込まれたという松井田署に移し、殺し専門の刑事が追及することになったのである。

四月十一日、永田が自供を始めた(永田『氷解』一九八三)。

四月十六日、長野県警は、坂口ら十人を、榛名アジトにおける加藤能敬ら八人に対するリンチ殺人、死体遺棄で再逮捕した。

四月十七日、松井田署に拘置中の永田が取調官に自己批判書を手渡した。

四月十八日夕、完全黙秘していた坂東国男が自供を始めた。

五月八日、最高検察庁、東京高検は、森恒夫ら逮捕者十七人のうち、すでに殺人未遂で起訴されている奥沢修一と家裁に送致された加藤兄弟を除く十四人を殺人、傷害致死、死体遺棄罪などで長野および前橋地裁に起訴した。

五月十日、群馬県警松井田署に拘置されていた永田洋子と長野県警須坂署に拘置されていた吉野雅邦の二人が警視庁に移送、印旛沼「処刑」の容疑で再逮捕(「情況」一九七三年五月特大号)された。

五月十一日、森恒夫と青砥幹夫の二人が、6・18明治公園爆弾の容疑で警視庁に移送され再逮捕された。

五月十二日、坂東国男と植垣康博の二人が、M作戦の容疑で神奈川県警に再逮捕された(「情況」一九七三年五月特大号)。

五月二十四日、加藤元久が家庭裁判所で中等少年院送致の審判を受けた(大泉『あさま山荘銃撃戦の深層(下)』二〇一二)。

六月二日、横浜地検が坂東国男と植垣康博を、横浜銀行妙蓮寺支店を襲い現金四十五万円を奪った強盗罪で起訴した(「サンケイ新聞」一九七二年六月三日付)。

七月十二日(高橋/二〇〇二)、警視庁での取り調べの終わった永田洋子が前橋刑務所の拘置監に移された（永田『氷解』一九八三）。

九月二十日、**吉野雅邦**が長野県警須坂署［または長野刑務所（大泉『あさま山荘銃撃戦の深層（下）』二〇一二）］から東京拘置所に移送された。

九月二十六日十時、連合赤軍事件の最初の公判として、**奥沢修一**の初公判が前橋地裁（水野正男裁判長）で開かれた。

九月二十七日十時、**加藤倫教**の初公判が長野地裁（中村護裁判長）で開かれた。午後、**岩田平治**の初公判が長野地裁（中村護裁判長）で開かれた。

九月二十八日、**森恒夫**が東京拘置所に移管された（森／一九八四）。

九月三十日、**永田洋子**が前橋刑務所拘置監から葛飾区小菅の東京拘置所へ移管された（永田／一九九〇）。

十月四日、**伊藤和子**の初公判が長野地裁（中村護裁判長）で開かれた。

十月四日、寺林真喜江の初公判が長野地裁（中村護裁判長）で開かれた。

十月九日、杉崎ミサ子の初公判が前橋地裁（水野正男裁判長）で開かれた（「情況」一九七三年五月特大号）。

十月二十一日、中村愛子の初公判が前橋地裁（水野正男裁判長）で開かれた（「情況」一九七三年五月特大号）。

十月二十三日、前沢虎義の初公判が前橋地裁（水野正男裁判長）で開かれた。

十一月十三日十時、山本保子の初公判が前橋地裁（水野正男裁判長）で開かれた（「朝日新聞夕刊」一九七二年十一月十三日付）。

十一月二十八日十三時、青砥幹夫の初公判が東京地裁刑事一部（市川郁雄裁判長）で開かれた。

十二月四日、東京地裁刑事七部の山本卓裁判長が、統一組公判を一九七三年一月二十三日から一九七四年六月二十五日の間に行う百回の公判期日（毎週火曜日、隔週金曜日）を指定した。

一九七三年一月一日十三時三十八分〜五十二分の間に、森恒夫が東京拘置所の独居房でタオルを用いて首つり自殺した。十二月三十一日付の塩見孝也あて、および一月一日付の坂東あての遺書が残されていた。

一月四日十四時、森の告別式が東京都葛飾区の四ツ木葬儀場で行われ、父親吉勝(五十九歳)や連合赤軍救援対策委員会のメンバーら約五十人が参列した。棺には赤軍の旗がかけられ、一分間の黙祷の後、インターナショナルが合唱された。

一月二十三日十時、永田洋子ら統一組の初公判が東京地裁刑事七部(山本卓裁判長)で開かれたが、公判期日の百回指定に反対する永田、坂口弘、坂東国男、吉野雅邦、植垣康博の五被告と弁護団は出廷を拒否、欠席裁判となった。以後、五人は二月八日の第五回公判まで出廷を拒否し続けた(査証編集委員会編/一九八六)。

一月二十四日十時二十分、前沢虎義の第五回(求刑)公判が前橋地裁(水野正男裁判長)で開かれ、前橋地検の赤塚健検事は有期刑では最長の懲役二十年を求刑した。連合赤軍事件での最初の求刑であった。

二月十三日、予定より約一時間遅れての十時五十三分から統一組の第六回公判が東京地裁刑事七部(山本卓裁判長)で開かれ、永田ら五被告が初めて出廷した。山本裁判長の人定質問の際、坂東国男が、「なぜ人定質問するのか。人定をする以上前の裁判は無効だ。われわれはこんなナンセンスな裁判は受けられない。判事、検事諸君が真実をおそれているのではないか。われわれは、プロレタリア革命派はおそれないぞー」と右のこぶしを何回も突き出し大声でまくし立て、「発言をやめなさい」と制止した裁判長に「黙れっ!」と怒鳴り退廷を命じられる場面があった。以後、五人は二月二十日の第七回公判から三月八日の第十一回公判まで出廷を拒否し続けた(査証編集委員会編/一九八六)。

三月八日、山本保子の第八回(求刑)公判が前橋地裁(水野正男裁判長)で開かれ、前橋地検の赤塚健検事は懲役六年を求刑した(「情況」一九七三年五月特大号)。

三月二十日午後、杉崎ミサ子の第九回(論告求刑)公判が前橋地裁(水野正男裁判長)で開かれ、前橋地検の赤塚健検事は懲役十五年を求刑した。前沢(懲役二十年)、山本(六年)に続いての三人目の求刑であった。

四月十一日　東京地裁は統一組の百回公判期日指定を条件付きで取り消した(椎野編/二〇〇三)。

六月十九日、東京地裁での統一組第十六回公判が開かれ、ようやく起訴状が朗読された（高橋／二〇〇二）。

八月二日、山本保子に懲役四年の判決が前橋地裁（水野正男裁判長）で言い渡された（査証編集委員会編／一九八六）。

八月十一日、杉崎ミサ子に懲役十二年の判決が前橋地裁（水野正男裁判長）で言い渡された（査証編集委員会編／一九八六）。

九月二十七日、東京地裁での統一組第二十一回公判が開かれ、弁護団は弁護方針の基本を「内乱罪」とすることを表明した（高橋／二〇〇二）。

十月十三日、中村愛子に懲役七年の判決が前橋地裁（水野正男裁判長）で言い渡された（『連合赤軍〝狼〟たちの時代 1969-1975』一九九九）。

十月三十一日、奥沢修一に懲役六年の判決が前橋地裁（水野正男裁判長）で言い渡された（『連合赤軍〝狼〟たちの時代 1969-1975』一九九九）。

十二月六日、前沢虎義に懲役十七年の判決が前橋地裁（水野正男裁判長）で言い渡された（『連合赤軍〝狼〟たちの時代 1969-1975』一九九九）。

一九七四年四月三日、寺林真喜江に懲役九年の判決が長野地裁（中村護裁判長）で言い渡された。

五月、家庭裁判所から逆送致されて分離公判を受けていた加藤倫教が統一組に参加することになり、統一組の被告人は六人となった（高橋／二〇〇二）。

一九七五年八月四日十一時五十分（日本時間十二時五十分）、マレーシア・クアラルンプールのAIAビルの九階にあるアメリカ、スウェーデン両大使館を日本赤軍の五人が占拠、アメリカ領事、スウェーデン代理大使など十五人（『一億人の昭和史9』一九七六）を人質に取り、坂口弘、松田久（赤軍派、M作戦の実行犯）、坂東国男、松浦順一（赤軍派、M作戦の実行犯）ら七人の釈放を要求、ときの三木武夫首相は「超法規的措置」を決め、松田、坂東、他に企業爆破犯東アジア反日武装戦線〝狼〟グループの佐々木規夫（二十六歳）、ハーグ仏大使館爆破犯の西川純（二十四歳）、日本赤軍コマンドの戸平和夫（二十二歳）の計五人が釈放された。坂口、松浦の二人は出国を拒否した。

一九七七年八月九日、吉野雅邦と加藤倫教が統一公判から離脱、分離公判を選択した。これで統一組の被告人は永田、坂口、植垣の三人だけとなった。

九月二十八日、日本赤軍の五人がパリのシャルル・ド・ゴール空港発東京国際空港行きの日航機を経由地のボンベイ（現ムンバイ）国際空港（インド）離陸直後の七時三十三分（日本時間十時三十三分）にハイジャックし、バングラデシュの首都ダッカのジア国際空港に強行着陸させ、植垣康博ら九名の釈放を要求した。ときの福田赳夫首相は「人命は地球より重い」とまたしても苦渋の「超法規的措置」を決断し、日本赤軍の奥平純三（二十八歳）、赤軍派のM作戦実行犯の城崎勉、東アジア反日武装戦線の沿田由起子（二十六歳）と大道寺あや子（二十八歳）、一般刑事犯で、獄中者組合に入り獄中闘争（獄内の待遇改善運動）をしていた（鈴木／一九九九）泉水博（四十歳）と仁平映（三十一歳）の六人が出国した。植垣ら三人は出国を拒否した。

一九七九年三月二十九日、東京地裁で吉野雅邦と加藤倫教に第一審判決、石丸俊彦裁判長が吉野に無期懲役（求刑は死刑）、加藤に懲役十三年（求刑二十年）の判決を言い渡した。検察側が控訴した。

一九八〇年六月二十八日九時半、尼崎市内の実兄宅からライフル銃（あさま山荘で使われた）と実弾を盗み、兵庫県警から窃盗の疑いで指名手配されていた野津加寿恵（三十一歳）が島根県湖陵町の実家で島根県警出雲署員に逮捕された。

一九八二年六月十八日十三時、永田洋子、坂口弘、植垣康博の三被告に対する判決公判が東京地裁刑事七部（中野武男裁判長）で開かれ、求刑通り永田、坂口に死刑、植垣に懲役二十年（求刑は無期懲役）の判決が言い渡された。

六月二十二日　永田ら三被告の弁護人が判決を不服として東京高裁に控訴した。

一九八三年二月二日、吉野雅邦に対する第二審判決公判が東京高裁で開かれ、鬼塚堅太郎裁判長は第一審判決を支持、検察側の控訴を棄却し、再び無期懲役を言い渡した。検察側は上告を断念、吉野の刑が確定した。

三月十七日、吉野（の身柄）が千葉刑務所に移送された。

五月二十四日未明、永田洋子にすさまじい頭痛が始まり、以降、嘔吐、目の異常、失禁、失神などの悲惨な病状が現れた（大塚公子／一九九五）。

一九八四年六月十一日、永田が控訴審の公判中に気を失って椅子からずり落ち失禁した。

七月十六日、永田がCTスキャンで検査を受けた。松果体部に二センチ弱の腫瘍があり脳圧亢進症状があることが判明した。

七月二十日、永田が慶應義塾大学医学部付属病院で手術を受けた。脳髄液を除き、頭部から腹部へバイパスを通し脳圧を下げるシャント手術であった（大泉『あさま山荘銃撃戦の深層（下）』二〇一二）。永田本人には脳腫瘍であることは告げられなかった（大塚公子／一九九五）。

一九八六年九月二十六日、東京高裁（山本茂裁判長）での統一公判の二審判決。**永田洋子**と**坂口弘**の控訴は棄却され、**植垣康博**には懲役二十年の判決が言い渡された。

一九八七年一月、**加藤倫教**が仮釈放された。

一九八八年三月末、**永田洋子**が上告趣意書を書き上げた（永田／一九九〇）。

一九九〇年四月、永田に再び激しい頭痛が始まり、十月から飲尿療法を始めた。

一九九三年二月十九日十三時三十分、最高裁第三小法廷（坂上寿夫裁判長）は、永田ら三人の上告

を棄却する判決を言い渡した。これにより、三人の刑（永田と坂口の死刑、植垣の懲役二十年）が確定した。連合赤軍事件で起訴された十七人のうち、刑事処分が決まっていないのは、超法規的措置で国外逃亡した坂東国男（公判停止中）だけとなった。

一九九八年十月六日、植垣康博が甲府刑務所を出所した。

二〇〇〇年六月二日、坂口弘が東京地裁に再審を請求した。

二〇〇一年七月四日、永田洋子が東京地裁に再審を請求した。

二〇〇六年十一月二十八日、東京地裁が、永田と坂口の再審請求を棄却する決定を下した。坂口の弁護人は即時抗告した。

二〇一一年二月五日、永田洋子が獄中で病死した（享年六十五）。五年ほど前から寝たきりの状態だったという（大泉『あさま山荘銃撃戦の深層（下）』二〇一二）。

翌日の通夜と七日の火葬場の両方に同席した金廣志の証言「通夜の晩に永田洋子さんと対面したんですけれども、正直なことをいって、まあ、安らかな様子には思えませんでした。当然、検死とかそういうものがあったせいだと思うんですけれども、顔も非常に痛んでいました。そして、おむつをはめられていまして、足もガニ股状態になっていまして、棺に納めるのは非常に難しかったです。最後は力いっぱい入れなければならないような状態だったと思います。（中略）焼いた後だったんですけれども、頭蓋骨にシャント手術の穴が開いておりました。その周りが茶色に変色しておりまして、あ、これが手術をした穴なんだなと強く感じました。それで骨の量は非常に少なかったです。いくつかは茶色に変色している部分がありまして、相当、まあ病気で傷められていたな、というふうに思いました」（連合赤軍事件の全体像を残す会／二〇一三）

二〇一二年三月五日、東京高裁が**坂口弘**の再審請求を棄却した。八日に弁護人が最高裁判所へ特別抗告した。

二〇一三年六月二十四日、最高裁が坂口の再審請求を棄却した。

コラム8▼遺体発掘に慣れていた群馬県警

山岳アジトで、「総括」の名のもとに粛清された十二名の遺体は土中に埋められており、群馬県警が、県内の三カ所の土中から十二名の遺体を発掘することになるのだが、その作業は素早く、実に手慣れていたとか。「サンケイ新聞」一九七二年三月十三日付に、吉田六郎群馬県警本部長が「昨年の大久保清事件(六二頁参照)の苦労が実り、今回の遺体捜査もスムーズにいったと思う」と語ったと報じられている。

大久保清事件では、捜査本部に「死体、遺留品捜査班」から「死体発掘班」までが編成されるという前代未聞ぶりだったようである(飯塚/二〇〇五)。「死体発掘班」は、刑事指導官(警視)を指揮官として、十〜二十五名の屈強な捜査員を選抜して編成。車両数台、スコップ十丁、ロープ三本、鎌十丁、かけや・長棒数十本、投光器、写真器材などを準備した。出動はすべて深夜で、隠密行動である。真っ暗闇の中を手探りで、頼りになるのは、スコップで掘る土の臭い、山裾の林の中や河川敷の砂地を這いずり、死臭・腐臭を嗅ぎ分けながらの作業で、体力と気力が必要だった(飯塚/二〇〇三)。その熟達ぶりに「穴掘り県警」と揶揄されていたとか。

手慣れていた群馬県警は、連合赤軍事件での掘り出しでは、前日にあたりをつけておいて、次の日にマスコミの目前で掘り出すというサービスまで提供していたようだ。この演出について、滝川(一九七六)に面白い記述があったので一部を改めて引用する。

「三月十四日付毎日新聞〝細かい演出〟の小見出しで……金子みちよら三人の死体が見つかった十日夜の記者会見。群馬県警の幹部があすの予定を話した。『モノは一つ。男です』翌朝、その通りだった。〝記者席〟でその四つ目の墓を取材した。掘り始めて約一時間。『現場を見せる』という。いつ死体が出てくるか、警察にとっての正念場に現場をみせるとは。『さあ、報道のみなさんをご案内しろ。サービスしろよ』指揮官の言葉。若い警官が猛烈な勢いでスコップを動かす。若者の死体は出た。『実は昨日、長野県警が来て発掘し、死体の存在を確認しています』指揮官がもらした。試し掘りをしたあとのショーとは……それは、結果としてショーになったということであって、真相はこうである。

長野県警は軽井沢駅で逮捕した連中の自供の裏付けとして、十日、逮捕者を同行させたうえ、群馬県へ山崎順埋葬の現場確認へ出かけた。そして現場を掘り起こし、遺体を確認して長野に引き返した。群馬県内に埋められているものを長野県警が処理することはできないわけで、長野県警から連絡を受けた群馬県警が、翌十一日、遺体処理の準備をととのえ発掘に出向いたわけである。

話は続き、群馬県警側は、長野県警の埋葬現場確認作業が遺体を傷つけるようなやり方だったため、まずいと怒った。群馬の捜査員たちは、前年の大久保清事件で八人もの遺体発掘をしており、現場発見と遺体発掘では日本一の技術を持っていると自負しており、ある捜査幹部は、『われわれなら掘り返さなくてもひと目で現場はわかる。長野は素人みたいなことをしてくれる!』と怒りを述べたとか。群馬県警と長野県警との、隣県どうしの日頃の対抗意識に加え、今回の事件ではそれぞれに逮捕者をかかえ追及するはめになり、競争意識も高まっていた現れであろう」

コラム9▼無事だった頼良ちゃん

安否が気遣われていた頼良ちゃんが無事保護されたと、凄惨極まりないニュースが続く中、一片の明るさをもたらせるニュースが報じられた。

「夫がリンチされるのをみた。しかし、涙を流せば自分も裏切り者、日和見主義者として〝死の総括〟を求められるのでけんめいにこらえた。山はただこわかった。思い出すのもたまらないほどこわかった」。一九七二年三月十日の夜、愛知県中村署に出頭した山本保子のことばである。逃げ出す機会をねらっていたところ、たまたま二月六日、迦葉山アジトにいた坂口弘らがでかけたので、中村愛子に「時計を落としたので取ってくる」と口実をつくり、ひとり娘の頼良ちゃん(一九七一年十二月十一日生まれ)を置き去りにして逃げた山本は「自分の命を守るためにはそうするよりほかになかった」と涙を流したとの記事が、「サンケイ新聞」一九七二年三月十二日付で報じられている。〝山〟に残され安否が気遣われる頼良ちゃん。翌十三日付で中村愛子が全国に指名手配されたことが報じられた。二月七日、高崎署員に保護され、高崎駅で上野行き列車に乗車した後、姿をくらましていた。

中村は二月七日の二十三時ごろ上野駅に着き、その足で文京区本郷のアパートに住む知人である合田静(二十三歳)を訪ね、頼良ちゃんを預けていた。三月十三日の朝、合田の知人の医師寺岡慧(二十七歳)と合田の二人が弁護士に電話で連絡、二人の弁護士(重国賀久、仙石由人)は、合田、寺岡と頼良ちゃんの三人を連れ、中村の実父清美(五十一歳)に渡そうと実父が住む市川市に出向いたところで、両弁護士からいきさつを聞いた市川署に保護された。

三月十三日の夜、警視庁に出頭した中村は、「看護婦出身なので頼良ちゃんのオムツを洗濯した。山本保子が娘の世話をすると総括されそうになるのを見て『子守りも革命』と考えてめんどうを見ていた」と供述した。いずれにしても彼女の看護精神、あるいは母性本能が小さな命を救ったといって良さそうである。父親を失い、母親が逮捕された頼良ちゃんは父親の実家(愛知県岡崎市)に引き取られ、祖父母に育てられることになった。

なお、メンバーうちでは、中村が好意を寄せていた前沢虎義と示し合わせて二人で逃亡したのではないかとの疑惑が持たれたのだが、全くの濡れ衣で、実にいい「仕事」をしたわけである。中村愛子、あっぱれ！

伊勢崎署の留置場で、愛娘の無事を知らされた山本保子は、布団の上にワァーッと泣き伏して、「ありがとうございます。ありがとうございます……」と何回も何回も頭を布団にこすりつけたという(「朝日新聞」一九七二年三月十四日付)。

第八章　首謀者森恒夫とは

この章では、連合赤軍事件の「主役」森恒夫を徹底解剖する。

森恒夫は一九四四年十二月六日大阪市大淀区長柄で、地方公務員(大阪市交通局)の三男として生まれた。妹もいる。母親っ子で、三歳下の妹が生まれるまで母親に盲愛されたようだ。

北野高校時代は剣道部で二段の腕前、主将を務めた。一九六三年、大阪市立大学文学部に入学し、田宮高麿(よど号ハイジャックグループのリーダー)と出会う。大学は中退した。

一九六五年十一月十一日、大阪で日韓条約批准阻止のデモに参加し、府公安条例違反現行犯で逮捕された(読売新聞社会部/一九七二)ことがある。逮捕歴はこの一回だけ(「サンケイ新聞」一九七二年二月十八日付)。

一九六九年春、社学同が関西派と関東派に分裂したとき、森は対立する関東派に藤本敏夫(同志社大学、後に歌手の加藤登紀子と結婚する)とともに中央大学構内に連れ込まれ、あっけなく自己批判した(「サンケイ新聞」一九七二年三月十一日付)。自己批判を拒んだ藤本は凄惨なリンチを受け、血だらけの姿で路上に放置されたと警察の内部文書にある(大泉『あさま山荘銃撃戦の深層(上)』二〇一二)。この一件は、負の遺産として、後の森の活動に大きな影響をもたらすことになった。

一九六九年六月二十八日、明大記念館で開催された新宿郵便局への「郵便番号自動読取機導入反対闘争」のブント総決起集会で、森は関西派からの議長として司会をつとめたが、三派(関西派、さらぎ派[中央派]、三多摩・中大グループ[叛旗派])に分かれての非難の応酬となり、収拾できなくなって森は途中から失踪した(山平／二〇一一)。その数日後の七月六日、森は組織からの離脱を自ら決定づける「敵前逃亡」をやらかしてしまう。この日の午前四時、拠点にしていた東京医科歯科大学を出発した赤軍フラクは総勢一三〇人。塩見孝也、田宮高麿、上野勝輝の三人が指揮する部隊は、さらぎ派[中央派]に対する暁の奇襲をかけるべく、明治大学和泉校舎へ到着した。武装を終え、さらぎ派のメンバーが泊まり込んでいる学生会館前に集合するのだが、このとき、学館の中に突入することなく、小走りに学館からどんどん離れていったメンバーが二名いた。年長の男が森恒夫で、若い男に、「この間の明大記念館の集会のときも、オレは懲り懲りしたんや、なんで仲間が争わなならんのや。どつきあって血を流しあうようなことを繰り返しとって、革命なんかできるわけないやろ」と言ったという(山平／二〇一一)。

離脱した森は大阪に戻り、旋盤工として就職、通称「オバサン」の、包容力のある加藤順子(「朝日新聞夕刊」一九七二年三月十日付、二十六歳、立命館大生)と結婚した(大泉『あさま山荘銃撃戦の深層(上)』二〇一二)。

一九七〇年十一月十五日に母親が他界するが、溺愛された三男坊は葬儀にも姿を見せなかった(「週刊サンケイ」一九七二年三月三十一日号)。警察庁の特別手配のポスターには、「身長一六七センチ、やせ型、面長、色黒、目が鋭い」との人相が記されていた。事件当時、妻順子との間に出来、榛名ベースに入る直前に生まれ(てい)た男の子がいた。事件後、妹は勤務していた銀行を依願退社した。当時の新聞(「サンケイ新聞」一九七二年三月十一日付)では、森を「小心で二流の男」と形容していた。

以下、森恒夫を知る人たちの記述を列挙する。さまざまなエピソードから彼の人間性が浮かび上がってくる。

三上治の森評

叛旗派の(最高)指導者だった三上治(本名・味岡修)の『1970年代論』(批評社、二〇〇四)に、森恒夫についての記述が二箇所ほどある。

「塩見孝也や田宮高麿は政治党派の指導者であったが、運動を内部から考察したこともなければ、行動者としての自分を内から考察したこともなかったように思う。外部から、外から関わり、外から見ていたに過ぎない。彼らが観念的(空想的)になって行(ママ)ったのは、そこに理由があった。これが政治党派の指導者(官僚)の怖さであり、落とし穴である。これを自覚するのは大変難しいが、そんな思いが消せない。僕は塩見孝也、田宮高麿、森恒夫という三人の赤軍派の指導者と目された人たちを知っている。その中で、この怖さや落とし穴を一番知っていたのは森恒夫だと考えている。それは彼の挫折体験や弱さへの自覚がそれを知らしめたのだと思う。それの克服法が逆だったからこそ、連合赤軍事件という悲惨さに結果したのだが、それから比べれば、塩見や田宮はただの官僚だった」

三上と田原総一朗(二〇〇四)とのインタビューでは、「塩見とか田宮とかいうのは、おおざっぱな人間ですよ。男としてはスカッとしていい男ですけどね。そういう文学的な意味の洞察力や想像力が働くという意味では、森のほうが弱さを自覚してた分だけ、あったんじゃないでしょうかね」。田原「管理能力は森のほうがあるんですね」「ありますね。それがマイナスに出たんです。森は結局、また自分が逃げるんじゃないかというのを自分で恐れていたんです。その自分の恐怖感を縛ろう、封印しようとして共産主義化という言葉を利用した。宗教でいう戒律のように、自分を縛るために必要な言葉を共産主義という言葉に求めたわけだし、それを他者に強要したわけですね」

『1970年代論』に戻す。「僕は連合赤軍事件の中心のメンバーであった森恒夫をよく知っていた。彼とは何度も論争をしたし、個人的に話したこともある。かつてはブントという同一組織のメンバーであり反戦青年委員会に属してもいた。僕が反戦青年委員会のブントの全体的な責任者であったとき、彼は地区の責任者であった。彼は赤軍派に参加した。赤軍派は大菩薩峠の事件とハイジャック事件で指導的メンバーを失い森は残留の赤軍派メンバーのリーダーになった。この辺りのことは後の本などで知った。彼らがM作戦と称して展開した銀行強盗事件は新聞で知っていた程度である。彼は赤軍派の中で、7・6事件（後に赤軍派になるメンバーがブントの会議を襲い仏議長を負傷させた事件）で敵前逃亡したことにコンプレックスを持ち、それが塩見孝也らの指導部に対する乗り越え意識になっていたと言われる。赤軍派が武装や軍事という言葉を繰り返しながら、火器の使用に曖昧だったのを火器使用に踏み切ることで塩見たちの乗り越えを果たそうとしたように見える。彼の遺書を読むとそういうふうに理解できる。彼には塩見や田宮らへの対抗意識が強くあって、それを火器の使用（銃撃戦の展開）で果たそうとしたのだろうが、その辺りの心理は分かる。火器の使用一つ決断できないまま、言葉だけ軍事をとなえていた塩見や田宮らへの反感はコンプレックスの裏返しとしてあったと推察できるからだ」

田原とのインタビューで、三上は森について、「真面目な面もあり、少しちゃらんぽらんな面もあり、気の弱い男なんですよね。ああいうタイプの人間は、追いつめられると逆に強く人にあたるようになるんでしょうね。自分の弱さをよく知っていたからね。森は、人をうまい具合に支配したり、人の今の心理がどういうところにあるかを理解する能力に長けていたんじゃないですかね」と答えている（田原／二〇〇四）。

森恒夫の豊崎中学校一年次の指導要録の所見欄に、担任だった北野香代子教諭は次のように書いている。

「一見、模範生型だが、上によく下に薄い。感情のままに、時には礼を失する。指導性なく、人をおさめる才に欠く。客観的な判断が出来ない。エゴイズム。感情に支配されがちだが、あまり大声で争うことはない」（読売新聞社会部／一九七二）

遠い昔の時代の代物とはいえ、とてもじゃないが模範生のものではない。担任教諭に相当悪い印象を持たれていたようである。この通りの「指導性がなく、客観的な判断が出来ない」中学生が二十代後半になって、赤軍派、連合赤軍のリーダーになった結果は、この時点で予感されていたように思えてしまう。

北野高校時代は剣道部で主将を務めたというが、果たしてその指導ぶりはどの程度のものであったのだろうか。当時の剣道部顧問の伏谷曄矣（ふしたにてるお）教諭は、「（弱小の部で）ほかに（主将に）なり手がいなかった」と談話している（「週刊サンケイ」一九七二年三月三十一日号）。この「ほかになり手がいなかった」というのは、奇しくも、赤軍派の最高幹部となってしまう局面にもそのままあてはまるような気がする。

「上によく下に薄い」と書かれているが、森は年下からは好かれ信頼されていた。

大阪市大の後輩だった西浦隆男の証言

「関西では、彼と一緒に活動した昔の活動家（たいていは森恒夫より下の世代）で、森恒夫のことをあまり悪く言う人はいないと思う。多くの人が『彼は人格者だった』といい、その人柄を慕っている。私も同じ思い。森恒夫は大阪市大のブンドでもどちらかといえば、中国派といわれていた。毛沢東主義はソ連スターリン主義とは異なるものとして高く評価していた（あくまで関西ブンドの理論の枠内での評価であるが）。中国共産党の革命戦争の歴史にも詳しかった」

「一九七〇年の二月か三月だったかと思うが、何かの形で東大の中に赤軍派が数十名集まったときのことを覚えている。何のために集まったのかは覚えていないのだが、他党派が襲撃してくるということで結集したのかもしれない。会議をやっていた時だったと思うが、『？・？・？　が襲ってきた!!』という声があがり、まだ何の準備もしていなかったためか、みな浮き足だって一斉に逃げようとした。その時、森恒夫が一喝して、踏みとどまらせた。後でまちがいだとわかったが、その時の森恒夫の沈着・冷静さは水際立ったものがあった。（中略）彼が指導者として中央軍を率いることになる素地はこのへんにあったのではないかと思う」（西浦／二〇〇八）

部下・松田の証言

M作戦を実行し、そのかどで逮捕されたものの、一九七五年八月四日のクアラルンプール事件で超法規的措置を受け、坂東国男らと共に国外へ脱出した松田久は、『遺稿　森恒夫』の編集を行った査証編集委員会に、一九七二年十二月二十五日付で森から送られてきた手紙を書き写し、送付している。森恒夫自殺直後の一九七三年一月五日付の送付状に松田は次のように書いている。

「僕（松田）は彼（森）が自ら果たすべき責務を放棄したことに怒りさえ感じています。僕の最愛なる同志であり、師であった森同志がこんな愚行をするなんて考えもしなかった」「彼（森）は『粛清』の責任をとことん取ろうとして『再生の一歩』を踏み出した時自壊したのです。彼はある意味で〝誠実〟であり過ぎたのです」

また、十二月二十五日付の松田宛森の手紙の「こんな同志（松田）をこのままどうして下獄させられようか。こんな同志を残してぼく（森）は死にきれないよ。ぼくがメロメロになりながらも同志に云った『組織せよ！』を同志は一つも分かっていない」の「こんな同志」を受けて、松田は「『こんな同志』を残してあっさり死んでしまうなんて、どこまでバカな『オヤジさん』なんだろう！僕は腹立たしくて仕方ない」と応えている（査証編集委員会編／一九七三、丸カッコ内は筆者補記）

同格以上のメンバーは森を見下していた

反面、同格以上のメンバーからは鼻持ちならぬやつと見下されていた。

まずは、森復帰の際の『川島宏のためらい』（連合赤軍事件の全体像を残す会／二〇一三）を紹介する。

一九七〇年三月四～五日の中央委員会総会で、最終的にハイジャックの方針を再確認し、ハイジャックで政治局の塩見と田宮が外に行ってしまうと高原しか残らない。政治局を補充しなければいけないということで、川島と森が政治局員として抜擢された。この時、川島は「森が何で補充されるんだ」と塩見に聞いた。塩見は「森の場合は、確かにいろんな問題あるけど、あいつはもともと7・6の事態がなければ本来政治局員になるべき人間だったんだ。だからそこは川島、納得してくれ」と言った。

一九七〇年六月七、九日に、高原、物江が逮捕され、堂山は保釈の身であまり活動できる状況でなかったので、川島と森が担っていかなければならなくなった時、川島は、会議でもあまり発言しない森のことをよくわからない人間と見ていた。そこで川島が全部背負うみたいな形になったのだが、七月十一日に川島も逮捕されてしまい、第一次赤軍は壊滅した(連合赤軍事件の全体像を残す会/二〇一三)。

森が書いた、1・25蜂起戦争、武装闘争勝利政治集会での基調報告を載せた「特別号」パンフへの獄中メンバーからの批判がすさまじく、森はすっかり消耗し、「獄中の意見を受け入れて書いたんだがなあ。獄中とそんなに意見が違うと思わないし」とか、元気なく言っていた。坂東国男は森が獄中の手紙をよく読んでいることを知っていた(坂東/一九九五)。確かに上野勝輝の「特別号粉砕!」とする批判は相当手厳しかった。一部引用しておく。「何を基準にこんな事を言うのか?敵である」「こんなことで革命をやれるはずがない」「おかしくて笑えてくるよ」「去年の十一月の下旬からベトナム労働党について僕が今まで述べてきた事に対して、公然と無視し、それに敵対しているのだな！　いいよ。そういうやつに革命など出来るはずがないのだ。だいたい自分の喋っているこ とがわかっとるのか！」(査証編集委員会編／一九八六)

武人・花園の証言

連合赤軍事件当時は獄中にいて、塩見孝也が「正に薩摩隼人がマルクス主義を身につけた感じの武人(塩見／二〇〇三)」と評する花園紀男の証言も手厳しい。「森は日和見主義の典型、強がるというのは日和見主義なんです」(田原／二〇〇四)「森恒夫に関して危惧がありました。彼が中心になってやっているんだということがわかりまして、『森じゃあダメだぞ』ということで何度か(遠山美枝子が)獄中に面会に来た時に、遠山さんをとおしてメッセージは送ったことがあります。それに対して遠山は『そんなこと、言ったって、そういうこと言えば、もうおしまいでしょ』とたしなめられたことがありました。まあ、それがあって(遠山が)来なくなって、恐らくその頃を境に山に入ったのだと思いますけれども、それが(遠山との)最後のことでした」(連合赤軍事件の全体像を残す会／二〇一三、丸カッコ内は筆者補記)。

花園が「森じゃあダメだぞ」と言った根拠は、大泉『あさま山荘銃撃戦の深層(上)』(二〇一二)に書かれている。一九八五年十二月十三日の統一組控訴審での花園の証言である。

「一九六九年六月下旬、明大講堂で、各派(中央大学を拠点とした右派、中間派、関西派〔赤軍派〕)が棍棒やらの武器を準備していてブントからの決裂が予想された集会があった。集会の司会を、中間派と赤軍派から各一名、計二名の議長を出した。赤軍派からの議長が森だった。気がついたら、森がいつの間にか壇上からいなくなっていた。それで、やむなく、統括をしていた私（花園）が代わって議長になった。われわれが赤軍派の拠点である医科歯科大学に帰って、しばらくして森から電話が入って、『黒ヘルに追いかけられたので逃げた。電車賃もないから迎えに来てくれ』と。森恒夫の根性を、そのときに見たと思う。黒ヘルに追いかけられるというのはありえない。要するに森には、緊迫したときに予想しない行動をとるという、非常に気の小さい性格が当時あった」

花園は「（連赤事件は）千尋の谷を越えられなくて、武装闘争の壁の前で起こった出来事」（田原／二〇〇四）と断じている。

懐刀・坂東の証言

連合赤軍に集結したメンバーたちは森をどのように見ていたのだろうか。森の懐刀的存在であった坂東国男の証言は多くを語ってくれている。

「森同志はやさしい人で自分の善意を信じて疑わないようなところがありましたが、あるいは『女房とプロレスをやった』とか、当時流行していたトム・ジョーンズ・ショーのテレビをみて、自分も腰を振って歌い出すとか、日常生活は普通の人でしたが、彼のやり方――人から強く言われると迎合する、信念のなさ、困難を避けようとする等――が多くの矛盾と軋轢をつくり出していることも知っていた」（坂東／一九九五）

「革命左派の12・18闘争に対して、森は、先をこされたということの悔しさから、『12・18闘争には、殲滅戦の観点がなかった。どうしてナイフで(警官を)殺さなかったのか』と負け惜しみを言っていた」(坂東/一九九五)

「統一赤軍→連合赤軍への名称変更によって冷えた両派の関係→どちらが早く殲滅戦を貫徹するか、赤軍派側の競争意識→地方殲滅戦の計画(九月十四日の連合赤軍結成集会前に一花咲かせて実績を残しておきたかった)→『ヘゲモニー』、翌日の計画のため九月十日予定の革命左派との会合をすっぽかした」(坂東/一九九五を改編)

「森同志としては、他の人々からよくやったと言って欲しいために、革命左派をオルグしようとしているところもあったと思います」(『統一公判控訴審　連合赤軍総括資料集』一九九二)

「獄中や隊内を意識して、安直に『革命左派をオルグする』とカッコをつける森同志のあり方には疑問がありました」(『統一公判控訴審　連合赤軍総括資料集』一九九二)

「森同志に対して多くの同志が持っていた不信――人に迎合する、困難になると避けるわりに、人に強く見せようとする(虚勢を張るタイプ)二面流、自分の名誉にこだわることで『建て前』に弱さを保守したり、知らないことを知っているように見せる(重信も証言している)等――が決して根拠のないものではないことを知っていた」(『統一公判控訴審　連合赤軍総括資料集』一九九二、丸カッコ内は筆者補記)

「森同志の方が遠山同志を好きで、7・6内ゲバの時も、『もう生きて帰ってこれないかもしれないので手帳を預けていきます』とかカッコをつけて、遠山同志達の下宿に預けていったようです。だから、山岳の粛清過程で遠山同志が『好きだった』と言ったとき、内心喜んだのだと思います」（『統一公判控訴審　連合赤軍総括資料集』一九九二）

「『7・6』内ゲバで日和ったことやいつもいつも人と迎合する弱さを繰り返さないぞとかなり無理しているなあとも思ったのです（『統一公判控訴審　連合赤軍総括資料集』一九九二）

森は重信房子を苦手としていた。

「重信同志は信念のない森同志の赤軍派復帰に一貫して反対していたのです。田宮同志とのつながりで森同志が復帰したのですが、重信同志とは方針をめぐってよく対立し――どちらかといえば重信同志の方が現実に即した考え方で妥当な考え方であった――しばしば指導を否定されることなどあり、森同志は重信同志が会議に参加すると嫌がるというようなことであったのです。重信同志を排除して、『七人委員会』を中央委員会に代行させたり私達には知らせず独断で重信同志のアラブ行きに反対したりしていたのです。アラブ行きに反対したときも、自分で面と向かって言えず、高田（英世）同志を仲介にして重信同志に意見を伝えるといったこともあったのです」（『統一公判控訴審　連合赤軍総括資料集』一九九二、丸カッコ内は筆者補記）

「森同志が中央委員のものに『金子君は僕の方ばかり見ている』と言い出し、自分に乗り移り出したとメチャクチャな批判を始めました。遠山同志の時もそうだったが、そんなにもてるわけはないのにと思ったが、本人が真面目に言い出すから、重要なことなんだろうと思ったのです」（『統一

公判控訴審　連合赤軍総括資料集』一九九二）

「森同志との関係でいえば、彼とは、武闘を結集軸とする一点の共通性によって結ばれた仲間意識に依存していました。よくも悪くも、家族主義的な結合に依存していました。私や他の同志達が彼を〝オヤジ〟と呼んだのもそうしたあらわれでした。もっとも彼はこう呼ばれることをいやがってはいましたが。森同志がとにかく指導者として一切を放棄しないで頑張ろうとしているということ、人に対してやさしいことで私は信頼していました。しかし同時に、人にいわれると迎合、妥協したり、すぐ動揺する信念のなさが、何度か矛盾とあつれきをつくり出していることも知っていたのです」（坂東／一九九五）

「秘書」青砥の証言

赤軍派で森に重用されていた**青砥幹夫**は、「（森の）秘書役といわれてもいいですよ。森のことはね、好きでしたよ」「森はちゃんとした活動家で大好きだったし、自分にとっては唯一のリーダー」「尊敬していた。あんなに責任感の強い人間はいないと。山に入って連合赤軍という新党を結成するまではそう思っていた」「森は山に入ってから変わっちゃった」。その後「森が変わったとは思っていない。本質的な部分では、彼の問題はもっと根本的に、あの状況をつくってしまったということにある」「端的に言うとM作戦から始めたというのが間違いだと思う。森への信頼が揺らいだのは一九七二年一月一日に榛名へ行ってから。革命左派から、たぶん永田（＝トリック・スターのようなもの）から持ち込まれたアイデアに『呑まれたな』と思った」（以上、安彦／二〇一八、連合赤軍事件の全体像を残す会二〇一四年十一月十五日例会の未発表資料を改編）と証言している。

M作戦の位置づけとしては、**坂東国男**は「革命戦争のための資金獲得と軍としての実践感覚、機動力獲得、4・26闘争時に、殲滅戦を開始する準備としてM作戦を位置付けた」（『統一公判控訴審連合赤軍総括資料集』一九九二）。ただ、坂東の本心は、「盗み」ということにためらいがあり、M作戦を早急に切り上げ、四月殲滅戦に集中するべきと思っていた。当の森はM作戦を「政治的敗北、軍事的半勝利」と総括した。大衆の流動を組織化できなかったことが政治的敗北であると考えたのである（坂東／一九九五）。**坂口弘**はハレンチ作戦と酷評している（坂口『あさま山荘1972（上）』一九九五）。青砥も愚劣な作戦と言っている（鈴木／二〇一四）。

兵士・植垣康博が語る森恒夫の印象

「僕が森さんから受けていた印象は、物凄く巨大な人という感じでしたね。なぜ巨大な感じがしていたかというと、森さんには赤軍派のややこしい理論をそれなりに文章化する能力があったからだと僕は思うんです。だから彼は指導的な立場になることが出来た。森さんは赤軍派の政治局員という立場なんですけど、なぜ政治局員になれたかといえば文章化出来る能力がかわれたからだと思うんです。

いまひとつ森さんは人が話すことの欠点を見抜く力がすごかった。僕たちが持っている曖昧さとか中途半端さとか、はっきり言えば相手の欠点を見抜く力がすごかった。（中略）人の語ることのどこに曖昧さがあるかということを見抜く力が森さんにはあった。そしてそれは挙げ足を取るように追求するのとはちょっと違ったんですよ。人の欠点を見抜く力がすごい、まるで僕たちの心を見透かされているような、そんな気持ちにさせられるような、本当に曖昧さを許さないというようなものでしたね」（植垣／二〇〇一）

二人の「恒夫」の類似性

同じ「恒夫」という名前の〝ビビリスト〟（M作戦で率先垂範していた幹部の一人の証言）「慎重というか神経質なのか、梅内は移動にひどく気を遣っていた。どんな遠方でもバスしか利用しないし、何回も乗り継いで目的地に行く。ぼくらがM作戦を展開しようとすると、梅内は尻込みをする。『もっと度胸出して、やらんかい』と怒鳴ることもあった。ぼくらは梅内を〝ビビリスト〟と呼んでいました」（山本徹美／一九九五）。梅内と森は決裂するのだが、意外と似たようなところがあったのではないか。梅内が一匹狼的、森は組織志向の違いはあったにせよである。

川島宏が梅内と一緒に過ごしてわかったのは、梅内は完璧主義の男であるということだった。「川島さん、オレ、後片づけをしないヤツって。信じられないんだ」と、梅内がしみじみ漏らしたことがあった。あまりにやりっ放しのアバウトな人間の多い赤軍派メンバーを見ての感想であったのだろう（山平／二〇一一）。

塩見はアバウト、梅内と森は「後片づけをする」タイプだと言える。

さて、そのアバウトな元凶〝親分肌〟の塩見孝也とは森はだいぶ毛色が違う。以下、塩見の森についての証言である。

議長・塩見の証言

「森は激動の場面に直面すると判断できなくなって、逃げたりするという傾向があった。しかし、一晩たったら、パッときれいに整理して、『これはこういうことだ』と解析するとか、そういうのはできるんです。ドラスチックな状況のなかでは、突然パニックになるんだけど、冷静になったときには、それを対象化して整理する能力はあった。『7・6』で逃亡したのが一番典型なんだけど、まだある。一九六九年の4・28沖縄闘争のとき、共産主義青年同盟(キム)に森はゲバ棒を持っていく役割だった。ところがその任務を果たしていないんですよ。そこで『お前何してんだよ!』と言うと、そこらへんでうろうろしているから、『ゲバ棒、どこにあるんだ?』と言ったら、どこそこにあると言う。『なんでデモ隊に届けないんだ!』と言うとまだうろうろしている。どうしようかということになって、結局『田宮行ってくれ』ということになった。ちょっと事態が変動するとわからんようになる。少なくとも僕の知っている森はそういう面をもつ人間でした」(塩見/二〇〇三)〝ビビリスト森〟の一面が窺える証言である。

塩見はもうひとつ違った局面の証言をしている。「森がある活動家をサンドバッグ状態にしたことがあった。森はブントの久保田などと『千葉県委員会』に所属していて、最初三里塚のことで彼と一緒に千葉大学の学生をオルグしたりするわけですが、その時にもイタズラした学生を殴ってるんですよ。殴って、顔がフットボールみたいに腫れ上がるまで、若いやつを殴ったりしている。その殴り方が剣道部でしごく、そういう感じ。連赤の山岳ベースでひとを殴ったりするというシゴキみたいな、そういう発想は明らかに森ですね。精神主義のカッ入れみたいなものだと思うけど、そういう精神の思考構造は、森の中に明らかにあったといえる。日本的な悪い意味でのロマンチシズム、封建的なシゴキ思想というものを、彼はもっていた」(塩見/二〇〇三)

革命左派側の証言

さて、赤軍派関係者の証言はここまでとし、続いて革命左派側の面々の証言を連ねていくことにする。

一九七一年八月に逮捕されたため、その後の連合赤軍事件には関わらずにすんだ雪野建作は、次のように述懐している。

「『総括』を永田と主導し、逮捕後に獄中で自殺した森にも一度、会っています。ガッチリとした体格で押し出しが強く、自信に満ちた話し方をする人でした。しかし、その言葉には実行が伴わない。ところが永田は、その森に心酔して、彼の言葉を真に受けていました。『山』で連合赤軍を結成した頃は森の関西弁を真似て、『あかん』などと口にしていたそうです」(雪野/二〇一三)

永田ら指導部に対して意見書（岩田が執筆し大槻節子が添削、岩田、大槻、加藤能敬、中村愛子の連名で加藤と岩田が永田に提出した）を書いた（ことのある）革命左派の岩田平治の証言を要約して引用する。

「（非常に）場当たり的な方針しか出さない革命左派の指導部に飽き飽きとしていたというか、論理的な説明もできない中で、森さんの説明とか論理付けというのは、素直に私の中に入ってきた。森さんは非常に堂々とした指導者に見えた」（連合赤軍事件の全体像を残す会／二〇一八）

次に、あさま山荘に立て籠った革命左派の吉野雅邦が弁護士に宛てた書簡の一部を引用する。

「彼（森）が、決して他に責任を転嫁しようとしたり、それを逃れようとしたり、いい加減な態度であったということは全く事実でなく、彼は12・18付の手紙でもわかるように、責任感が強く、真剣に考えようとし、また、自分に正直で誠実でした。この点は決して疑うことのできないことです」「ただ僕は、彼が使う〜主義、〜的という言葉、また、全体の内容がわかりにくいのは大衆に対する観点から賛成出来ないということも（森への返信に）書きました」（「情況」一九七三年五月特大号、丸カッコ内は筆者補記）

同じくあさま山荘に立て籠った当時十六歳の最年少だった加藤元久は、「はじめて森さんに会った時、ぼくはすごい人だなという印象をもった。理論家だし、自分で政治理論をつくっていける人だと思った。多少強引な、セクト的な部分があるとも感じたが、革命左派の側にはいないタイプの人だった」と彼の手記（加藤Ｂ生／一九八七）に書いている。

前澤虎義が、森は小心だと感じた場面がある。「森は指名手配になっていることにかなり気を遣っていた。誰かが『森の横顔を写した手配写真が出ていた』と言ったところ、森が、これを非常に気にしていた。それまで出回っていた森の手配写真は正面から写したもので、実際の森とはほとんど似ていなかった。(中略)一緒に生活していても何となく全面的には信用できない面があった」(大泉『あさま山荘銃撃戦の深層(下)』二〇一二)

坂口弘が森に挑んだ場面がある。

「一九七一年一月中旬、小山のアジトに森が一人で来たとき、私(坂口)は彼(森)とちょっとした論争をした。ベトナム戦争の戦局をめぐる話の中で、私は、『米軍は戦術核兵器を使用するに違いない』と確信ありげに述べたのである。これに対し森君は、アメリカが戦術的退却局面にあることや、核兵器を使用した際の国際世論の反発を考慮し、『戦術核は使わないだろう』と反論した。論争は明らかに私の負けだった。私の硬直した思考は、話していて浮き上がっていることが分かるほどであった。二人の論争を側でジッと聞いていた永田さんは、この時から森君に心を傾けていったようだった。革命左派と赤軍派の接触は、その初めから革命左派の分析力の不十分性や非論理性を痛感させるものであった(永田『十六の墓標(上)』」一九八三)という。そうだとすれば、この日の論争で、そうした思いを決定的に強めたことは十分にあり得たはずである」(坂口『あさま山荘1972(上)』一九九五)

その坂口は森をこう評している。「一九七一年一月中旬、小山のアジトに森が一人で来たときの会談で興味深かったのは、森君が赤軍派最高指導者塩見孝也氏の情勢認識に対し、疑問を口にしたことである。それは一年前の三里塚の話の中で、『三里塚では塩見が言うような武装闘争の客観的条件など全然なかった』という発言である。これは赤軍派の極左路線を根本から問い直すきっかけとなり得る疑問表明であった。だが、彼は笑いながら話して、これを深めようとしなかった。興味をそそられた私は、少し残念な気がした。森恒夫君は、こういう常識的な眼を備えている人だった。ところが、赤軍派の理論にも深く染まっていて、両者が矛盾をきたすと、つねに後者の赤軍派理論を優先させた。これは一年余りに渡る彼との付き合いを通して理解した彼の特徴である」(坂口『あさま山荘1972(上)』一九九五)

森のまっとうな面に坂口も同調した場面がある。「運転免許証を届けてくれた猟師が警察に知らせ、警察といっしょにその猟師も来たら警察の一味として殺ってしまうことを決めた吉野雅邦に対して、『極左だ!』と叱り飛ばすように言い『党と人民を対立させ、党建設を根底から破壊するものだ』と批判した」(坂口『続あさま山荘1972』一九九五)場面である。

独り善がりの森

後に戦旗派のリーダーとなる荒岱介をオルグした件などを読むと、塩見孝也は豪快な感じ(豪放磊落(らいらく)?)がする。荒岱介が「軍事かぶれ(今で言うオタク)」と感じたという森恒夫と比べると、外へ出る豪快な塩見と、内に籠る繊細な森といったところか。森は年配(三歳上)の塩見を崇拝していた。

森恒夫の遺稿集である『銃撃戦と粛清』を読んでみた。荒岱介が感じた「軍事かぶれ」（山平／二〇一一）の森恒夫の文章、一文がやたら長いし、理解できない部分が多い。重信も書いていたように「何を言っているのかわからない」文章である。

森の文章が理解に苦しむのは、坂口弘も彼の著書（『続あさま山荘1972』一九九五）の中で次のように述懐している。

「私は『第十九章　共産主義化論の登場』――『〝銃の物神化〟の発展』で述べたおおよその理解を得るのに丸八カ月もかかった。その中の革命左派の銃撃戦から山岳への撤退の軌跡を跡付けた例のうさん臭い主張を理解するにいたっては、それからさらに八年の歳月を費やさねばならなかった。森文書と長い間、格闘した末、私は常識で解釈することを止め、彼の思考をそのまま受け入れて、その発展の道筋を把握することに頭を切り替えた。すると今まで見えなかったものが少しずつ見えてきて、ようやく既述の解釈に辿り着いたのである」

全体に感じられるのは、自殺を決めていたと思われる節が随所に見られる点である。この点は、坂口も感じ取っていて、「森自己批判書は自死を前提にして書かれているので敵と対決する姿勢は一切ありません」と述べているようだ（森／一九八四）。

森の人間性の本質

森が言った「高次の矛盾」とは、何を意味するのか。本来は敵を殲滅する（殺す）べきであったのが、内部（同志）を粛清してしまった。武装闘争ができなかったことを自己批判したのか、花園紀男の証言（大泉『あさま山荘銃撃戦の深層（下）』二〇一二）で、このように思えた。森は、花園がけしかけた武装闘争を人殺しとしてしか見えずに反対し、M作戦でごまかした。

一九七一年六月頃（？）「自供」屈服した（とみなした）獄中の塩見ともう一人の同志に毒まんじゅうを差し入れて殺すべき（筆者は思わず吹き出してしまった箇所である）という極端な意見が出たとき、森は「やはり殺すべきではないんじゃないか」と言明している（坂東／一九九五）。

森は本来、人を殺すような性分ではなかったのである。

森の精神構造分析

精神医学が専門の福島章は、（ドイツの精神医学者）クレッチマーの提唱した類型にあてはめれば、森は典型的な分裂病質者であるとしている。

それは、森の主観的な理想と人間集団の現実の遊離にあらわれているとしている。また、森には粘着的なてんかん気質の混入も認められるという。それは、森の理論癖、反復の多い文章、強い筆圧の右下がりの丸っこい特異な字体にあらわれているという。歴史上、森と同じように理想主義的で潔癖でしかも残酷無比な分裂病質者をさがすと、フランス革命におけるロベスピエールを思い出さないわけにはいかないと述べている。体型は、純粋な細長型というより多少の闘士型の特徴があるとしている(福島/一九八八)。

これらの「診断」は、あくまで資料をもとにした間接的なものと思われ、直接診察をしての診断となると、多少違ってくるのかもしれない。

第九章　サブリーダー？　永田洋子の人間像

調布学園高等部卒業時の寄せ書きに、「大きな社会に入っても人間という機械になりたくない」と永田洋子は記しており(「全調査・赤軍事件の真相」一九七二)、やがてマルクス主義に走る片鱗が窺える。

さて、連合赤軍事件では、森恒夫に次ぐ首謀者として捉えられている永田洋子であるが、どうもリーダーシップをとれる人物ではなかったようである。森には革命左派の指導者が誰なのか判らなかったほどである。一九七〇年十二月三十一日の赤軍派と革命左派の会合後の帰りの電車のホームで、森は坂東に「三人(永田、坂口、寺岡)のうちで、誰が指導者だと思う？」と聞いた(坂東／一九九五)。その五日前の十二月二十六日、「柴野君虐殺弾劾抗議追悼集会」への永田の「火炎瓶を投げろ」の指令に対し革左メンバーが戸惑い、たまりかねた金子みちよが「よし、明日全員で火炎瓶を投げよう。全員で捕まっちゃおう。二年でも三年でも刑務所でのんびりして、あとのことは全部、永田さんにやってもらおう」とぶっちゃけ、永田の伝令牧田明三が慌てて止めたという、永田が組織から浮いていたことが窺える一件がある（大泉『あさま山荘銃撃戦の深層（上）』二〇一二）。雪野建作は「質の悪い指導者が組織をどうしようもないところへ追い込んでいく」のではなく、「堕落した組織がそれに相応しい指導者を生み出していく」と自省を込めた指導者論を導き出している（大泉『あさま山荘銃撃戦の深層（下）』二〇一二）。

一九四五年二月八日、東京都本郷区元町（現在の文京区）お茶の水で会社員の父親と看護婦の母親の長女として生まれた。折しも米軍機による空襲が激しくなった頃で、二カ月後に一家は横浜市港北区南綱島に疎開した（読売新聞社会部／一九七二）。両親と妹（二歳下）の四人家族。

私立の女子学園で「捨我精進（しゃがしょうじん）」を標語にし良妻賢母の育成を教育方針にしていた調布学園中学部から同学園の高校へ進んだ。一九六三年、共立薬科大学に入学。一九六七年に卒業後、慶應義塾大学付属病院で無給の薬局研究生となり、六月から薬剤師として品川区大崎の明電舎三水会病院で働いた後、十一月から済生会神奈川病院で勤務した。

一九六四年四月に社会同ML派に加盟、一九六七年五月に警鐘に加盟、一九六八年九月に警鐘の下部組織として反戦平和婦人の会（反戦平婦）が結成され、永田が委員長に選ばれた。十二月に病院勤務をやめ河北夫妻（土屋テジ子）と共同生活を始めた。一九六九年四月革命左派の結成とともに河北から柴野春彦らとともに党員に任命され、また、河北夫妻との共同生活は解消され自宅に戻った

（永田『氷解』一九八三）。

一九六九年五月に川崎市元住吉のフジソク（スイッチ製造工場）に検査工として就職したが反戦平婦の活動が忙しくなり七月に退職した。一九七〇年二月初めに坂口弘と結婚し、五月初めから川崎市中島のアパートで一緒に生活し（永田『氷解』一九八三）、七月初旬には子供を中絶した（高橋／二〇〇二）。一九七一年三月一日に真岡の銃砲店から猟銃を強奪した一人として坂口弘、寺岡恒一、雪野建作とともに指名手配された。手配書には「身長一五〇センチくらい、丸顔、色が黒くギョロ目、上歯がやや突き出た感じ」と記されていた。「総括」の事実が発覚した当時の新聞（「サンケイ新聞」一九七二年三月十二日付）では、「残忍な〝鬼検事役〟永田」「『森』けしかけ制裁」「美人活動家にシット」「持病の悪化で非情に」といった見出しが付けられていた。持病とはバセドー氏病で、この事件以降しばらくの間、バセドー氏病の人たちは風評被害に悩まされることになった。永田のバセドー氏病の症状は高校時代から続いていたが、大学在学中の一九六六年春に甲状腺切除手術を受け、その後の経過は良好だったようで、永田のバセドー氏病に関する対応は、可能な限り適切であった（高橋／二〇〇二）。

森恒夫の場合と同様に、永田をよく知る人の永田評を列挙する。

良識派・雪野の証言

まずは、革命左派の良識派雪野建作の回想から。

「初めて永田に会ったのは、一九六八年ごろ。東京・大井町の喫茶店だったでしょうか。私は横浜国大の学生で、薬剤師として働いていた二歳(三学年)上の永田は『革命左派』の党員で、大衆組織の『反戦平和婦人の会』の一幹部であった。党内では何の主導的役割も果たしていなかった。見た目はごく普通の女性でした。永田は理論派でもないし、さして人望があったわけでもありません。ただ熱意は皆が認めていました。彼女と一緒に街頭カンパ活動をすることの多かった仲間(前沢虎義(*)か?)によれば、常に獲得した額はトップだったそうです。『街頭で通行人とチョコチョコと話し込んでは、カンパをもらってくる』そうで、どこか人を惹きつける能力がありました。また、喜怒哀楽を隠さない女性で、男からすると、何かしてあげたいと思わせる人でした」(雪野/二〇一三、丸カッコ内は筆者補記)

前沢虎義(*)は「永田は保険の勧誘なんかやらせたら、日本一のセールスレディになれたんじゃないかと思う。なにしろ、相手の気弱なところや気の強いところ――そうした心理状態を嗅ぎとって、おだてたり甘えたり、脅したりしてわたりあう技術は超一流でした」と言っている(山平/二〇一二)

雪野の回想に戻す。

「永田が組織内で頭角を現すのは、武装闘争を推進した『革命左派』の獄中指導者(川島豪)からの強い信任があったからです。永田はその指導者の思想を無批判に受け入れていました。彼女は、確固とした自己がないので、常に身近な誰かに傾倒するところがありました。一度思い込むと、まっしぐらに突き進み、『ああそうか』と容易に人の影響を受ける、被暗示性の高い未分化の自立していない人格がそれです。同時に、永田には人の心の動きを鋭く直感的に捉える能力があり、また、人の心の内にすっと抵抗無く入り込む不思議な力を持っていました。一九七〇年の春には獄外指導部のまとめ役の地位につきました。この年の末、名古屋で組織づくりをしていた私は、非公然部隊へ合流するよう指示されたので、ひとまず永田たちと合流しました。そのとき、永田が、ある古参の女性指導者(若林功子)を『切るしかない』と言ったのを聞きました。理由は『引っ越しのとき他人に荷造りをやらせたから』。本当は、理論家で筆のたつその女性に、自分の地位が脅かされるのを恐れたのでしょう」(雪野/二〇一三、一部雪野/二〇〇八、および雪野建作氏私信を加えて改編、丸カッコ内は筆者補記)

伴侶・坂口の証言

永田と同棲生活をした内縁の夫、坂口弘(『あさま山荘1972(上)』一九九五)はこう書いている。

「彼女はよく頭痛を訴えたが、医者に診てもらっても原因はわからなかった。会議が終わった後、極度の頭痛を訴え、地下鉄の階段が降りられず、その場にバタンと倒れるということが二、三回あった。その都度、叱ったり、宥(なだ)めたりして歩かせようとするのだが、意識はもうろうとし、体はぐにゃっとして一向に歩こうとしてくれない。仕方なくおぶって電車に乗せると、今度は椅子に座ることができず、何度も床にずり落ちる。はたから見ると、まるで女の酔っ払いである。やっとの思いで実家のある東横線綱島駅に着いたものの、相変わらず意識はもうろうとしたまま。やむなく担ぐようにして彼女を実家へ連れて行った。家に着くとやや意識が回復して、家の中を一人で歩き、戸棚の引き出しから注射器と薬（薬名は不明）を取り出してセットし、それを自分の腕に注射していた。それが終わると階段を上がって二階の自分の部屋に行き、衣服を着たままベッドに身を投げ出して、そのまま深い眠りについた。後で彼女は『ごめんね』と言って、失態を詫びるのであるが、何が原因でああなるのか本人もわからないと言っていた」

「ある集会に高校の教師をしている知り合いの女性を誘ったことがある。集会後、その女性から私はこんなことを言われた。『あの小さな女の人は坂口さんのお友達なの？　集会の最中だっていうのに、キョロキョロしたり、あっちこっち動き回ったりして、一時も落ち着いて演説に耳を傾けたことがなかった』。私も永田さんの態度を苦々しく思っていたので、この指摘には一言も言えなかった」

「我の強さも相当なもので、納得できないことにはいつまでもこだわり続けたし、自己主張もよくした。永田さんを知る第三者の、協調性を欠くとか、出しゃばりとかの評価は、革命左派の者なら誰も否定しないであろう。そういうことが嫌いな私は、永田さんの言動によく苛立った」

「永田さんの話は、彼女自身の色に染め上げられていることが多く、必ずしも客観的事実を反映しているとはみなし難かった。彼女はよく、彼女や組織に対する他人の好意を、彼等が手放しで絶賛しているかのように話したが、実際は言葉とは裏腹に批判的意見を持っていたり、一部の好意的評価を彼女が誇張して伝えていたということが少なくなかった」

獄中で患った脳腫瘍の兆候がこの頃からあったのであろうかと思わせられる箇所が見受けられる。

最年少・加藤元久の証言

連合赤軍最年少だった加藤元久は手記にこう書いている。

「一九七一年の夏、兄に連れられて、はじめて丹沢の山岳ベースに連れて行かれた頃に出会った永田さんは、おとなしくて目立たない人だった。十六歳だったぼくのことを可愛がってもくれた。（中略）はじめて会った頃、永田さんは獄外では〝いちばん偉い人〟という印象が強すぎて、本当の姿が見えていたわけではなかった。ただ、そのころ運動に入ったばかりのぼくのような人間には、遠い人という印象が強すぎて、あまりとけあえる感じは持てなかった。残忍な人だとは思わなかったし、冷たい人だと感じたわけでもなかったが、他人と自分を政治的言語を通じてしか対等のものとして考えられない人だった、と思う」（加藤B生／一九八七）

中村愛子の証言

永田に気に入られていた？　中村愛子の供述調書には次のように書かれている。

「（粛清された）金子、大槻の人柄についてですが、私の知る範囲では二人は性格が似ていると思います。二人とも神経質で頭が良く、細かく気を遣う人で他人の気持ちの動きにも気がつき、私たちが悩んでいるときなど、それに気づいて慰めてくれ、優しい心の持ち主だったと思っていました。ただ二人とも永田の嫌いなタイプであったことは間違いありません。大槻さんは山でもワイシャツにピンクのセーター、紺色のズボンをはき、赤いヤッケをはおった垢抜けた恰好をしていました。一月中旬頃、永田は、『美人だとか、頭がいいとかいうことはブルジョア性に傾きやすく、反革命につながる。私は美人も頭がいいのも嫌いなのよ』と言っていたことがあり、金子も大槻も女性らしさや優しさのある人で、スタイルが良くて私たちの中では比較的美人で、しかも頭が良かったわけです。金子さんは大きなお腹をしながら大きなリュックをしょって山を歩きました。また、論争になったときなどその問題点をうまく整理する能力がありました。討論の際、永田は金子や大槻に対し、『美人だと思っているでしょう。モテると思っているでしょう』などと批判していたこともあり、永田が嫌っていることは感じで分かっていました。私は榛名アジトで生活し何人も同志が死んでいくのを見ているうちに、永田に嫌われないようにしようと考えるようになっていました。そのためには太ってスタイルが悪いこと、いつも元気にしていること、男のようになりふりかまわないこと、それが嫌われないための条件だと考えていたのです。榛名山、迦葉山での生活で永田に嫌われることは、結局生きていけないことにつながっていたのです」（大泉『あさま山荘銃撃戦の深層（下）』二〇一二）

杉崎ミサ子の証言

大槻、金子と同じ横浜国立大学の杉崎ミサ子の公判調書には次のように書かれている。

「永田は、女性に対して非常に一種独特な批判の眼を持っており、とくに自分を批判的に見る人に対してそういう眼を持っていた。つまり指輪をしているから革命家の女になれないというような、すごく矮小的な形から批判を持ってゆく、そのようなものを根本とする物の考え方をした。非常に嫉妬深い性格である。そのことは永田の排他的性格でもあった。つまり他のメンバーが自分と同等であってはならなかった。自分と対等に並ぼうとする者に対しては、常にこれを排斥しなければ自分が落ち着いておれない性格であった。とくにそれは対男性の面で出た。だから結局自分に取って代わるだろうと思われる者を排斥した。榛名ベース以前では銃は私たちが保管していたが、同ベース以後は永田や森が座る位置の後ろに必ず銃がたてかけてあって、それはわれわれの方に向かっていた。それは永田や森らを守るために必要だったのだと思う。もし銃をわれわれに渡してしまったら結局われわれと対等になるから、永田らが上位を維持するには銃が必要だったと思う。常に権力というものはそういうものが必要なのだと思う。『総括』要求の基準というものは何もなかった。永田と森の肚(はら)づもり一つであった。だから永田と森に逆らったらそれでおしまいだった。永田をして『女王』『絶対君主』みたいにした原因はわれわれにも責任があると思う」(大泉『あさま山荘銃撃戦の深層(下)』二〇一二)

赤軍派側の証言

坂東国男は永田に対する印象を供述書にこう述懐している。

「一九七一年八月上旬、私(坂東)が永田同志と2人きりで会議をもつことになって、日の当たる河原で向き合っていたのですが、私の方から話しにくそうにしていると、永田同志の方からまず最初に話しますということで、『二人目の処刑を行いました』というのを聞かされました。その際、『自分達に力があれば牢獄に入れておくこともできたのですが、それをやる力もなかったので仕方なくやりました』というのを聞いて正直いってその時、この人は恐ろしい人だと思いました。冷静に言えること、それについては何も言わさないという迫力がありました」(『統一公判控訴審　連合赤軍総括資料集』一九九二)

青砥幹夫は「トリックスターのようだった。これに森が呑まれた」と述懐している(安彦/二〇一八)。

「森は永田に呑まれたんじゃなくて、処刑すべきではないのに処刑させてしまったという事実に呑まれたんだと思う」(連合赤軍事件の全体像を残す会二〇一四年十一月十五日例会の未発表資料)

「かわいい女」永田

赤軍派の植垣康博は永田を「チェーホフの『かわいい女』にそっくりってこと」と評価している。

「ようするに、頼る男が変わることによって、考え方から何から全部変わっちゃう。まるでその人の言ってることが自分の意見であるがごとくになってしまう。だから彼女自身の、自分という世界が見えてこないんだよね」(安彦/二〇一八)

雪野建作も、森恒夫にすっかり心酔した永田が、森の関西弁を模して「あかん」などと話すまでになっていたと言う(雪野/二〇〇八、雪野/二〇一三)。また、雪野は「男からしたら、何かしてあげたいと思わせる人ではありましたよ。たくらんでそうしているわけでもなくて」(朝山/二〇一二)とも言っている。

逮捕後の二月十九日に高崎署で永田に最初の接見をし、その後も長く付き合った弁護士の伊藤まゆは「私は、たしかに異性の関心を惹くようなタイプの女性ではありませんが、永田洋子という人間を『かわいい人』といまでも思っています。指導者にさえならずに、ふつうにしていれば『気さくな面倒見のいい女性』で過ごした人だと思います。ただ、そうしたごくふつうの人が指導者になってしまったことが悲劇を生んだのではないでしょうか」(大泉『あさま山荘銃撃戦の深層(下)』二〇一二)

「もし永田さんが革命組織のリーダーなんかになっていなかったら、ちょっとお節介だけど、世話好きで気のいいおばさん、普通のおばさんになっていたんじゃないの」(連合赤軍の全体像を残す会/二〇一三)

永田と交流のあった瀬戸内寂聴も、朝日新聞編集委員高木正幸によるインタビューで、高木の「永田洋子には『自立』などと思想をとなえる一方で、いつも誰か男にすがっている生身の〝女〟のさが(性)のギャップを感じましたが」という質問に対して、「文通などでわかったことは、全く男に愛されたことはないし、またほんとうに男を愛したこともないんじゃないかということですね。いわば、かわいい女なんですね。そのときどき好きになった男の考えにスーッと入っていっている。だから、もし普通の結婚をして家庭に入っていたら、とてもいい奥さんになったんじゃないでしょうか」と答えている(永田／一九八六)。

「ほんとうに男を愛したこともない」「かわいい女」永田がその著書で、自らの初恋の思い出を記している。大塚英志(一九九六)に「乙女ちっく」と形容された永田の初恋の相手は「王子様」K・T(ML派の〝スター〟豊浦清)だったらしい。思いは叶わず、あっけなく振られてしまったようだ。

指導者らしからぬ永田

弁護士大津卓滋の証言を引用する。

「拘置所で面会したときにある会話をしたんですが、最初に会ったときに、いきなり永田さんがわっとしゃべり始めた。それを聞いたとき、正直びっくりしたんですね。私は学生のときに中核派のぺーぺーみたいなことを多少やっていたんですが、いわゆる党派の指導部というのは、あるイメージがあったんです。けれどそのイメージとものすごくかけ離れていて、こういう言い方をすると語弊がありますが、スーパーの安売りでみんなを押し分けて何かを買っているおばちゃんみたいな感じで、こういう人が指導部だったのかとびっくりしたんです」(連合赤軍の全体像を残す会／

二〇一三）

吉野雅邦の小学校時代の同級生であった大泉康雄の証言を引用する。

「私は一度だけ、逮捕前の永田洋子を見ている。一九六九年十月十八日、霞ヶ関の東京地裁での、九月四日に羽田空港に突入して火炎瓶を投げ『反米愛国』の旗を振った事件に関連しての『拘置理由開示と異議申し立て』の公判の時であった。次々と退廷させられ廊下でシュプレヒコールを繰り返し、『インターナショナル』『ワルシャワ労働歌』を歌って気勢を上げていた一団の中に永田がいた。駆け寄ってきた警備員の一団ともみあいとなり、二人の女性が階段から突き落とされるか、もしくは引きずり降ろされるかする事態が起こった。その小柄な方のスカート姿の女性が永田洋子だった。ストッキングがすり切れ、膝に血がにじんでいた。首に巻かれた白い包帯とギョロッとした目つきが凄みを感じさせた。革命左派のメンバーと思われる男性が、『鬼ババがやられたぞ』と興奮した声で叫んだ。永田は怪我をさせた警備員に詰め寄ると、『おまえの名を言え』『おまえの名前を教えろ』と泣き叫びながら、激しくくってかかった。叫び、わめき、ただひたすら騒乱状態をつくりだそうとしているかのように『ウォー』とまた獣じみた声を上げ、床を転がり回って手足をバタつかせていた」

「私は、猟銃強奪事件に連座して指名手配されるまで、この身長一四八センチほどの小柄な女性が最高幹部のひとりであるとはまったく思わなかった。最高幹部と報じられても、当初は何かの間違いだろうと思っていた」

「永田は、高校の終わり頃にバセドー病を発症、一九六六年の共立薬科大学時代の春休みに手術を受けたため、首の左側に約一〇センチの手術痕が残っていた。しかし薬剤師の資格を持ち医療についても詳しい永田は、バセドー病に対して適切な処置を行っており、事件後一部で報じられた、バセドー病による性格的影響はありえなかった」(大泉『あさま山荘銃撃戦の深層(上)』二〇一二)

永田の独り善がり

永田本人の著作『十六の墓標』でも、自身の主体性のなさが随所に著されているのだが、穿った見方をすれば、自分の保身のために意図して書いたとも思える。

私が、『十六の墓標』を読んで、ちょっとここはおかしいんじゃないかと感じた箇所がある。一つ目は、彼女の加藤兄弟(倫教、元久)に対する態様である。「そんなまやかしは通用するはずがない」と思ったところである。坂口の言う、「彼女自身の色に染め上げられている」部分である。以下に抜粋して検証してみる。

「この時、私は加藤(能敬＝長男)氏の死にかなり動揺し泣き叫びたかった。しかし、しっかりしなければならない、私が泣くことは許されないと思って必死に耐えた。加藤氏の弟の倫教(＝次男)氏と元久(＝三男)氏はぼう然としていた。私は、それを見て、彼らはもっと泣きたいだろうと思い二人に、『今は泣きたいだけ泣いていい。兄さんの死を乗り越えて兄さんの分まで頑張って革命戦士になっていこうよ』といった。元久氏は、『僕、泣かないよ』といって戸外に出て行ったが、倫教氏は私の左肩に顔を埋めて泣き始めた。私は倫教氏の背中に手をあて軽くたたきながら、これからは私が倫教氏や元久氏の姉さんになったつもりで接していかねばならないと思った」(永田『十六の墓標(下)』一九八三、丸カッコ内は筆者補記)

これに対して、加藤元久は(彼の)手記の中でこう記している。

「次兄(=倫教)の公判証人として裁判所に出廷した頃から、ぼくは正直なところ次兄以外の人とは口もききたくなくなっていたし、顔をみるのもいやになっていた。とりわけ自分が体験したことへの自己嫌悪をも含め、永田さんの顔を見るのがいちばん苦痛だった。永田さんはすでに、ぼくの記憶の中で思い出したくない過去の人になっていた」(加藤B生/一九八七、丸カッコ内は筆者補記)

「永田洋子という人を、今ではほとんど客観的にとらえることができる。一九七一年の夏、兄に連れられて、はじめて丹沢の山岳ベースに連れていかれた頃に出会った永田さんは、おとなしくて目だたない人だった。十六歳だったぼくのことを可愛がってもくれた。しかしその印象は、粛清が行われ始めた頃は人が違ったように見えたし、事件後、何年かは顔も見たくない人になっていた。現在では少しだが事情は違う。立場は異なっても、あの事件のことを共有する人間としての立場からお互いに事件のことを総括し整理していきたいと思っている。ただ、永田さんの手記『十六の墓標』などを読むと、事件の内容について彼女が書いていることは、自己弁護というか、まだまだ甘いんじゃないか、という印象をぬぐいきれない。(中略)山岳ベースでの同志殺しという惨劇の中にも、森さんや永田さんが止めようとひとこと言えば、起こり得なかったことは、今から振り返ってみてもたくさんあった。彼女の、政治主義的な言説にとらわれつづけてきた彼女自身のあいまいさが、あの惨劇の舞台で増幅された形で露呈されていったようだ。それを今、手記や法廷で、『森さんが、森さんが……』と言い出すのは解せない。むしろ、醜悪ですらある」(加藤B生/一九八七)

「ぼくは当時の指導部の考え方について、いまだにわからないのは、『総括』の内容に男女関係を持ち出したということである。永田さんに言いたいことのひとつに、彼女自身となえていた女性解放の論理でいうのなら、どうして多くの女性の同志たちまで女性差別批判から殺してしまったのかということだ。男女関係において誰と誰がどうしたとか、このことをもって分派闘争と共産主義化を結びつけたことは理解できないことだった。誰と誰が仲良くした、というくらいのことで『総括』をせまられるべき問題であったとはどうしても思えない。むしろ、どちらかといえば、革命左派はきわめてアットホームな組織だったと思う。山本順一さんと山本保子さんは正式な夫婦だったし、仲間同士で彼氏、彼女がいる、という雰囲気をもった組織だった。恋人同志が革命にむかって同志としてやっていこうというような感じを持った組織だった、と思える。永田さんに問いかえしてみたいことのひとつは、そのことと深くかかわっている」(加藤B生/一九八七)

加藤倫教は、「誰かが兄が死んでいることに気づき、森たちに報告した。私たちは、兄の周りに集まった。(中略)柱に背をつけ、後ろ手に縛られた兄は、頭を垂れて青白い顔をして息絶えていた。永田が兄の体を揺さぶり、『何で総括をしないで死ぬのよ!　頑張りきらないで、絶望するから死んじゃうのよ』などと取り乱したような素振りで叫んだ。私は兄の骸から少し離れたところからその様子を見ていたが、涙が溢れて止まらなかった。私は無惨な兄の姿を見たくはなかったし、兄の死を確認したくもなかった。弟は泣きじゃくっていた。永田が私に近寄ってきた。そして肩に手を置いて、『泣きたいだけ、泣いていいのよ』と言いながら自分の肩に私の頭を付けさせようとした。私は、感情を必死に押し殺し、永田の呼びかけにも一切答えなかった。体を硬くして、永田の慰撫行為に無言の抵抗をしたが、私にできることはそれが精一杯だった」(加藤倫教/二〇〇三)と書いている。

この永田の加藤兄弟(倫教、元久)に対する態様の場面、周囲にいた仲間はどう見ていたのか、植垣康博は次のように記している。

「皆は、加藤氏の死を確認すると、『さっきまで元気だったのに』といい合い、加藤氏の突然の死に驚いていた。特に加藤氏の弟たちの驚きは大きく、永田さんは二人を抱きかかえるようにしてなぐさめていた」(植垣/一九八四)

坂口弘は、「控訴審供述調書」(一九八五)に書かれている内容を、『続あさま山荘1972』(一九九五)の中で次のように記している。

「それからしばらくして、加藤君はガクンと首を垂れた。驚きが小屋中に走った。全員が中央の柱(そこで加藤君は縛られていた)に集まってきた。しかし、加藤君の絶息を確認するばかりだった。私は、さっきまで彼が元気だったことと、解放の望みがあったために、大変なショックを受けた。

彼の顔は土気色をして、ゾッとするほど悲し気な表情をしていた。永田さんが彼の体を揺さぶり、涙を流しながら、『この馬鹿、どうして死ぬのよ』と言った。倫教君は、悲しみのあまり硬直してその場に佇んでいた。元久君が突如、『こんなことやったって、今まで誰も助からなかったじゃないか！』と泣き叫んで、小屋の外へ飛び出して行った。この叫びは総括のまやかしを鋭く衝いて、われわれの胸を深く突き刺した。ところが、しばらくして彼が戻って来ると、永田さんが彼の手を取り、自分も涙を流しながら、『能敬は自ら死を選んで死んでいったのよ。あなたたちは兄の死を乗り越え、シッカリ総括して立派な革命戦士にならなければ駄目よ』などと言って、彼を宥めてしまった」

もう一箇所、永田の手記『十六の墓標』で違和感を感じたところがある。山本順一が死んだ場面（永田『十六の墓標（下）』一九八三）である。抜粋してみる。

「入口から土間に入って来た山本保子さんが私たちを見てワァーッと泣き声を上げた。山本保子さんは、私の肩に顔をうめて泣きながら、『私は頑張るよ。私は闘っていくよ』と繰り返し続けた。いつの間にか、私と山本保子さんは手をつないでいた。私は、頑張ってほしい、一緒に闘っていかなければならばいいと思い、『頑張っていこう。一緒に闘っていこう』といった。山本保子さんは私の手を強く握り返した。私は山本保子さんは頑張っていくだろうと思った」

これに対して山本保子は、森恒夫が獄中自殺した後に次のようなことばを発したとのことだ。「森が自殺したことは新聞で知りました。いまさら自殺したことについてはどうということはありませ

ん。ただ永田にくらべれば人間らしかった」(「サンケイ新聞」一九七三年一月十二日付)

繊細な森、図太い永田

高崎署から松井田署に移送された永田、警察側のねらいは、あの大久保清(第四章参照)を自供に追い込んだ、夕刻になると近くの寺からの鐘の音が響く立地を生かして、手を焼かせている永田の口を割らせることができるのではとの魂胆だったようである。また、隣の部屋に「第二の大久保清」と称された、群馬県での二女性殺人犯の中山実をわざわざ留置させ、図らずも中山の「ナムアミダブツー」と大声で発するお経の効果も狙ったようである。それにもめげなかった永田は図太い神経の持ち主といえよう。「死刑が怖い」と怯え、最後は自殺を遂げた森とは対照的である。

昔気質(かたぎ)の永田

森だけにではなく、「恋愛を解さない女(ひと)」と大槻節子に陰口された永田にも封建的な考え方があった。森と永田の二人は戦中の生まれで、戦後生まれの他のメンバーとの感覚のずれが相当あったはず(高橋／二〇〇二)。永田は、中～高校(女子校)で封建的な「良妻賢母」の教育を受け(永田『氷解』一九八三)、古い校風に違和感を持たず校則をよく守った「優等生」であった。

大学在学中、社会科学班というサークル活動で、さらに卒業後の日本共産党神奈川県左派の活動でも婦人解放問題に取り組んだ永田は、当時活発だったウーマン・リブ運動の田中美津と会合を持ち、丹沢ベースでの非合法組織の活動を見せたこともある(永田『十六の墓標(下)』一九八三)。永田は、男女関係、結婚観については古風な考え方の持ち主で、田中美津とはもちろんのこと、自由恋愛主義の大槻とも相容れなかったと推察できる。

永田の罪名は、殺人、死体遺棄、強盗致傷、殺人未遂、公務執行妨害、銃砲刀剣類所持等取締法違反、爆発物取締罰則違反、火薬類取締法違反、森林法違反、傷害致死。

一九八二年六月十八日に東京地裁で一審死刑判決、一九八六年九月二十六日、東京高裁が控訴を棄却、一九九三年二月十九日、最高裁が上告を棄却、死刑が確定した。

二〇一一年二月五日、獄中で病死(享年六十五)。脳腫瘍がかなり悪化していたようだ。

第十章　連合赤軍に参加しなかった面々

何らかの事由で山に入らなかったメンバーもいる。主立った何人かを紹介する。

[1]梅内恒夫（コラム10参照）

警察の見込み違い、それに伴うマスコミの誇大報道によって、すっかり有名人になった「爆弾作りの名人」である。

一九四七年八月二十三日青森県八戸市湊町生まれ。生家は薪炭商兼海産物問屋で、一人息子で四歳下の妹がいた（読売新聞社会部／一九七二）。八戸高校から一九六六年福島県立医大に入学。社学同にはいり、一九六八年十月二十一日の防衛庁突入事件で逮捕された経歴がある。一九六九年十一月十七日、爆発物取締罰則第三条（製造、所持）違反の容疑（一九六九年十一月五日、山梨県塩山市の大菩薩峠の山小屋「福ちゃん荘」で押収された鉄パイプ爆弾を製造した容疑）で全国指名手配され、逃亡し続け、一九七八年一月九日(山本徹美/一九九五)に時効が成立した。ただ、防衛庁突入事件で逮捕後の保釈中に逃亡しており、公訴中の逃亡には時効がないため、完全無実となっているわけではないのだが、捕まってもせいぜい罰金程度のものであるらしい(山本徹美/一九九五)。一七六センチの長身で色白(「連合赤軍全調査」一九七二)。高校時代は「ガイコツ」と呼ばれていた(山本徹美/一九九五)。

弘前大学生だった**青砥幹夫**とは、古くからの交流があり、梅内も弘前大学へ出向きオルグ活動や**植垣康博**に爆弾の製造依頼をしたりしていた(安彦/二〇一八)。

青砥の証言によると、「武装闘争のやり方をめぐって赤軍派内にはいろいろ論争があった。一番端的なものとしては梅内と森の論争でした。梅内は党派を解体して純粋な独立ゲリラ部隊にしようと提案した。それに対して赤軍派中央委員会はそういうわけにはいかないと言い、結局梅内とたもとを分かった。一九七一年の一月、重信(房子)がアラブに行く前の最後の中央委員会だったと思う。そこに重信はいたけど、『もう私は介入しない』という感じの態度をとっていた」(荒/二〇〇五)

その重信は、この場面について、こう記している。

「『革左(革命左派)から赤軍派に銃を提供してほしいと言われた』少し言いにくそうに森さんは続けた。『本来貸すべきではないが、今回は特別に貸したいと思う』と他の人の同意を求めた。私は反対した。『銃は本来貸すべきだろうが、今回は貸さないとするべきだと思う。私たちには貸せる銃があるのか?』私が反対意見を述べると、森さんはすぐにその議題を引っ込めてしまった。そうだろうなあという感じで、あまり議論もなく、銃は貸さないことになった。きっと森さんも本当は貸せないと思っていたせいだとその時は思った。その議題の直後、梅内さんが発言した。正規軍戦よりゲリラ部隊として、軍の独自的活動を主張していた梅内さんは森さんに批判的だった。その梅内さんが、森さんが自分のアジトに尾行を付けたまま訪問したので自分がいかに危ない目にあったかと森さんを批判しはじめた。すると俯いていた森さんが激高し、『俺が辞めるか、お前が辞めるかどっちかだ！』と怒鳴り返した。梅内さんも身構えたが、何人かが間に入って、まあまあと収めた。温厚な森さんのそんな姿を初めて見た私はびっくりした。私は森さんがそんな無頼漢のように振る舞うのを初めて見た。梅内さんの話の前の革命左派に銃を貸す問題のわだかまりが森さんの激高の原因かもしれないと私は感じながら、小さくなってその場にいた。けれども、私は森さんに期待していなかったし、また、私には手に負えない現実に積極的に関わろうとは考えなかった」（重信／二〇一二を一部改編）

梅内と森の対立、結局、森が残った。

[2] 重信房子

テルアビブ空港乱射事件で死亡することになる奥平剛士と偽装結婚し、「国際根拠地」作りのため、一九七一年二月二十八日に日本を脱出しアラブへ行きＰＬＯ（パレスチナ解放機構）の一機構であるＰＦＬＰ（パレスチナ解放人民戦線）に加わった著名古参女性活動家である。

一九四五年九月二十八日東京都世田谷区世田谷生まれ(由井/二〇一一)。父親は民族主義者(右翼)で血盟団に参加していた。三歳上の兄、二歳上の姉、三歳下の弟がいる。一九六一年都立第一商業高校入学、一九六四年同校卒業、キッコーマン醤油会社に就職した。一九六五年四月明治大学二部文学部史学科に入学した。すでに醤油会社を退職していた一九六七年三月ごろ社学同に入り救援対策(救対)活動に従事した。その後の赤軍派でも救対を担った。一九六九年三月文学部を卒業、四月からは政経学部政治学科三年に学士入学し、赤軍派に参加することになる。ブントの前議長だった佐野茂樹から、4・28沖縄闘争のためのブント軍事委員会の書記局を手伝ってほしいと頼まれたのがきっかけであった(重信/二〇一九)。

一九六九年十一月十一日に、九月二十五日に東京・北区滝野川会館で開かれた赤軍派初の集会の申請の際に偽名を使ったことで都公安条例違反で逮捕された。不起訴処分になり保釈されたが、十一月十四日に、四月二十八日の国際反戦デーの直前に大量(三百個)に買ったナップザックが凶器となる石を運ぶためだったとの理由付けによる凶器準備結集罪幇助(ほうじょ)の疑いで再逮捕された。どちらも大菩薩事件に関する別件逮捕であった。

森恒夫とは相容れず、天敵のような存在であった。前項の梅内との一触即発状態の伏線になった重信と森とのやり取りからも十分窺えるであろう。もう一つ重信が書いている箇所を次に引用する。

「私のパレスチナへの出発に際しても、森さんとはいざこざがありました。中央委員会で決めていた出発を『軍の命令』として中止するといってきました。私が『赤軍派をやめてもいきます』といったので、出発前日に『それなら赤軍派としていってほしい』となったという経緯がありました。意見のちがいを、路線的政治的に対象化して問いきれない未熟な私は、当時、森さんとの人格的な対立にしていました。『(森さんが)わからないことをわかったふうにいう』とかの批判にしていました。そうした対立が、遠山さんへの批判と重ねられたのではないか……とか、悩んでもしょうがないのに悩みました。そして、遠山さんに(パレスチナに)来てもらうべきだった……と。一九七一年の十一月に、中央(森さんですが)に意見のちがいから訣別状を送っていたので、赤軍派とは切れていました。その時、遠山さんを呼ぼうか……と考えて、結局、呼びませんでした。ああ彼女を呼べばよかったなどと考えました。当時、訣別にいたる私との矛盾の根拠に、『国際根拠地論』から森さんらは『国内建軍』に転換していったことも大きかったと『連赤事件』の後わかりました」(塩見他/二〇一〇)。外向的な重信に対して、森は内向的だった。

一九七四年九月のオランダ・ハーグ事件(*)を指揮したとして、逮捕監禁と殺人未遂の容疑で国際手配されていたが、二〇〇〇年十一月八日に大阪市西成区のマンションに潜伏していたところを逮捕された。逮捕時の年齢は五十五歳であった。東京拘置所に拘束され、ハーグ事件の監禁、殺人未遂の共謀共同正犯として、一審、二審とも懲役二十年の判決を受けて上告したが、二〇一〇年夏、最高裁判決も懲役二十年の判決で刑が確定した(由井/二〇一一)。がんを患い、現在、医療刑務所で闘病生活を送っている(別冊宝島編集部/二〇二〇)。

(＊)オランダ・ハーグ事件／一九七四年九月十三日、日本赤軍の奥平純三(テルアビブ空港銃乱射事件で死亡した奥平剛士の弟)、和光晴生、西川純の三人が短銃や手投げ弾で武装し、オランダ・ハーグのフランス大使館を占拠(その際、警察官二人に発砲し重傷を負わせた)、大使らを人質にし、フランスに逮捕されている元日本赤軍メンバー山田義昭を釈放させた事件。

[3]堂山道生

同志社大学出身の元赤軍派政治局員。ハイジャク事件後の、高原浩之の下にスタートした赤軍派第二次政治局の指導メンバー。

一九六九年九月五日、日比谷野外音楽堂での全国全共闘大会への入場の際、中大を中心とする連合ブントに突撃、粉砕した指揮官で、塩見は堂山を「トータルな判断力を持つ、赤軍派には珍しく世間的な常識を持っていた」と評している(塩見／二〇〇三)。

高原浩之、物江克男、川島宏が相次いで逮捕され、指導部で残ったのが堂山と森恒夫の二人となっていた。一九七〇年十二月(八〜十日？　連合赤軍事件の全体像を残す会／二〇一三)、塩見議長奪還闘争をするかしないか、国内建軍武装闘争が先とかで、統轄責任者の堂山と副統轄責任者の森との話がかみあわず、「森が信用できない。今の状況では指導できない。指導は塩見以外できない。奪還するならまた戻る」と置き手紙を残して去っていった(『統一公判控訴審　連合赤軍総括資料集』一九七二)。重信は堂山を信頼していただけに、リーダーの離脱にがっかりし、このことが重信のアラブ行きを後押しした(重信／二〇〇九)。

[4] 若宮正則

孤高の異色の活動家。地区にのさばる暴力団に反撃して謝らせるなど、当時「週刊少年ジャンプ」に連載され人気のあった本宮ひろ志の漫画『男一匹ガキ大将』のようなスカッとした痛快さがある。

一九四五年九月五日愛媛県宇和島市生まれ。十二人兄弟姉妹の末っ子(高幣/二〇〇一)。一九六四年三月に宇和島水産高校を卒業後上京、予備校に通い大学進学を目指した。思うように成績が上がらず、進学を諦め、横浜で港湾荷役会社に就職し、一九六八年の秋にベトナム反戦の集会とデモに初めて参加、ブントに加盟、赤軍派結成とともに参加した。マルクスの本も読んだわけではなく、赤軍派の思想も知らず、ベトナム戦争に反対する組織であればどこでもよかったとのことである。一九六九年八月に中央軍四中隊の一つ松平隊の小隊長に指名された。九月三十日の本富士署襲撃に加わった。十一月の大菩薩事件で逮捕、東京拘置所に勾留され、一九七一年七月中旬に保釈された。一九七二年二月に大阪・あいりん地区(釜ヶ崎)に潜入し、ラーメン店「勝浦食堂」を開店、労務者を組織していた。一九七二年九月四日未明の大阪府警浪速署水崎町派出所爆破の主犯と見なされ全国に指名手配され、十二月二十六日午後、大阪市阿倍野区内で逮捕された。

中央軍の路線を批判し、都市ゲリラ路線を主張し自ら実践し、連合赤軍事件を予見するような主張をしていた(西浦/二〇〇八)若宮は連合赤軍事件についてこう断じている。

「連合赤軍の誤りは大衆から召還したことです。だからわれわれは大衆と結合していかねばならないが、大衆と結合するとは、具体的には大衆を組織するという意味なのです。軍人＝同盟員という考え方では絶対に大衆と結合することはできないし、大衆を組織することはできません。大衆から離れたら大衆の組織化を放棄したらどのような結果になるか、それは連赤の同志たちが十四名の同志の死をもってわれわれに教えてくれたことです」（一九七三年三月十九日）（高幣／二〇〇一）

ペルーで、武装闘争を行う共産主義ゲリラに会うためにアンデス山脈の奥地に向かい、一九九〇年十一月十四日、山村で何者かに殺された（高幣／二〇〇一）。

[5]西浦隆男

一九四六年生まれ。大阪市立大学出身。森恒夫の一学年下。青砥幹夫から山へ来るようオルグされたが断った。

青砥の証言「西浦は一線を退いていたけど、我々と近い考えだった。だから山に行くとき西浦を誘ったんだけど、最後に『やっぱり行けない』と断ってきた。逆に言えば山に誘うぐらいの近さだった」（連合赤軍事件の全体像を残す会二〇一四年十一月十五日例会の未発表資料）

一九七一年八月の革命左派と赤軍派の革命戦線の本栖湖での合宿（非公然部門の大衆組織をどうやって作れるかという観点からの合宿）には、赤軍派からの青砥、遠山、行方とともに参加していた。

金廣志の証言「西浦は赤軍派中央軍に対しては非常に批判的だった。大衆運動をやらなければい

けないという考えだった」(連合赤軍事件の全体像を残す会二〇一四年十一月十五日例会の未発表資料)

がんを患い二〇一四年十月四日に死去。

[6]宮川明子

革命左派の公然組織の女性活動家。一九五〇年一月生まれ。愛媛県宇和島市出身。一浪後の一九六九年、お茶の水女子大学入学。同じ革命左派の活動家で東京水産大学の浜崎和夫(または和男)は高校の同級(「情況」二〇〇八年六月号)。

一九七一年六月九日、丹波ヒュッテでの拡大党会議に参加することになっていたが出席を拒否(永田『十六の墓標(上)』一九八三)、十月上旬に、「任務がはっきりしない」と言って入山を拒否、処刑の対象になるが、**永田洋子**が「次の闘いの飛躍によってオルグしよう」と取りなし回避された(一九八一年九月十八日の永田の公判証言/『統一公判控訴審　連合赤軍総括資料集』一九九二)。

入山を求められていたころ、妊娠していたため、浜崎や京谷健司がかばっていたようだ。山へ行くため小田急線に乗っていたときには、腹痛となり途中下車した。その時、同行していた**前沢虎義**も一緒に下車せず、そのまま解放したようだ(「情況」二〇〇八年六月号)。

流産した子供の父親で同じ革命左派のメンバーだった京谷と結婚し京谷姓になった。

［7］牧田明三

合法部の京浜安保共闘議長。横浜市立大学出身。

一九七一年四月三日に、一九六九年九月三、四日に愛知外相訪ソ訪米に反対し米大使館に火炎瓶を投げ込む計画を立て準備した疑いで一九七一年二月十九日に逮捕されていた田代（旧姓村井）隆（二十一歳、元関東学院大）をかくまった犯人隠匿容疑で逮捕された。七月二十三日に執行猶予で出獄、永田洋子が新小岩のアジトに呼び、出獄を祝い、統一赤軍の組織部で非合法的に活動してほしいと言った。牧田は了解した。また、永田は目黒滋子が脱走したことも伝えた。戻ってもらって活動させなければと永田が言うと牧田はうなずいた。牧田は、目黒が関西の兄宅にいることを知っており、永田は牧田に目黒を迎えに行ってもらうことを伝えた（永田『十六の墓標（上）』一九八三）。八月十六〜十七日ごろ、永田から入山を指令されていたが拒否、恋仲の目黒滋子とともに失踪した。

［8］目黒滋子

牧田明三の恋人。赤軍派の青砥幹夫にも好意を寄せた。

一九七一年七月八日ごろ、十二日に小袖ベースに帰山するため永田と北千住の喫茶店で待ち合わせることになっていたが、永田がいくら待っても目黒は来なかった。かなり時間が経って目黒が電話で、北千住と北千束を間違えて北千束におり、「カンパの件でこれから人に会うので、そこまで行く時間がない」と連絡してきた。そこで七月十二日に小袖ベースに行く途中の拝島の駅で待ち合わせる約束をした。

ところが、七月十二日の拝島の駅にも目黒は現れなかった。永田は、目黒が小袖ベースに行っているかもしれないと思い、ベースに行ったがベースには誰もいなかった。小屋は壊れてなくなっており、きれいに掃除されていた。関西に行っていた目黒を連れて帰った牧田は、「目黒さんは、山はトイレはきたないし、人間の生活できるような所ではないようなことを言った」と永田らに語った(永田『十六の墓標(上)』一九八三)。

[9]塩見一子(塩見孝也赤軍派議長の妻)
森恒夫は一九七一年八月九日の革命左派との打ち合わせの会合時に、「組織部には、青砥、行方を入れる。あと、塩見の女房や高原の女房を入れる」と明言していた(永田『十六の墓標(上)』一九八三)。その後、話を進めたかどうかは定かではない。森お得意の見えだったのか。あるいは女性メンバーの多い革命左派とのバランスをとるための意向だったのか。結局、赤軍派の女性メンバーで入山したのは高原の女房、すなわち**遠山美枝子**だけであった。捕らぬ狸の皮算用？　森の求心力の低さではかなわなかったか。塩見家に泊ったりしていた若宮正則とは懇意だったであろう。

コラム10▼「幻の男?」梅内恒夫とは?

梅内恒夫(一九四七年青森県八戸市生まれ)は福島県立医科大学在学中に共産主義者同盟(ブント)の学生組織である社会主義学生同盟(社学同)に加入し、赤軍派の結成と同時に同派のメンバーとなる。一九六八年十月二十一日の防衛庁突入事件で逮捕された経歴がある。一九六九年十一月十七日、山梨県塩山市(現在は甲州市)の大菩薩峠の山小屋「福ちゃん荘」で押収された鉄パイプ爆弾を製造した容疑(爆発物取締罰則違反)で指名手配される。

その後、「爆弾作りの名人」と呼ばれるようになった梅内の足取りは? 果たしてよど号にもあさま山荘にもいなかった。

「週刊朝日」一九七〇年四月十七日号に梅内は、四月十五日の警視庁公安部の九人の身元を割り出したとの発表にもとづき、よど号乗っ取り犯人の一人として写真入りで掲載されている。警視庁は乗っ取り犯を説得するため、梅内の父親(当時五十三歳)にテープ録音を依頼したという。新聞では連日、「ハイジャックの主犯は梅内」と報じていたが、四月二十六日にいたってようやく、〈警視庁公安部は、福島医大生梅内恒夫を犯人の一人とみていたのは誤りだった、と発表〉と訂正した(山本徹美/一九九五)。採取した指紋のほかに乗客・乗員の証言から割り出したようで、梅内に間違われたのは安倍公博だった(久能/二〇〇六)。

森恒夫とは袂を分ち、連合赤軍には加わっていない。ところが、読売新聞(一九七二年二月二十一日付)は、「梅内の指紋検出」の見出しを付け「連合赤軍の妙義山アジト事件を追及中の群馬県警過激派犯罪警戒取締本部は、二十日、同アジトに残されていたリュックサックから新たに赤軍派幹部で爆弾製造の指導者、福島医大生、梅内恒夫(24)の指紋を検出した。(中略)同本部では、梅内もあさま山荘にいる可能性が強いと長野県警に連絡した」と報じている(山本徹美/一九九五)。

連合赤軍事件後、森への当てつけか、連合赤軍の誤りを糺した「共産主義者同盟赤軍派より日帝打倒を志すすべての人々へ」という一九七二年四月十六日付の手記を「映画批評」に寄稿、同誌の7月号に掲載された。果たして梅内本人が書いたものなのかどうか疑念の声もあるようだが、これが梅内の最後の消息となり、一九七八年一月九日(山本徹美/一九九五)に公訴時効が成立した。

弘前大学の青砥幹夫、植垣康博とは、交流があったようだ。青砥は、赤軍派結成の翌日(一九六九年七月七日)に東京で梅内と会い、「福島医大のブントは赤軍に行くぞ。お前はどうするんだ?」と聞かれたという。その後、梅内は弘前大学に来てオルグ活動をしたとのこと。この時、植垣に「爆弾を作ってくれ」と依頼したとのことである。青砥、植垣両名の話では、赤軍派が作った爆弾は一個も爆発していない。明治公園で投擲された物は、ダイナマイトだったとのことである(安彦/二〇一八)。

当事者たちの証言から明らかになった梅内の正体は、決して爆弾作りの名人ではなかったようだ。公安当局が買いかぶりしてしまったか、あるいはマスコミが大物に仕立て話題性を創出したのか、その幻影だけが一人歩きしたようだ。

さて、梅内は今、どこで何をしているのだろうか？　二〇二二年十一月三十日に植垣康博氏から聞いた話では、大阪でひも暮らしをしているらしい。

第十一章　連合赤軍メンバー二十七名の身上調書

山岳アジトで共同生活した二十九名、この章では、森恒夫(第八章参照)と永田洋子(第九章参照)を除く二十七名のメンバーについて、一人ずつ紹介する。

▼死者組

[1]尾崎充男(享年二十二)

一九五〇年二月二十七日、岡山県児島市田ノ口(現・倉敷市)生まれ。姉がいる。一九六八年児島高校を卒業、一九六九年東京水産大に入学、坂口弘らがいた朋鷹寮(ほうよう)に入る。京浜安保共闘のメンバーとなり、一九六九年十月一日、水産大の封鎖解除で警視庁に建造物侵入容疑で逮捕された経歴がある。一九七一年十二月三十一日、榛名ベースで死亡した。「サンケイ新聞」一九七二年二月二十四日付で、あさま山荘籠城の一人として断定したと誤報道されている。根拠は妙義山の洞窟から押収したアジビラの指紋とあさま山荘でのメガネをかけた写真からとのことであった。

[2]進藤隆三郎(享年二十一)

一九五〇年二月十日生まれ。福島県郡山市出身。建築屋の三男で末っ子。父親の仕事(建設会社の役員)の関係でこどものころは東北地方を転々(角間/一九八〇)、秋田高校を一九六八年に卒業後上京、日仏学院卒業。一九六九年一月、東大・安田講堂攻防戦に参加し時計台の中で逮捕され、さらに同年五月、新潟に帰省中に新潟大学のデモに加わって逮捕される(その後、過激派への道を突っ走ることになる)。横浜市寿町で**植垣康博**にオルグされ赤軍派に入る。その頃、元芸者の持原好子と同棲していた。一九七二年一月一日、榛名ベースで死亡した。

[3]小嶋和子(享年二十二)

一九四九年二月十二日生まれ。愛知県知多郡八幡町(現・知多市)出身。海産物商を営む父親と、母親、兄二人、姉と妹の五人きょうだい。一九六七年名古屋市の市邨学園高校を卒業、市邨学園短大を一九六九年に卒業。短大の一年上に**寺林真喜江**がおり中京安保共闘にオルグされた。一九七一年四月、岐阜県各務原市のデモで川崎重工前に座り込み(「朝日新聞」一九七二年三月十一日付)逮捕され、釈放後の六月、妹と家出したままゆくえが知れなかった。妹のほうは、一九七一年十一月、府中市是政のアジトで、火薬類取締罰則違反で逮捕された。**加藤能敬**に惚れられていたが、小嶋の

連合赤軍メンバー　ソシオグラム

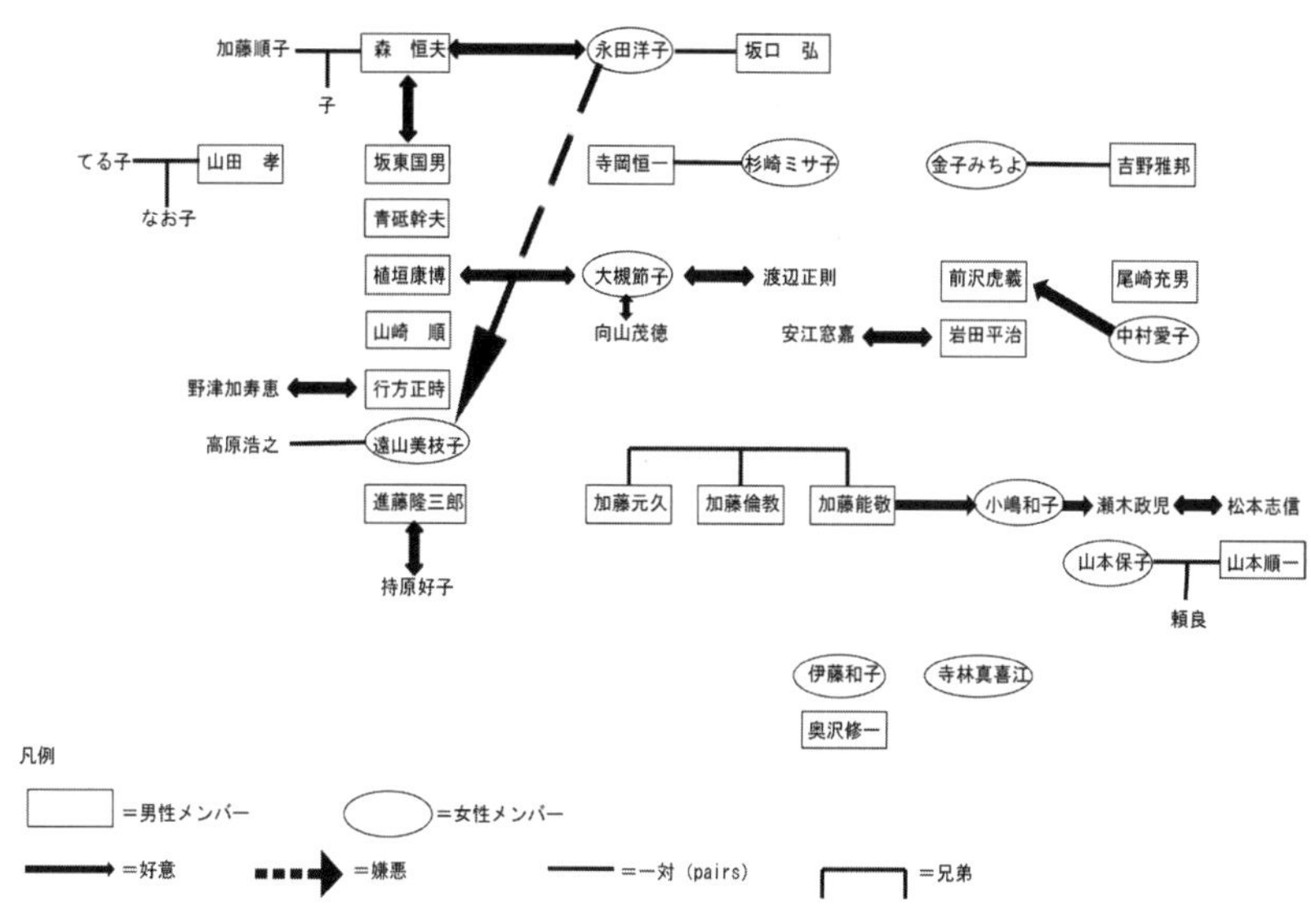

ほうは脱走した瀬木政児に惚れていた（山本直樹『レッド（4）』二〇一六）。一九七二年一月一日、榛名ベースで死亡した。

[4]加藤能敬（よしたか）（享年二十二）

一九四九年十月一日、愛知県刈谷市生まれ。父親は小学校教諭。加藤三兄弟の長男（弟二人はあさま山荘に籠城した）。刈谷市内の中学校を卒業後、名古屋市の東海高校へ進学。一年浪人後、和光大学人文学部人間関係学科に入学。名古屋へオルグに来た新井功と名古屋市内のアパートで同居し、京浜安保共闘に加わった。一九七一年十一月二十一日、府中市是政のアジトで、ピストルの弾丸二十八発を所持していたことから仲間三人とともに逮捕され、その後、保釈となっていた。一九七一年十二月二十一日、指導部への「意見書」を携え、意気揚々と榛名ベースに入山するも、一九七二年一月四日、榛名ベースで死亡した。

［5］遠山美枝子（享年二十五）

スラッとした一七〇センチの長身（「エンマ創刊号六月二十五日号」一九八五）。一九四六年八月十二日、石川県金沢市生まれ。父親の死後（自殺。植垣／二〇一四）、母親の女手ひとつで育てられた。兄、姉、妹がいる。横浜市（中区千代崎町。角間／一九八〇）で育ち神奈川県立緑ヶ丘高校を卒業、一九六六年明治大学法学部（二部）へ入学。一九七〇年卒業。在学中の一九六九年九月赤軍派結成時からの活動家。すでに手配中の行方正時とともに一九七一年九月から十月にかけて、練馬区内の喫茶店やアジトなどで関西革命戦線（RF）議長の木山高明（後に兵庫県警に逮捕された）に「すでに爆弾は用意したから、これで交番などを攻撃しよう」と扇動したとして、爆発物取締罰則違反で全国に指名手配されたと報じられている（「サンケイ新聞」一九七二年三月五日付）。死去後に手配されたことになる。共犯の行方正時も、すでに死亡していた。重信房子とは大学在学時以来の親友同士、一九七〇年六月にハイジャック事件の共犯として警視庁に逮捕された政治局員の高原浩之は内縁の夫であった。一九七二年一月七日、榛名ベースで死亡した。

［6］行方正時（なめかたまさとき）（享年二十二）

一九四九年十一月十四日、名古屋市中村区生まれ。父親は滋賀県大津市で時計店を営んでいた。

母親とは九歳の時から生き別れている。膳所高校から一九六八年岡山大学理学部地学科に入学。赤軍派。一九六八年十月、米原子力潜水艦寄港阻止闘争で公安条例違反でつかまったのをはじめ、東大安田講堂に籠城(「実録・連合赤軍」編集委員会+掛川正幸/二〇一〇)したり五回の検挙歴があった。一九七一年十一月一日に愛人の野津加寿恵(二十二歳)が尼崎市の実兄宅から持ち出したライフル銃と実弾を受け取った(青砥幹夫、西浦隆男も関係)ことで(または野津をかくまったことで/「朝日新聞夕刊」一九七二年三月十日付)警視庁から指名手配されていた。このライフルは、あさま山荘で坂東国男が使用、内田警視庁二機隊長を射殺することになった。行方が二十二歳になった直後に山岳ベースに結集する際、父親に次のような手紙を書いていた。

「僕は革命戦争を選びますし、決して犠牲になるのでも捨て石になるのでもなく、よろこんで銃をもち敵との戦闘に出かけていきます。それが唯一の僕の生きる道であり、人民の進むべき道だと確信するからです。きっと親父もそのことを理解してくれると思います。共産主義者たろうとする僕を。ただ僕が逃げたり、日和ったりした時にはちゅうちょなく、けっとばしてもらいたいと思います。これからさほど手紙を書いたり連絡したりすることもしないと思います。機会があれば何らかの手段でそれをする事を約束します」(高沢/一九八二)この手紙が「遺稿」となり一九七二年一月九日、榛名ベースで死亡した。

[7]寺岡恒一(享年二十三)

一九四八年一月二十五日、東京都文京区生まれ。一九六六年芝学園高校を卒業、一年浪人後、一九六七年横浜国立大学工学部に入学。雪野建作と同級であった。京浜安保共闘。一九六九年九月三日、愛知外相の訪米訪ソに反対し、仲間とともに狸穴(まみあな)のソ連大使館に火炎瓶を投げ込み、逮捕された。東京地裁での判決は懲役三年、執行猶予四年(「なぜ、寺岡だけ(執行猶予がついたのか)」と森恒夫から権力側とのつながりを疑問視された)。一九七一年二月の真岡の猟銃強奪事件の実行者として警視庁から強盗容疑で指名手配されていた。「サンケイ新聞」一九七二年二月二十七日付で、あさま山荘籠城の一人として断定したと誤報道されている。根拠は、撮影した写真の分析からとのことであった。父親(六十歳)がマイクで呼びかけ説得したことが、「サンケイ新聞」一九七二年二月二十八日付で報じられている。森により死刑を宣告され、一九七二年一月十八日、榛名ベースで死亡した。

合法部にいた京谷(旧姓宮川)明子の寺岡評「寺岡君のことはあまり詳しくは知らないけど、危ないことには絶対私たちを近づけない人だった」(「情況」二〇〇八年六月号)

[8]山崎順(享年二十一)

一九五〇年十一月二十五日に次男として生まれた。東京都渋谷区出身。姉もいる(連合赤軍事件の全体像を残す会/二〇一三)。小学校時代、父親の仕事の関係でドイツで過ごしている。日比谷高校を一九六九年に卒業、早稲田大学政経学部入学。赤軍派。一九七一年五月十五日、横浜の南吉田小学校の教員給料ひったくり事件や、一九七一年六月二十四日の横浜銀行妙蓮寺支店の強盗などの容疑で神奈川県警から指名手配されていた。森により死刑を宣告され、一九七二年一月二十日、榛名ベースで死亡した。

【9】山本順一（享年二十八）

一九四三年八月二十四日生まれ。愛知県岡崎市出身。兄と姉二人がいたが、兄と姉一人は幼児のころ死亡、一人息子として大事に育てられたらしい（「朝日新聞夕刊」一九七二年三月十日付）。岡崎北高を卒業、一九六二年北九州大学外国語学部中国語学科に入学。中国語が得意。在学中から毛沢東理論に心酔し、一九六六年の卒業後すぐに名古屋市内の日中友好貿易商社華潤に就職。一九七一年八月、同市内の日中友好商社アイカに転職したが十二月にやめた（「朝日新聞夕刊」一九七二年三月十日付）。中京安保共闘の活動家。山本（旧姓瀬戸口）保子とは同共闘の活動を通じて知り合い、一九七〇年八月に結婚。一九七一年十二月十一日には長女頼良（らいら）（パレスチナ解放人民戦線PFLPの女性闘士で一九六九年八月二十九日にローマ空港上空で米TWA航空機を乗っ取ったグループのリーダーだった「テロリストの女王」［佐々／二〇一〇］ライラ・カリドにあやかって命名されたと思われて報道されていたが、中国の「こちらへいらっしゃい」という意味の語にあやかって命名された［山平／二〇一二］とのこと）が生まれている。一九七二年一月三十日、迦葉ベースで死亡した。

[10]大槻節子(享年二十三)

一九四八年二月六日生まれ。横須賀市出身。高校三年時の一九六五年八月に父親が病死。下宿屋を営む母親と兄二人、弟一人の家族。二人の兄は東大、弟は一橋大という秀才揃い。一九六六年大津高校(当時は女子校)を卒業、横浜国立大学教育学部心理学科入学。身長は一五三センチと小柄ではあるが体操部で鍛えた体力があった。牛首ベースでの腕相撲大会では、女子チャンピオンとして男子チャンピオン前沢虎義に挑んだ決勝戦で、前沢の油断の隙をついて見事優勝した。一九六九年四月の京浜安保共闘設立時からのメンバー。一九六九年九月三日、愛知外相の訪米訪ソに反対し、決死隊に加わり、車で火炎瓶を羽田空港へ運ぶ途中、四日朝、大森付近で逮捕された。一九七〇年十二月十八日の上赤塚交番襲撃事件で逮捕された渡辺正則とは恋人同士であった。

ただ、性的に奔放な性格だったようで、向山茂徳(一九七一年八月十日に、吉野雅邦らにより粛清、絞殺された)とも肉体関係を持った。坂東国男も認める優秀なメンバー(『統一公判控訴審　連合赤軍総括資料集』一九九二)で、また、男好きのする顔立ちで注目されることも多かった。「小柄で明るい、いきいきとしたひと」(大槻/一九八六)とは雪野建作の大槻評。吉野雅邦の親友、大泉康雄の証言によれば、「丸顔で二重瞼の目がくりくりとした愛らしい顔立ちの人で、『カエルって渾名の救対の友達』と(大泉に)紹介してくれた金子みちよと二人で話している様子は仲の良い女子学生同士のおしゃべりという感じだった」(連合赤軍事件の全体像を残す会／二〇一三)ようだ。やはり大槻に一目置いていた坂口弘は、大槻の死後、山で相思相愛になっていた植垣康博に「セックスだけの女だったな」と慰め(?)の言葉を発したという(植垣／一九七九)。一九七二年一月三十日、迦葉ベースで死亡した。

母親が獄中の渡辺に出した手紙には、「こうなった以上、節子のめざしていた道が正しかったことを信じてやりたい」と書かれていた(「情況」一九七三年五月特大号)。大槻が一九六八年十二月十三日から一九七一年四月四日まで記していた日記(遺稿)は、一九八六年に単行本『優しさをください 23歳の死』(彩流社)として刊行された。感性豊かで革命志向の、文学的な多分に詩人である大槻の頭脳(才能)が存分に発揮されている。

[11] 金子みちよ(享年二十三)

一九四八年二月七日、横浜市生まれ。会社員の父親、小学校副校長(「連合赤軍事件緊急特集号」一九七二)(または教諭／大泉『あさま山荘銃撃戦の深層(下)』二〇一二、「朝日新聞夕刊」一九七二年三月十日付)の母親と、大手企業のヨーロッパ駐在員の兄の家族(三人兄妹(兄二人)の末っ子(連合赤軍事件の全体像を残す会／二〇一三)。旧姓は堀江(雪野建作氏私信)で大学に入ってから母方の親の養女となり金子姓となった(「朝日新聞夕刊」一九七二年三月十日付)。高校時代は男子バスケットボール部のマネージャーだった(大泉『あさま山荘銃撃戦の深層(上)』二〇一二)。高校は横浜の県立鶴見高校で、一年の浪人後、一九六七年横浜国立大学教育学部社会学科に入学。同大学の混声合唱団で吉野雅邦と親しくなり、一九六九年八月から東急日蒲線の矢口渡(やぐちのわたし)駅近くに六畳一間のアパートを借り(大泉『あさま山荘銃撃戦の深層(上)』二〇一二)同棲生活をする。九月四日、愛知外相訪ソ訪米阻止闘争で吉野が逮捕された後、組織的な支援体制がないことを知り(高橋/二〇〇二)、革命左派の組織員となり救援対策の活動を担った。家族では次兄だけが金子の救援活動の理解者だった。一九七一年十一月二十一日、府中市是政のアジトで、家宅捜索中の捜査員に職務質問され、かみついて姿をくらませた。アジトからみつかった三十二口径ピストルの実弾二十八発は、金子が持ち込んだものと判り、十二月十三日に(「朝日新聞夕刊」一九七二年三月十日付)警視庁から火薬類取締法違反容疑で指名手配されていた。一九七二年二月四日、迦葉ベースで死亡した。

吉野雅邦との子供(死亡時には八か月)を妊娠(三度目で、妊娠していることが明らかになったのは、一九七一年七月下旬、塩山ベースから丹沢ベースへ移動しているとき)していた(大泉『あさま山荘銃撃戦の深層(上)』二〇一二)。内縁の夫であった吉野と小学校時代の同級生で、以後も親交の深い大泉康雄の見立てでは、「薄いメークをして眉までととのえていた。涼やかな二重瞼で卵形の顔立ちをしており、色白で、肌のきめが細かかった。身長一六四センチの均整のとれた体つきで、笑顔が明るいのが印象的だった。ちょっとした気の強さも感じられ、関係としては、吉野の方が振り回されているようにも思えた」(大泉『あさま山荘銃撃戦の深層(上)』二〇一二)

[12] 山田孝(享年二十七)

一九四四年五月四日、東京都大森区(現・大田区)生まれ、翌年に下関に移る。四人(「連合赤軍全調査」一九七二)[または二人](「連合赤軍事件の全体像を残す会/二〇一三」)兄弟の長男。父親は下関市の銀行の事務部長。下関西高から一年の浪人後、一九六四年に京都大学法学部に入学、卒業し、一九六八年に同大大学院に進学。赤軍派の元政治局員だった。

一九六九年五月二十日、京都市内の文英堂書店の争議に関係し(滝川/一九七六)、傷害容疑で逮捕され、同年八月に罰金二万円、執行猶予二年の判決を受けた(「サンケイ新聞」一九七二年三月八日付)。保釈中の一九七〇年五月三十日に、指名手配中の塩見孝也議長を杉並区天沼のアパートにかくまい犯人隠匿の疑いで警視庁に逮捕され、同年十月から一九七一年一月まで京都拘置所に収監されていた。一九七〇年五月に結婚し、埼玉県越谷市蒲生旭町のアパートに看護婦の妻てる子(二十八歳)と長女なお子(一九七〇年十一月生まれ)がいる(「全調査・赤軍事件の真相」一九七二)。一九七二年二月十二日、妙義ベースで死亡した。

青砥幹夫の証言「(一九七一年)十月に山田さんを引っぱってきた。それで山田さんをいきなり政治局員扱いにした。森が政治局の長だとすると、坂東はいわば軍の代表で、僕(青砥)は森の書記局(秘書)みたいな感じで、その頃は誰が政治局員だのへったくれもありませんでした。僕はありがたかったですよ。今考えると『何であんなところに入ってきたのかな? かわいそうなことをしたな』と思うけど、入ってきてくれたときには僕は嬉しかった。坂東君はもともと同僚みたいだったので、政治局員というよりは中央委員です。政治局員がもう一人増えたということで、よかったなあ、ありがたいなあと思いました」(「情況」二〇〇八年六月号)

▼生き残り組

[1]杉崎ミサ子(逮捕時二十四歳)

神奈川県小田原市生まれ。女子校の名門である城内高校から横浜国立大学教育学部へ進学。一九六九年四月の京浜安保共闘設立時からのメンバー。運動に参加することになったきっかけは、父親が小児麻痺のように片足が細く、歩くのにとても苦労し、貧乏で一生懸命働く姿を見ていたから(高沢/一九八二)とのことである。一九七一年一月、京浜安保共闘の三菱金属会社に対する解雇反対闘争でビラまきをし、軽犯罪法違反で逮捕された経歴あり。**寺岡恒一**の内縁の妻であった。一九七二年二月十六日に、妙義湖畔で**奥沢修一**とともに車中に八時間以上も籠城、同乗していた坂口、青砥、植垣の三人の逃亡を助け、森林窃盗容疑で逮捕される(詳細は第二章2)。懲役十二年の刑。

[2]奥沢修一(逮捕時二十二歳)

慶應義塾大学二年、黒ヘルグループ(ノンセクト系小グループ。黒ヘルメットで街頭闘争に参加していたことからこのように呼ばれた)。一九七二年一月、東京で**青砥幹夫**と**前沢虎義**にオルグされ入山。運転免許を持っていたため運転手を務めていた。一九七二年二月十六日に、妙義湖畔で**杉崎ミサ子**とともに車中に籠城、森林法違反で逮捕される。懲役六年の刑。

［3］青砥幹夫（逮捕時二十二歳）

一九四九年福島県東白河郡塙町生まれ。三人兄弟の長男。一九六七年白河高校を卒業、弘前大学医学部に入学。一九六九年九月末に福島の実家に立ち寄ったところ、弘前大の（本部）封鎖闘争の件で逮捕された（安彦／二〇一八）。十月半ばに保釈され、赤軍派の活動に加わり、その月に弘前市内で仲間と鉄パイプ爆弾をつくった容疑で十二月に警視庁から指名手配されていた。一九七二年二月十九日に、軽井沢駅で**植垣康博**らとともに逮捕される（詳細は第二章4）。懲役二十年の判決を受け、宮城刑務所で服役し、一九九二年に出所した（荒／二〇〇五）。**森恒夫**の秘書役でM作戦には関わっていない。リクルート部隊の隊長という感じで若い連中を集めた。

「医者になるというつもりではなかった。なりたかったのは医学研究者。むしろ好きなのは植物学のほうだった」（以上、安彦／二〇一八）

［4］植垣康博（逮捕時二十三歳）

一九四九年一月静岡県榛原郡金谷町（現・島田市）生まれ。兄姉弟がいる。小学校では、ファーブルの『昆虫記』を愛読し、昆虫の採集（特に蝶）と観察に熱中した。一九六四年藤枝東高校に入学、地学部に所属し鉱石工学に興味を持ち、高校までに集めた石を標本にした。一九六七年弘前大学理学部物理学科に入学。一九六九年十月二十一日、国際反戦デーで第四インターのデモ隊に加わり逮捕され、一九七〇年十二月中旬まで獄中生活を送った。その後、赤軍派に加わる。一九七一年三月二十二日に宮城県振興相互銀行黒松支店から現金一一五万円を強奪した容疑で、三月二十六日に指名手配された。同年五月二十六日に森恒夫と初めて会った。

植垣が感じた革命左派の第一印象は、「家庭的。僕らのように、上から命令がきて行動するという世界とはまったく違う雰囲気を感じた」(安彦／二〇一八)。一九七二年二月十九日に、軽井沢駅で青砥幹夫らとともに逮捕された(詳細は第二章4)。八人の殺害に関与した殺人罪などで一九八二年六月十八日に一審で懲役二十年の判決、一九八六年九月二十六日の二審判決も懲役二十年、一九九三年二月十九日に最高裁が上告を棄却したため刑が確定した。一九九八年十月六日、刑期満了、甲府刑務所を出所した。現在、静岡市でスナック「バロン」を経営しながら、連合赤軍事件の「語り部」として活躍している(コラム12参照)。

[5]寺林真喜江(逮捕時二十三歳)

名古屋市生まれ。市邨学園短大卒業。中京安保共闘。一九七〇年三月十五日の万国博覧会粉砕闘争で北大阪急行の当時の万国博中央口駅(鹿砦社編集部／二〇二〇)構内に乱入し、大阪府警に鉄道営業法違反と不退去罪の現行犯で逮捕された。連合赤軍では、組織の会計担当だった金子みちよが総括を要求されてからは、永田洋子に金子の後任として会計を任されていた。一九七二年二月十四日に、一九七一年秋に神奈川県足柄上部山北町の西丹沢山中で、電気雷管などを使用して爆弾を製造しようとしていたとの疑いで指名手配された（長野県警察本部警務部教養課／一九七二）。その五日後の二月十九日に、軽井沢駅で植垣康博らとともに逮捕される。懲役九年の刑。

[6]伊藤和子（逮捕時二十二歳）

青森県生まれ。姉が二人いる。十五歳のとき、母親と死別した（「朝日新聞」一九七二年三月十日付）。父親は中学校長。日大附属高等看護学院に在学中に看護反戦の活動家となり、一九七〇年十二月に退学処分となっていた（長野県警察本部警務部教養課／一九七二）。京浜安保共闘。連合赤軍では組織的に坂東国男と結婚させられた。お互いに恋愛感情を持っていたわけではない。一九七二年二月十九日に、軽井沢駅で植垣康博らとともに逮捕される。娘が逮捕されたことを知った父親と姉が翌日駆けつけて、面通しを行ったが、本人と確認できないほど顔が変わっていて昔の面影がなかったという。姉が名前を呼んだときのわずかな目の動きで確かに妹だと確認した（長野県警察本部警務部教養課／一九七二）。懲役七年の刑（葛城／二〇二〇）。

[7]坂口弘（逮捕時二十五歳）

一九四六年十一月十二日千葉県君津郡天神山村（現・富津市）生まれ。男ばかり四兄弟（すぐ上の兄は夭逝）の末っ子。中学一年の時に父親を亡くし、母親が花屋で生計をたてていた。一七六センチの長身を生かしバスケットボール部の活動に打ち込んだ木更津高校を卒業、一九六五年に東京水産大学に入学、川島豪と出会い学生運動を始める。一九六七年六月に大学を中退、大田区本羽田のSネームプレート社（坂口『あさま山荘1972（上）』一九九五）、一九六八年七月からは大田区下丸子の自動車部品製造会社三国工業に工員として就職。一九六九年九月四日、愛知外相の訪米訪ソに反対し、吉野雅邦らの仲間五人と海から羽田空港に忍び込み、C滑走路に火炎瓶を投げて逮捕され、十二月二十四日に保釈で出所した。一九七一年二月の真岡での猟銃強奪事件で警察庁から特別手配されていた。あさま山荘に籠城し逮捕された。一九七五年八月のクアラルンプール事件では国外脱出を拒絶した。一九八二年六月十八日に東京地裁で死刑判決、一九八六年九月二十六日、東京高裁は控訴を棄却、一九九三年二月十九日に最高裁が上告を棄却したため死刑が確定した。現在、確定死刑囚として東京拘置所に収監されている。

連合赤軍では、森、永田に次ぐ第三位の人物である。彼の著書『あさま山荘1972』では、森の間違いを随所に指摘しており、多分に批判的である。獄中で書かれたもので、事件当時は、思っていたが口に出して言うことができなかった、寡黙な男である。彼のみならず、誰も森に言えなかった状況であったと言うべきか。坂口は、言ってもすぐに論破されてしまうとか、下手に言えば「総括」の対象にされてしまい、自分の命が危なくなってしまうなどと書いている。リーダー森にはそれだけの威圧力があったのであろうか。森の（自己）防衛力は強力で誰も支配者森を落城させることはできなかったようだ。消耗も大きく、一月七日夜、遠山への人工呼吸が続いている中、「C・Cを辞任したい」と言って慌てた森に取りなされ、翌日の朝、永田に、「俺はもう嫌だ。人民内部の矛盾じゃないか。このままでは駄目だ。一刻も早く殲滅戦を戦うべきだ」と訴えた(坂口『続あさま山荘1972』一九九五)。

[8]坂東国男(逮捕時二十五歳)

一九四七年一月十日生まれ。滋賀県大津市粟津町出身。家族は両親と妹(二歳下)の四人。膳所高校を卒業、一年浪人し一九六六年に京都大学農学部に入学、卒業した。赤軍派が起こした一連のM作戦の隊長を務め指名手配されていた。連合赤軍では、リーダー森恒夫の懐刀的な存在であった。あさま山荘に籠城し逮捕された。それまでの逮捕歴はなかった。旅館兼食堂経営の父親(五十一歳)は、テレビであさま山荘のなかに息子がいることを確認した後、自宅で首つり自殺した。「人質にされたかたには心からおわびします。死んで許されることではありませんが、死んでおわびします。あとに残った家族を責めないで下さい。元子(娘=坂東の妹)を残していくのは心残りですが、あとを頼みます」と鉛筆で走り書きした遺書が残されていた。

東京地裁で公判中だった一九七五年八月のクアラルンプール事件で国外脱出、日本赤軍のメンバーとして現在も警察庁による国際手配が続いている。森の腹心的存在に終始し、上下関係を覆すことをしない人物。森と永田が逮捕された後、あさま山荘でも坂口をリーダーとして従っていた。人に弱みを見せることを極端に嫌うタイプ。負けず嫌いであり、知らない、できないということを口に出すのがいやな人間と自己分析している（坂東／一九九五）。

吉野雅邦の見立（坂東評）としては、「機を見るに敏で、うまく立ち回る人」「格好良く振る舞おうとする人」「実際は小心な人物」と見なしていた（大泉『あさま山荘銃撃戦の深層（下）』二〇一二）。

【9】吉野雅邦（逮捕時二十三歳）

一九四八年三月二十七日、東京都杉並区生まれ。両親とも広島の出身で、親族に被爆者が多くいる（大泉／一九九八）。父親は東京帝国大学法学部（中曽根康弘と同級）卒、三菱本社に入社し事件当時は三菱地所の取締役住宅部長（「朝日新聞」一九七二年三月二十九日付）。二歳上の知的障害のある兄がいる。麹町中学、日比谷高校を卒業、一浪後、一九六七年に横浜国立大学経済学部に入学。一九六八年二月二十二日の米軍王子野戦病院建設反対闘争で逮捕されすぐに釈放、二月二十六日の三里塚（成田空港建設反対）闘争で再び逮捕され千葉の少年鑑別所に送られ三週間ほどで出所した（大泉『あさま山荘銃撃戦の深層（上）』二〇一二）。一九六九年九月の愛知外相訪米訪ソ阻止闘争では、坂口弘らとともに羽田空港に海から侵入し逮捕され、十二月二十四日に保釈で出所した。一九七〇年六月ごろから大学を中退同然で、川崎市の不二サッシ玉川工場で工員として働いていた。一九七一年二月の真岡事件の実行犯として指名手配されていた。妻金子みちよの遺体埋めのメンバーに加えられ、坂東と植垣がうつ伏せの金子の遺体の両腕を持ち、吉野が脚のほうを持って二メートルぐらいの深さに掘った穴に落とすことになったが、吉野は手を離せず、金子(の遺体)は頭から落ちてしまった。穴の側面に脚が引っかかって斜めになってしまった遺体の姿勢を直そうとして、穴に飛び込んだ植垣がぞんざいに扱うのを、吉野は腹立たしく思いながらも歯噛みして見つめるのみだったという(大泉『あさま山荘銃撃戦の深層(下)』二〇一二)。あさま山荘に籠城して逮捕された。一九八三年二月、無期懲役刑が確定し、現在も千葉刑務所で服役中。

[10]加藤倫教(みちのり)(逮捕時十九歳)

一九五二年五月二十七日、愛知県刈谷市で小学校教員の次男として生まれる。東海高校を卒業。加藤三兄弟の次男。一九七一年四月、同派の女性活動家の石井功子と川島陽子とともに、大阪府門真市栄町のアパートにコーズマイト(土木や採石用の爆薬)一二五本をかくし持っているところを発見され、真岡の銃砲店襲撃容疑の石井とともにコーズマイト所持容疑で逮捕された経歴がある。家宅捜索の立会いを求められた川島は「関係ないから」と言って警察官をかき分けるようにして逃走したが、加藤は足がすくんで動けずに逮捕されてしまったとのことである。あさま山荘に籠城(当時十九歳)し逮捕された。懲役十三年の刑。一九八七年一月、三重刑務所を出所した。

現在、刈谷市の実家で農業を営んでいる。テレビの特集番組にしばしば出演しているが、言動にブレがない感じがして好感が持てる。筆者も手紙、メールで取材を申し込んだが、自著にすべて書いてあるからとの理由で拒まれた。

[11]加藤元久(逮捕時十六歳)

一九五五年愛知県生まれ。加藤三兄弟の三男。東山工業高校に入学、間もなく中京安保共闘に入る。あさま山荘に籠城(当時十六歳)し逮捕された。三カ月後の五月二十四日、家裁の「政治的確信犯と呼ぶには躊躇するものがある」(深井/二〇一〇)との審理で少年院送致となり栃木県喜連川の中等少年院に収容された。一九七四年九月に退院、通信教育と大学受験検定資格の取得によって、山岳アジトで死亡した長兄と同じ和光大学へ入学した。

[12]山本保子(逮捕時二十八歳)

一九四三年十二月生まれ。鹿児島県川内市出身。名古屋市の日中友好商社に勤めていた(「朝日新聞夕刊」一九七二年三月十日付)。一九七二年二月六日、**中村愛子**に「時計を落としたので取ってくる」と口実を作り、迦葉山アジトから抜け出し、近くの民家まで一気に走り、そこでタクシーを呼び、生後二カ月にも満たない(一九七一年十二月十一日生まれ)娘をベースに残したまま脱走した。一九七二年三月十日二十時半、愛知県中村署に自首した。懲役四年の刑を言い渡された。

[13]前沢虎義(逮捕時二十四歳)

一九四七年東京深川でペンキ屋の長男として生まれる。妹と五歳下の弟がいる。小学校四年の頃、両親が離婚した。一九六六年東京都立蔵前工業高校を卒業。大田区蒲田の三国工業で工員として勤めていた時に、坂口弘にオルグされて京浜安保共闘に参加、一九七一年二月に三国工業をやめてから消息がわからなくなっていた(「朝日新聞」一九七二年三月十二日付)。一九七二年二月七日に脱走。三月九日に群馬県警から有印公文書偽造(他人の名義の運転免許証に自分の写真を貼って偽造)の容疑で指名手配され(「朝日新聞夕刊」一九七二年三月十日付)、三月十一日二十時五十六分(「朝日新聞」一九七二年三月十二日付)、練馬署に出頭し、二十二時五十分に逮捕された。七人の殺害に関与した殺人罪で一審判決は懲役十七年、二審判決で懲役十五年の結審し、岡山刑務所に服役した。

[14]岩田平治(逮捕時二十一歳)

一九五〇年長野県上伊那郡辰野町生まれ。実家は理髪店。兄と妹がいる(「週刊読売」一九七二年四月五日臨時増刊号)。一九六九年諏訪清陵高校卒業、一浪後、一九七〇年に東京水産大学に入学、大海原で鯨を捕りたい、ボート部に入りダンスパーティに興じたりする普通の学生だった。大学の寮で坂口と相部屋だった。一九七一年十一月二十一日に是政のアジトで逮捕された安江窓嘉は恋人であった。森恒夫から「自分の若いときに似てる」と言われ期待されていたようだ。運動には無関係の安江と高校生の小嶋の妹を山へ連れてくるよう指示され、嫌気がさし、一九七二年一月十八日に脱走(逃亡)。同行していた伊藤和子に預かっていた四万円を手渡し、喫茶店から出て行った。一九七二年三月十三日二十一時五十分、出身地である辰野町の辰野署に出頭し、銃刀法違反(榛名山アジトに猟銃などの銃器を運び込んだ）の疑いで緊急逮捕された。総括で一人を暴行した罪で懲役五年の刑。

［15］中村愛子（逮捕時二十二歳）

千葉県市川市の寿司屋の生まれ。千葉県内の県立高校を卒業、日大附属高等看護学院に入学（退学処分）。一九七一年十一月二十一日に是政アジトで火薬類取締罰則違反容疑で（「朝日新聞」一九七二年三月十二日付）逮捕され、十二月十三日に処分保留で釈放後、市川市の実家に帰っていた。十二月三十日に前沢虎義と岩田平治が来て、榛名山アジトへ連れて行かれた。前沢に恋愛感情を持っていたようである。

一九七二年二月七日、山本夫妻の娘・頼良ちゃんを連れて、榛名湖畔に現れ、その後逃走（詳細は第二章1）。三月十一日に森林法違反の疑いで全国に指名手配され、二日後の三月十三日二十三時二十八分、警視庁に出頭した。頼良ちゃんは二月七日二十三時過ぎに文京区本郷のアパートに住む知人に預けていた。三月十三日朝、知人ら二人が弁護士に電話で連絡、二人の弁護士は、知人らと頼良ちゃんの三人を連れ、中村の実父に渡そうと市川市に出向いたところで、両弁護士からいきさつを聞いた市川署に保護された。中村はこのニュースをテレビで見て出頭することを決めた（コラム9参照）。指名手配された際、中村の母親は、「他人の子を預かってこの寒空にどうしているのか心配でたまらない。あの子に限って自分で子どもを殺すようなことはないと信じているが」と、新しい下着と自分で握った握り飯十個を紙袋に入れて出ていった娘を心配し、語っていた。

第一回公判は一九七二年十月二十一日、中村はほとんどすべての点で起訴を否認、弁護士は責任能力がないと主張した。一九七三年四月二日に開かれた第七回公判では、弁護人は「兄の縁談が破談になり、母親が過労で倒れた」ことを被告に告げ、「迷惑をかけて申し訳ない」という言葉を引きだした(「上毛新聞」四月三日／「情況」一九七三年五月特大号)。懲役七年の刑。

コラム11▼連合赤軍事件をモチーフにした小説、漫画、映画

事件に影響を受けた、あるいは事件を題材にしたかなり多くの文学作品がある。それぞれに一部分だけを(簡単に)紹介する。小説では、
ノーベル文学賞作家の大江健三郎の短編集『河馬に噛まれる』(文藝春秋、一九八五年)、文庫本(講談社文庫)も刊行されている。初出＝一九八三～一九八五年に「文學界」「へるめす」「新潮」の各文芸誌に発表された。
大江氏は一九三五年一月三十一日生まれ。連合赤軍事件当時は三十六～三十七歳。連合赤軍のメンバーよりかなり上の世代である。
どこまでが事実で、どこからが創作なのかわからない(判然としない)のだが、山小屋のローカル新聞で、ある記事に引きつけられ想像がかき立てられたとの冒頭。

記事の内容は、ウガンダのマーチソン・フォールズ国立公園船着場で、日本人の青年が、若い牡の河馬に噛まれ、右肩から脇腹にかけて相当の怪我をしたというもの。その青年は、かつて「左派赤軍」(連合赤軍をこう名付けている)に関わった少年(高校生)だったというのである。事実では、この少年は加藤元久であさま山荘に立て籠もった一人なのだが、小説の中では、山岳ベースの便所の改造設計をしたことになっている。すなわち、「河馬の勇士」は「糞便にまみれながら、便所裏側に通路を掘りあけ、そこから大きい勾配で沢につながる斜面を、充満した糞便が流れおちるようにした。あわせて豊かな湧き水から水路をみちびいて、つねに便槽へ向けて流水がおちこむ仕掛けにし、新しく排泄されたものが堆積しないで、直接沢へ流れおちる仕組みとした。沢が糞便でみちあふれてしまえば、隣接している渓流へと再び通路を開くほかないが、渓流を大量の糞便が流れくだれば、下流の人びとは疑いをいだくであろう。そこで……」という構想だった。

立松和平の『光の雨』(新潮社、一九九八年)、文庫本(新潮文庫)も刊行されている。。初出=「新潮」一九九八年三月号〜五月号。

安アパートの一室で自身の死刑執行を夢に見てうなされる玉井潔八十歳。その呻き声を隣室で聞くのは予備校生阿南満也。睡眠を妨害されてたまったものではないと文句をいわねばと、傷んでいる合板のドアを叩く満也。そこから二人の付き合いが始まる。やがて同じ予備校に通っている高取美奈が加わり、二人の若者が爺いから話を聞くことになるといった設定。

玉井のモデルは明らかに坂口弘である。玉井が二人に語る物語、その中に登場する倉重鉄太郎は森恒夫、上杉和枝は永田洋子、大沢守男は寺岡恒一、及川厚志は坂東国男、松村伸は山田孝、夏目洋太は吉野雅邦であることも明らかである。他の実在メンバーもすべて仮名になっているが明らかに特定できるのは、坂口が書いた『あさま山荘1972』を底本にしているからで、そのため、最初の連載中(「すばる」一九九三年八月号～十月号)に坂口から弁護士を通じて盗用ではないかとの抗議を受けて連載が打ち切りになったという曰く付きになった。それでも完成にこぎつけたのは、作者の立松和平が一九四七年生まれの全共闘世代の作家であったことに他ならないであろう。本作品は映画化もされた。

金井広秋の『死者の軍隊(上・下)』(彩流社、二〇一五年)。初出＝「慶應義塾高等学校紀要」一九九九～二〇一三年。

金井氏は一九四八年生まれの、元慶應義塾高校国語科教員。勤務先の紀要に長期連載されたものをベースに書き下ろしを加え単行本化された大長編である。実在の人物を、一部は仮名にしているが、ほぼ実名で書いたほとんどノンフイクションで、詳細さ、克明さは群を抜く。台詞は脚色が多いと思える。

桐野夏生の『夜の谷を行く』(文藝春秋、二〇一七年)、文庫本(文春文庫)も刊行されている。初

出＝「文藝春秋」二〇一四年十一月号〜二〇一六年三月号。

桐野氏は一九五一年生まれ。一九九九年の直木賞、二〇一五年の紫綬褒章など多くの受賞歴がある。事件当時（一九七二年二月）は二十歳で学生運動の経験は全くないとのことである。

事件から三十九年後の二〇一一年、主人公西田啓子は六十三歳独身。革命左派の兵士として山岳ベースに入り、総括に関与、五年余の服役を経て、一人暮らしをしているとの設定である。

スポーツジムのロビーでの妹との電話で、永田洋子が死亡した新聞記事を開いてみる場面、そこから、吉野雅邦、金子みちよなどの実名が登場する。西田は迦葉ベースから君塚佐紀子と二人で脱走したとの事実はなく、この二人は架空の人物ということになる。冒頭に出てくる熊谷千代治のモデルは牧田明三と察する。『光の雨』が坂口弘をモデルにしているのに対しての、生き残った女性活動家のその後の生活を物語化した小説である。サイパンで行うという姪の結婚式に行くことを、山岳ベースに入る前に同棲していたという設定の過去のメンバー久間伸郎に告げたところ、「絶対に行っては駄目だ」と制止される。米軍基地に入って爆薬を仕掛け、アメリカに起訴された過去があったことからの忠告であった。驚愕の事実が明かされる結末にいたって、なるほどこれは推理小説仕立てだったんだとわかる。それもそのはず、作者は一九九三年に江戸川乱歩賞、一九九八年に日本推理作家協会賞を受賞しているのである。

その他に、連合赤軍のメンバーが登場するものとしては、森恒夫＝「男」が、同志社大学の学生会館で高校生の「タカハシさん」(＝筆者)と会話する場面を題材に含めた高橋源一郎の『文学なんかこわくない』(朝日新聞社、一九九八年)、小説ではなくノンフィクションだが、拘置所の隣人として坂口弘の東京拘置所での生き様の一端を題材に含めた佐藤優の『国家の罠――外務省のラスプーチンと呼ばれて』(新潮社、二〇〇五年)もある。

ここまでのものは、文章だけのもの、漫画では、「イブニング」(講談社)に連載されていた山本直樹(一九六〇年生まれ)の『レッド』の評価が高い。

『レッド』は隔週刊誌「イブニング」(講談社)に、二〇〇六年二十一号から二〇一八年十一号までの奇数号に連載されたもので、二〇〇七年九月から順次単行本(「イブニングKCDX」)が出版されている。「一九六九~一九七二」が全八巻、「最後の60日そしてあさま山荘へ」が全四巻、「最終章あさま山荘の10日間」一巻の構成となっている。

一九六九年夏の弘前大学、九月の東京国際空港付近、十月の東京地方裁判所羽田空港乱入事件の拘置理由開示と異議申し立ての公判、十月二十一日国際反戦デーの新宿……といった場面が描かれていく。実在(していた)の人物をすべて仮名で登場させている。森恒夫→北盛夫、永田洋子→赤城容子、坂口弘→谷川博、寺岡恒一→安達幸一、坂東国男→志賀邦夫、山田孝→霧島、吉野雅邦→吾妻正久、青砥幹夫→鳥海、植垣康博→岩木泰広、行方正時→磐梯、遠山美枝子→天城、山崎順→神山純、進藤隆三郎→高千穂三郎、前沢虎義→荒島、岩田平治→仙丈、尾崎充男→伊吹逸郎、金子みちよ→宮浦、杉崎ミサ子→高妻、大槻節子→白根、加藤能敬→黒部一郎、伊藤和子→唐松、寺林真喜江→立山、小嶋和子→薬師、山本順一→苗場淳一、加藤倫教→黒部次郎、加藤元久→黒部三郎、山本保子→苗場不二子、中村愛子→平藍子、奥沢修一→白神となっており、山の名前を充てている。また、粛清されたメンバーには、死んだ順に②〜⑮（①は上赤塚交番で警察官に射殺された柴野春彦）の番号がすべての登場コマに付されている。

映画では、若松孝二監督（一九三六年生まれ、二〇一二年没）の『実録・連合赤軍　あさま山荘への道程（みち）』（二〇〇七年六月）。他には、高橋伴明監督で立松和平の同名小説をもとにした『光の雨』（二〇〇一年十二月）、警察側からのものとしては、佐々淳行の『連合赤軍「あさま山荘」事件』を原作とした原田眞人監督、役所広司主演の『突入せよ！「あさま山荘」事件』（二〇〇二年五月）がある。

『実録・連合赤軍　あさま山荘への道程』は、実録と銘打つだけあって、人物はすべて実名で登場させている。役者もノーメイクで出演させるこだわりである（雪野／二〇一三）。ただ、全場面を忠実に再現できているわけではなく、当事者が見るとトーンが違うようである。植垣康博は、「映画の全体のトーンが暗い」「重苦しいだけで描かれている」「楽しい時間もあり、面白い世界でもあった」とコメントしている（朝山／二〇一二）。ラスト近くの加藤元久の「俺たちみんな勇気がなかったんだよ！」の発言は脚本には書かれておらず（連合赤軍事件の全体像を残す会／二〇一八）、監督の脚色である。実際のところは、加藤元久は全く別の場面で、坂口と坂東に、「坂口さんや坂東さんにもっと勇気があったら、兄ちゃんは死ななかったのかな」と言ったことがあり、それを聞いた二人はへこんだようである(連合赤軍事件の全体像を残す会／二〇一八)。

当事者を知る雪野建作の感想を引用する。「若松孝二監督の映画『実録・連合赤軍』(二〇〇八年公開)を見て驚いたのは、永田洋子役の女優さんの鬼気迫る演技です。頭に浮かんだ言葉をそのまま、粘着質な話し方で、切れ目無くしゃべり続ける。それでいながら不思議に、聴く者を惹きつける力がある。まさに永田そのものでした」(雪野／二〇一三)。

第十二章　革命と性

いきなりかもしれないが、「革命をするとセックスがしたくなる」という当時よく聞かれた悪ぶった流行語が新左翼にあったそうだ（安彦／二〇一八）。

二十歳そこそこの男女学生が、一つ部屋の中で二十四時間を共にしていれば、その手（種）の欲望が起こるのも無理からぬことであろう。若い男女の革命集団である連合赤軍を考察する上で、この問題を避けるわけにはいかないであろう。

連合赤軍に属していたメンバーにとって「性」への意識はいかなるものであったのか、いくつかのエピソードを題材にたどっていくことにする。禁欲的な縛りがあったものか、あるいは奔放に開かれていたものか、まずは、サブリーダー永田洋子が法廷でも暴露したという、川島豪に強姦されたという一件からひもといていこう。

永田洋子は川島豪に強姦された？

一九六九年八月末、永田が川島陽子を訪ねた日、戻ってこない川島を諦め、帰ろうとすると、陽子の夫である川島豪が泊まっていくことをすすめた。

「ふとんを敷いて寝てから、しばらくして川島氏がいきなり暴力的に性行為を行ってきた。私は、びっくりして、腰がぬけてしまい、抵抗できなかった。私は、この時まで、接吻もしたことがなく、性的に無知で未熟だった」

「私は、みじめな気持ちをつのらせながら、それを考えることをしなかったために、別の二人の男性と一度ずつ性関係をもつという行動をした。このことは苦悩のはてのものであり、衝動的なものだった。性愛的感情をもってないこうした性関係は、私を一層みじめにするだけだった。しかも、そうした無秩序な性関係を否定していた私が、自分でそれをもったことにびっくり仰天してしまった」（永田『十六の墓標（上）』一九八三）

永田洋子は坂口弘から性交渉を求められ受け入れた

次に、永田の内縁の夫となる坂口の性行を暴いてみる。

一九六九年九月の愛知外相訪ソ訪米阻止実力闘争で一九七〇年二月三日に懲役七年（吉野は五年）を求刑された坂口は、永田にプロポーズする。永田は回顧する。

「これは、下獄前に、性を知っておきたいという本音に基づくものであった。坂口氏は、私に娼婦の役割を求めたのだった」

「私は、坂口氏を信頼してはいたものの、坂口氏に恋愛や性愛の感情を全くもっていなかったので、この要求を唐突に感じるしかなかった。それで、はじめは断った」

これに対し坂口は後日、七年の求刑が出ている者に断るのは、薄情だとか冷たいとか、ますます女性利用主義の態度を表した。

「私は、『薄情だ』などといわれて非常に動揺した」

「私は坂口氏と結婚しようと思わなかったが、一回目をつぶればよいのだと思った。こうして、坂口氏の要求に応じたのである」(永田『十六の墓標(上)』一九八三)

植垣康博の場合

一九七一年二月末、青砥幹夫から中央軍へ移るよう指示された植垣は、千住のアジトでM作戦を着々と実行している中央軍からの連絡を待っていた。そこへ、三里塚に行っている有馬(某女性メンバーの組織名)から連絡が入った。逮捕されすぐに釈放されたものの、皆とはぐれて行き場がなくなり、金もなくなったというので、植垣は有馬にアジトに来るように勧めた、アジトに来た有馬はススで黒くなり、服は泥だらけだったので、近くの風呂屋に連れていき、そのあと、すき焼きの材料を買ってご馳走した。その晩、植垣が中央軍に行けばもう会えなくなるからということで、初めて一緒に寝た。植垣にとっては初体験であったが、もう接吻し合う仲になっていたので、ぎこち

なさはなかった。(植垣/二〇一四)

植垣は入山してからは、大槻節子を好きになり、結婚まで考えることになるが悲しい結末に至る。

大槻節子の場合

革命左派時代に、任務として柴野春彦との共同生活を強いられていた。共同生活では、男女が共に住み、協力しあうことになっていた。この方針は、戦前、戦後すぐの日本共産党のハウスキーパー的なものだった。男女は、平等な同志として活動のために生活すべきであり、女性が警戒の気持ちをもつのは、男性に対して失礼なのだと言われていた。しかし、男女の協力とは名ばかりで、結局は、男性の指導者が、女性に、活動を名目にして自分たちの世話をさせることでしかなかった。だから、この共同生活に対して、女性蔑視だとか、婦人解放でないという不満がでていた(永田『十六の墓標(上)』一九八三)。事実、同時代的に活発だったウーマンリブ運動は、日本でも欧米諸国でも全共闘運動への批判として生まれたという。

総括にかけられた大槻は、向山茂徳が脱走した後に、向山と肉体関係を持ったことを告白し、窮地に追い込まれてしまうのだが、もともとの恋人は、当時獄中にいた渡辺正則であった。渡辺は、獄中で大槻が総括された結果死んだことを聞かされ、げっそりと痩せ、目も当てられない状態だった(雪野建作の証言。連合赤軍事件の全体操を残す会/二〇一八)という。

連合赤軍となった後の山岳アジトでは大槻は植垣康博と相思相愛となり、全体会議の中で植垣が大槻と結婚したいと表明、大槻が「素直に受けとめたい」と応える場面もあった。

「恋多き女?」大槻のことを、大槻の死後、坂口はすっかり意気消沈していた植垣を慰めようとしたものか、「セックスだけの女だった」と植垣に言った。

森恒夫の場合

森の文章は(新左翼独特の多分に哲学的で)難解で理解しにくい箇所が多々あるが引用してみる。

「我々が女性問題を大きな問題としてとりあげたのは、男性や女性が明確な基準もなしに〝好きだ〟とかいう事で関係を結ぶのは、人間の自然な欲望、あるいは感情の問題ではなく、永年形成され蓄積されてきたブルジョア的な男性の女性に対する、あるいは女性の男性に対する観念に自然発生的に拝跪したものであり、男女の関係が人間の根底的な関係として互に相手に対する価値基準をもって存在する限り、その基準をプロレタリア革命戦士への発展として考えなければならない事、この点をアイマイにすると、男、女とも本能的な欲望に拝跪したり、それを合理化する為にブルジョア的男性観、女性観をふり回したりする事になるのであり、最終的に自己の共産主義化と相手の共産主義化の闘いの発展の矛盾(一方が進んでいても、一方が遅れていたり)を止揚する事によってプロレタリア的な男女関係が形成される事、現実的な問題としては男性への依存関係を通して社会的な関係をとり結ぶよう強要されてきた女性の共産主義化——革命戦士としての自立は、無意識的になされる男性に対する〝女性〟の顕示をも止揚していかねばならない困難な闘いであり、男性以上に女性が主体的に押し進めなければ勝利――獲得しえない闘いである事、小嶋、遠山さんに見られる様にこうしたブルジョア的な自分の内部の〝女性〟に対する闘いの成否は、殲滅戦の時代には階級闘争に対する関わり方自体を決定する要因になってくるものである事等の理由からであり、金子さんや大槻さんに対する総括要求でもこの〝女性〟問題と政治的、組織的傾向の問題が不即不離な問題として展開されていった」(森／一九八四)

「軍事かぶれ」と揶揄されたこともある森(山平／二〇一二)の文章、いかがなものか? 植垣(二〇一四)は、森は「軍人的な武骨さ、禁欲性、権威主義的な官僚性、これらを前面に押し出し、軍建設の基軸に据えていた」と書いている。

森は、「女の革命家から革命家の女へ」と定式化、「共産主義化されないまま、女が男と関係をとり結ぶのは、それまでの生活を通じて身につけたブルジョア的な男性観に基づいたものであり、こうした傾向を止揚しない限り女の革命戦士化は勝ち取れない」と述べた。それは、女の自覚や要求それ自身をブルジョア的なものとみなしたものであった。

こうした主張は、男の側には、男が性欲をもつことそれ自身を日和見主義とみなす徹底した禁欲主義となって表れた(永田『氷解』一九八三)。

死体を埋める際は全裸に

吉野雅邦の文章(大泉『あさま山荘銃撃戦の深層(上)』二〇一二)を引用する。

「早岐さんを埋めることとし茂みの中へ移動しました。既に、時刻は午前三時頃になっていたのではないかと思います。この時私は、それまでの自分の失態を挽回しなければという思いもあって、敢えて、非情な提案をしてしまいました。『身元が判らないように、着ているものを全部取ろう』と言ったのです。そして、主に私と寺岡氏とで、早岐さんの着衣を次々に剥ぎ取りました。最後の一枚になった時です。寺岡氏の手が止まり、ためらっているのがわかりました。当然のことなのですが、私は逆に〝彼女を女として見るからそういう感情が出るので、飽くまで敵対化した人物、それも、これから埋める『遺体』なのだから、そういう感情に囚われてしまうこと自体がおかしいのではないか〟とでもいうような意識が働いたのです。そして彼に代わって決然として、その下着を脱し去ったのです。こうした行為が、本人や彼女を愛する家族にとって、その尊厳を踏みにじる凌辱的行為であることを、私は約半年後、他のメンバーとともにみちよの遺体を扱ったり、埋めたりする段になって、初めて認識するに至るのです」

革命戦士の結婚観

永田洋子は、坂口弘と性関係をもったあと、坂口と結婚し、性愛的関係をつくっていきたいと思った。坂口が、川島のように性的放縦でないことに信頼の念をおいたためである。坂口は「路線が違ったら別れようぜ」といい、永田は「路線が違ったら、自分の正しいと思う路線に相手を必死にオルグすべきじゃない」といった(永田『十六の墓標(上)』一九八三)。

後に永田は、坂口と別れて森恒夫と結婚することになったと坂口に告げることになる。

森と永田が、迦葉山アジトから上京、二人だけとなったおり、永田が金子みちよの死について森に、「私は、この間、金子の死を考え続けてきたが、山で子供を産むという非常に困難なことを、私たちは金子におしつけ死に追いやったのではないか。妊娠していなければ、金子は総括できたはずだ」と言うと、森は激しい口調で「そんなことを言ってもいいと思っているのか」と批判した。続いて、「金子のことをそのように言うのならば、僕の女房はもっと問題なのだ。最初のうちは女房と子供を山に呼ぶことにしたが、次第に呼べないと思うようになった。山に呼ぶことのできない女房と結婚しているのは問題のようだ。僕も女房と離婚して、子供を山に呼ぶことにすべきだったんだ」と言って、妻との関係を否定し、「僕は離婚して、永田さんと結婚するのが一番正しいように思う」と言った。びっくりした永田に、森はさらに「共に闘う者同士が結婚するのが正しいのだ」と付け加えた(永田『十六の墓標(下)』一九八三)。

さて、この場面、森と永田以外には誰もいなかったわけなので、永田の言明のみを鵜呑みにするのはどうかと考える。第九章でも書いたように、永田の記述と当事者の証言を照合すると、違和感を感じるところがあるからである。

案の定、三上治が疑問を呈している。

「森は別に女房がいたし、彼女がいたわけだし、森の子供もいたわけですから、まあ別に永田と結婚すること自体がね、どういう事があり得たのかということ自体が、僕にとって不思議であって、少なくともそこのところで、政治的に動くことだったら、かみさんを山に連れてくるということだったら考えるかもしれないけれど、女の人、別の女性と結婚する形で永田さんと政治的な目的で結婚すること自体が、考えられなかったんです」（連合赤軍事件の全体像を残す会／二〇一七）

雪野建作が証言している吉野雅邦の見解がその答えとして妥当なところか。

「あれはね、森が森の妻子を守るためにやったという風に、吉野なんかは解釈しているよ」（連合赤軍事件の全体像を残す会／二〇一七）

坂東と伊藤のケースは、「警鐘」以来の伝統によるものか。坂東国男との組織的結婚を求められていた伊藤和子は、小嶋の妹と岩田の恋人の安江窓嘉を入山させるために下山し名古屋へ出向いていた際に、同行の岩田平治に、「自分にもわからない」と言った。永田に一時間ほど説得されて結婚することを決めたというが、坂東と伊藤は特別意識している男女ではなかった（連合赤軍事件の全体像を残す会／二〇一七）。

永田によると、「警鐘」では、組織員同士が結婚するという考えのもとに、指導部による見合い制が持ち込まれていたという。そのため、恋愛を通して互いの人格を尊重しあい結婚していくことは不可能だった。結婚しても子供を産まないこと、妊娠すれば中絶するのが当然のようになっていた。組織外の者と恋愛する人は、組織から去るしかなかった。指導部の押しつける便宜主義に満ちた結婚に従わない女性や未婚の女性は、組織から疎外されていったという（永田『十六の墓標（上）』一九八三）。

雪野建作が裏付けとなる証言をしている。

「男と女を上の命令でくっつけちゃうというのね、それはどうも、警鐘派から日本共産党左派の神奈川県委員会の頃、革命左派が出来る前あたりの頃に、結構そういうのがあったみたいですね。要するにずっと革命家として生きるんだと。その中で革命のために仲間どうしで気のあったものを、あいつとあいつは一緒になれという形で、指示されて、もちろん意に反してということではないので、いやあんな人はいやというのはまたあったと思うんだけれども、そういうのがその頃どうもあったらしいんですよ。で、永田が見聞きしていて、そういう風にするもんだと、永田の中でそういう観念があったんじゃないかと思う」（連合赤軍事件の全体像を残す会／二〇一七）

現に永田は、川島豪らから石井勝との結婚を提案されたが、まだ豊浦清への片思いの感情が残っていたし、恋愛して結婚したいと思っていたので、断ったという（永田『十六の墓標（上）』一九八三）。

実際のところは、高橋（二〇〇二）も書いているように、組織的に見合いを勧めるということがあっても、断る権利を行使することはできたようで、革命左派のどのカップルも、お互いの意志で結婚あるいは同棲生活を営んでいた。

また、「組織外の者と恋愛する人は～」とあるが、革命左派の目黒滋子が牧田明三という同派の恋人（夫）がいるにも関わらず、赤軍派の青砥幹夫に惚れてしまったことに永田は眉をひそめたという場面もある。牧田が一九七一年四月三日に逮捕された直後、目黒は青砥と親しくなった（永田

『氷解』一九八三）のである。

中絶の問題を克服

小山のアジトに移った直後、永田洋子は、寺岡恒一が「金子さんが手術したというのは、中絶ではないか」と揶揄的に発言したことにたまらなさを感じた。それは、永田自身が、一九七〇年七月初め頃に中絶し、それが心にひっかかっていたからである。それで、とっさに「私も中絶したことがある」と、それまで誰にも言えなかったことばを発する。「中絶を弄び的にいうことはよくないことよ」と続けた。

すると坂口弘が「今後、子供を産もうではないか」と言ったので、永田はうれしくなり、「武装闘争の時代だから、子供を産んで育てることもできるんじゃない」とか、「子供の籍や学校のことを考える時代ではなくなったのよ」と言ったという。

こうした主張に、その場にいた寺岡、吉野雅邦、前沢虎義、牧田明三が次々に賛成し、笑い声をたてたりした。寺岡は、中絶を揶揄的にいったことを自己批判した（永田『十六の墓標（上）』一九八三）。吉野の妻金子みちよは、そのとき二度目の中絶をしていたのである。

後に、山での妊婦（三度目の妊娠）金子みちよの活動、山本夫妻が生まれたばかりの長女を連れて山に入ることのきっかけはこのときにできたようだ。

内部と外部の明確な一線

スタインホフ(一九九二)は、「集団の内部構造と集団外の事柄のあいだに明確な一線を画すること」、これは日本ではあたりまえのことで、連合赤軍もその例外ではなかったと書いている。「革命のための銃口を決して仲間には向けようとしなかったという事実がそれを証明している」としている。これを、あさま山荘事件の人質となった三十一歳の女性(山荘の管理人の妻)と、籠城した五人のメンバーに当てはめて、この問題を考えてみることができるかと思う。彼らは、人質に対して、性的暴行は全く加えていない。女性に対する性的欲求も、放縦な集団内部と集団外では、明確な一線を画していたと言える。もっとも彼らは決して一般的な凶悪な刑事犯ではなかったということではあるが。

革命家(戦士)の矜持

連合赤軍戦士は内と外を明確に区別していた。内では自由奔放、外では禁断であった。人民に対し強姦などの罪を犯したものは、「ただちに軍事法廷で裁き、罪が明らかになった場合はただちに銃殺されなければならない」(アルベルト・バーヨ『ゲリラ戦教程』/「連合赤軍全調査」一九七二)

加藤倫教が鈴木邦男とのインタビュー(鈴木/二〇一四)で、「逮捕されてから『そういうことはないと思うけど、強姦は本当にやってないだろうな』なんて警察から訊かれましたよ(笑)。検査のために血液まで採取されました」

　筆者も加藤氏に話を聞く機会があれば、この点だけはどうしても確認しておかなければならないと考えていた。というのは、籠城犯グループのリーダー格であった坂口弘は、かつて懲役七年の求刑がおりたとき、何人かの女性メンバーに娼婦的役割を求めたことがあったからである。最終的に永田洋子が応じたということがあったからである。そのときとは状況が格段に違っていたし、彼らは革命家としての矜持を失ってはいなかった。

　鈴木「最初の頃は牟田さんを縛っていたりしましたが、あとは乱暴なことはしなかったんですよね」

　加藤「牟田さんは抵抗しなかったので手荒な扱いはしなかったわけですが、もし強引に反抗されたら乱暴なことをしたかもしれないですよね。最初の二～三日は牟田さんの手を縛ってベッドにくくりつけていたんですが、僕はそれが『総括』の時のやり方を連想させてすごく嫌でした。牟田さんが逃げるなら逃げたっていいではないかと思いましたよ。坂口さんはこちらの人数や面が警察に割れてしまうことを恐れていたようですが、今さらそんなことを心配しても……と思いました。

（後略）」

　鈴木「牟田さんは坂口さんから常に見張られていたわけですから、随分いろいろと話をしていた可能性がありますが、その内容はあまり表には出てきませんね」

　加藤「仲良くしていたと言ったら人質に取ったことの言い訳みたいに聞こえてしまいますし、坂口さんの中に自責の念があって、敢えて本には詳しく書かなかったのかもしれませんね」

単なる凶悪犯とは違う、革命家の気概があったわけである。

「我々も牟田さんに危害を加える気はありませんでした。それにメンバー五人は全員十代や二十代ですから、三十一歳の牟田さんが一番年長者です。自分が一番お姉さんだというような意識もあったかもしれません」（鈴木／二〇一四）

強いられていた禁欲的生活

以上を総じて、事件後、マスコミが興味本位で、「相姦図」なる記事を書き立ててフリーセックス状態だったなどと世間の興味を煽ったが、決してそのような状態ではなかったことが判る。

森恒夫、坂東国男の「硬派」を中心に、むしろ禁欲的な生活が強いられていたようである。**永田洋子**の「古風な」恋愛・結婚観も組織の不可侵の戒律として多分に浸透していたのだろう。

コラム12▼時代の証人・植垣康博氏を訪ねて

二〇一二年十一月三十日、静岡市のスナック「バロン」を訪ねた。元赤軍派（後の連合赤軍）の植垣康博氏と会うためであった。連合赤軍関係の本を著すためには、ぜひその当事者に会っておく必要があると考えていたからで、一番会える可能性の高い当事者が、スナックを経営している同氏だろうと考えていたのである。

瀬戸大橋線に遅れが出て、一つ後の新幹線になってしまい、また、静岡駅に着くのに、新静岡駅に着くものと思い込んでいたため、出口を間違え、タクシーを拾ったものの、遠回りをする羽目になったり、初めての地で方向感覚もあいまいで、ようやくスナック「バロン」にたどり着いたのは、十九時半頃だったかと思う。当初は、開店時刻の十九時を目ざしていたのだが。

店内にはすでに一人の客がL字形のカウンターの隅に座っていて、カウンターの中には四十歳くらいの女性が一人。目的の植垣氏の姿は見出せなかった。女性が携帯電話でマスター植垣氏に、四国から訪問客が来たと、わざわざ連絡してくれた。二十時過ぎに、ついに植垣氏が出店し、初対面と相成った。

スキンヘッドの、少し小太りの丸っこい体型で、テレビで見ていた姿通りの人であった。すでに、カウンターに座っていた常連客(年齢は私より四つ下とのこと)との会話も出来ており、後から来店してきた客も含めて、植垣氏を専有するわけにはいかず、少し間延びはするものの、十分な聞き取りをすることができた。

当初の計画通り、的を事件当時のことだけに絞ったヒヤリングに終始した。

リーダー森恒夫には、M作戦の指示を与えて欲しくはなかった。もっと現場に任せて、自身は文章を書いているべきであった。

坂口弘は権威主義であった。和美峠で(峠に車が停まっているのを発見した途端)の逃走ぶりには幻滅させられた。

坂東国男は生真面目。

吉野雅邦は融通が利かない。

寺岡恒一は二面性があった。実際に行動していた面は評価できる。

迦葉山の小屋建設は、現地のスギなどを利用して、柱から立てていった。垂直方向は、重りをぶら下げて角度を決めたとのこと。水平面は水の泡を利用した。その出来映えは、「建築の専門家も舌をまくほどがっちりした山小屋ふうの建て物」(「サンケイ新聞」一九七二年二月十八日付)。総括を免れたのは小屋作りの指導者的立場であったため。M作戦でも中心的立場であった。坂東に銃を持たせて隊長を立てたりしていた。

前沢虎義は、植垣を「多才な人」だったと評している。

後に痴漢問題とされた件は、左右から永田洋子と金子みちよに密着され、どうやら革命左派のメンバーに試されたようだ。

「大槻さんって、そんなに可愛かったのですね」

こちらの問いかけに、すっかり顔が緩んで、いくぶん紅潮させ照れ笑いを浮かべる植垣氏。その思いは、あの頃のままなのであろう。

向山氏との事実は知らなかったとのことである。

大槻節子さんは体力があったと証言された。知床から大槻さんの親族の男性が店に来たことがあるとの話も伺った。

植垣氏の本には書かれていなかったので意外だったことは、小学生のときはチョウの採集に熱を上げられていたとの話であった。牧ノ原台地のものだけを、ほぼ全種採った。賞も貰った。採集したとき一番嬉しかったのはコムラサキ。オオムラサキは結構いたようだ。昆虫採集を趣味として持ち続けている筆者と話が合い、しばらくのあいだチョウ談義で話が弾んだ。

一人息子さんは小学校一年生とかで、切り絵のロボットの作品を見せてくれた。子煩悩なごく普通の父親に変わりなかった。

第十三章　私的考察による結論

凝縮された人生

連合赤軍の一員として山に結集した若者たち、山でのわずか数カ月の生活は、彼らの人生の中で最大に凝縮された日々であったに違いない。

山でその後の人生を無くしてしまった十二名については間違いなく、また、逮捕された者たちは、二十代の青春期を拘置所、獄中で過ごすこととなり、その後の一生を獄中で過ごす羽目になった者、刑期を満了し、出獄はできたものの、植垣康博のように社会復帰できたときには、すでに五十間近の年齢に達していた者など、華やかな（きらびやかだった）時代がいかに短いものであったか。

これを自業自得といった常套句で片づけてしまっていいものだろうか。

「敗者の美学」に成り得なかった彼ら

ベトナム戦争への反対から、運動に身を投じた彼らの考え方は、決して間違えていなかった。この点は、加藤倫教氏も自信を持って主張していた（ＮＨＫ・Ｅテレ、二〇一九年六月一日放映の番組「ＥＴＶ特集『連合赤軍　終わりなき旅』」）。

批判だけでなく、行動に移した点も大いに評価できる。若いエネルギーを運動に費やす。自分の身を投げ出してまで、社会を変えよう、つまり「革命」を起こそうと決起した姿勢は立派である。一般市民（？）の支持も得られていた。

ところが、その方法を間違えてしまった。そのために、彼らの言う「人民」からの支持も失ってしまう結果を招く。ついには敗北を喫して、敗者になってしまう。それでは、全力で戦った彼らを讃える賞賛の声は上がったのだろうか。残念ながら、賞賛どころか、こてんぱんに罵られてしまう。

本書で、私が追究したかったのは、敗因となった方法の間違いがいかにして起こったのかという点である。

悲しい結末に至った必然

悲しい結末に至った必然について、考えられたいくつかの要素ごとに整理してみる。

（1）武力化せざるを得なかった必然

・森恒夫は軍事オタクであった
・警察／機動隊の制圧に打ち克ち、革命を可能にするのは武力闘争のみとの考えに至る
・軍部の台頭――軍部が政権を握ったとき、その結末が悲惨になる必然は歴史をひもとくまでのことではないだろう。第二次世界大戦へと突入していくイタリア、ドイツ、日本のファシズム然りである。

一点目の森が軍事オタクであったことは、戦旗派のリーダーとなる荒岱介の証言が物語っている。その場面を山平重樹が書いているので、少し長くなるが引用する。

「後に連合赤軍のリーダーとなる森恒夫と千葉で会ったとき、荒が〈こいつは変わったヤツだなあ〉とつくづく思い、後々まで強く印象に残ったことがあった。森が目の前を流れる江戸川のことを一生懸命調べようとしている様子なので、荒が『この川がどうかしたのか』と訊いたことがあった。森は『いや、こっちには自衛隊の習志野師団があるやろ。オレたちが首都で決起したとき、首都防衛隊として治安出動するのは、この習志野隊になると思うんや。そうなれば、この川を渡る以外ないんやないか。そのときヤツらを阻止するためには、オレたちはこの江戸川でゲリラ戦を展開するしかないやろ』と真顔で答えたから、荒は少なからず驚いた。『えっ、じゃあ、そのためにこの川を調べていたっていうのか⁉』『うん、そうや』『本当にそんなことを考えてるの？』『ここで戦えりゃええんやないか。戦えんもんやろか』『ふーん』荒もさすがに内心で首をひねった。〈普段はおとなしい人なのに、変なこと考えるんだなあ。よっぽど軍事かぶれしてるとしか思えんな〉荒

が思わず〝軍事かぶれ〟と内なる声をあげたのは、当時はまだ、〝オタク族〟という言葉がなかったからで、いまならさしずめ〝軍事オタク〟といってよかったろう」(山平／二〇一一)

二点目に関しては、赤軍派の結成そのものが合法闘争の行き詰まりの果てといえるものであったことから、第二次赤軍派の森にその責任を帰すわけにはいかないであろう。ただ、森の目指す方向が軍事一辺倒になっていたことは、次の坂東国男の供述から理解できる。

「森同志や私(坂東)は、『一兵士から出直し、中央軍に結集せよ！』ということを軸に組織化しようとしたため、青砥、行方、遠山各同志が関西地方委員会のオルグ活動に失敗したようです。また自主的に釜ヶ崎で武闘をやっていこうとした釜ヶ崎地区の同志達からは、中央軍は革命の主力なのだから軽々しく闘って力量を消耗しないように、政治9、軍事1ぐらいでやってほしいといったものであったし、同志八木にしても、もっと森同志が理論活動に力が注げるように外の体制を作っていくべきという意見も寄せたりしていて、何か統一していけないというものではなかったのです。敗北、責任を共有して進むという真に階級的態度が私達赤軍派指導部(獄外の)にあれば止揚していけたことでした」(『統一公判控訴審　連合赤軍総括資料集』一九九二)

三点目の軍部の台頭のきざしは、森恒夫自身が一九七二年十二月二十七日付で坂口に送った手紙の中に見出せる。

「ぼくは蜂起主義を止揚することなく、小蜂起主義になっていったのです。それが1・25集会での特別号(71年攻勢↓72年蜂起、党主義)として反動的なものに転化していった故です。これが12・

18の闘いによって実践的に批判される中で、独立戦闘団による戦役主義→M作戦へ入っていきます。もっともぼくは七〇年からずっと唯軍主義的傾向があり、トータルに党を指導できず、軍に依拠して他を切りすてるように(権力にも追われて)軍の非合法化へ進んだのです。それ故この間には反人民的ギャング的な行為をも含めて待機主義の中での腐朽・矛盾の激化の官僚的抑圧、無政府主義等が内包されたままであり、中途半端な飛躍(M作戦)しか出来なかったのです。もっとも、一面ではこの待機主義をぶち破り、現に追いつめられている権力関係を突破するには、独立戦闘団化しかなかったし、その果たした役割は否定されるべきではありません」(「情況」一九七三年五月特大号)

また、森が指揮したM作戦について、**坂東国男**が福田宏に送った手紙の中には次のように書かれている。

「我々赤軍派が小ブル急進主義派であり小ブル革命戦争派であったからこそ、M作戦しかやれなかったのであり、プロレタリアートを組織することができなかったのである」(「情況」一九七三年五月特大号)

坂東はM作戦のひったくりについて嫌悪感を持っていた。M作戦に懐疑的な坂東は、M作戦を早急にきりあげ、四月殲滅戦に集中するべきと思っていた(坂東/一九九五)。

M作戦を乗り越えていくものとして、軍による殲滅戦を計画した。しかし、4・28沖縄闘争時に大阪で失敗、五月の殲滅戦計画も失敗、六月闘争にむけての資金が必要ということで、五月十五日に小学校教員への給料をひったくるM作戦を実施したのである。その後の六月二十四日の妙蓮寺の横浜銀行襲撃は、銃を使って殲滅戦をやりたいという願望と、新入隊の山崎順、進藤隆三郎の登竜門として実施された(坂東／一九九五)。

再度、坂東国男の供述を引用する。

「一九七一年十月二十一日は中核派の『暴動』などが行われ、他方二十一日から二十二日にかけて、連続的に、黒ヘルによる時限爆弾闘争が行われていました。これに対して、私達は、一方で中核派の暴動路線は大衆の自然成長性に拝跪したもので、殲滅戦という党の目的意識的な革命戦争の観点がないと批判し、他方で、黒ヘルの闘いに対して、敵を確実に殲滅することを回避した無政府的なテロリズムであり、意識的な建軍武装闘争は敵を確実に殲滅する白兵戦闘を行うことによってかちとっていけるとして批判しました。それ故、殲滅戦、それも銃による殲滅戦の組織化が要求されていると総括したのです」(『統一公判控訴審　連合赤軍総括資料集』一九九二)

一方の革命左派の動きはどのようなものであったのか、坂口弘が京浜安保救対宛に送った書簡には次のように書かれており、後に合体することになる赤軍派に同調していった様子が判る。

「『銃を軸とした殲滅戦』は、あきらかに軍事の自然発生性に拝跪したその理論的表現であることは疑う余地のないことですが、これは同時に、組織に於いても自然発生性に拝跪した結果を表していると思います。というのは、党は明らかにその機能を軍事闘争に一元化し、その結果、組織的には軍と党はもはや区別のつけられない融合体として成ってしまったからです。明らかに戦闘団的組織に変わってしまったのです」(一九七二年九月九日付)

「赤軍派も又『殲滅戦』の闘いに突入します。闘いの目標が共通であったこと、そして同時に、この時期には組織的にも双方とも極めて似た組織形態をとります。単一軍事組織です。我々は山岳アジトの集中と同時に、組織も軍→半合法→合法の縦割りの、軍に従属させられた一元的組織形態をとっていました。軍の集中(我々)と分散(赤軍派)の違いはあったが、赤軍派もやはり単一軍事組織路線をとっていたのです」(一九七二年九月十四日付)(「情況」一九七三年五月特大号)

坂口の言う軍の集中とは、雪野建作の証言に端的に表されている。「永田がどんどん山へ連れてくる(呼ぶ)」ことにより合法部門のメンバーまで集結させたことを表す言い方である。

(2)両派の合体およびヘゲモニー争いによる必然

・新たな「内部」の構築「われわれになった」。そもそもは「野合？」が問題だった。

・野合せざるを得なかった状況

・ヘゲモニー争い

両派合体のそもそものきっかけは、獄中の川島豪が獄外指導部(永田、坂口)に、「赤軍派の花園(紀男)君、松平(直彦)君、大久保(文人)君が反米愛国になったからそろそろ新党について考えてみたら」と手紙を送ったことである(『統一公判控訴審　連合赤軍総括資料集』(一九九二、丸カッコ内は筆者補記)。この川島の新党提起に、坂口弘が応え、一九七一年七月六日の森恒夫との会合で森に提案したのである。

革命左派は普通の若者たちの組織で「人民に奉仕する」という程度の倫理的な集団。赤軍派は「世界同時革命」という形而上学を持っていた(「情況」二〇〇八年六月号)。

坂東は、新党結成を唐突な感じがしたと述懐している(坂東／一九九五)。

そもそもは「軍の共闘」ということで合体した両派であり、政治面での統一は最後までなおざりにされていたわけである。

二点目については、赤軍派ではM作戦での逮捕者続出で人員的に不足してしまっていた状況に、森恒夫の求心力のなさ(→山岳ベースの組織に人を寄せることができなかった)を加味する必要がある。

赤軍派は、獄中(＝塩見、高原)、獄外(＝森)ともへゲモニー争いに積極的であった。

革命左派は、獄中(＝川島)のみが「統一赤軍」の名称を「連合赤軍」に変更させるなどへゲモニーをとろうとしていた。獄外(＝永田、坂口)にはその気がなかった。

赤軍派は殲滅戦を企てるが、これは革命左派に先んじてアドバンテージを得ようとしたもの。しかし、たった四人の部隊では、警官一人だけの派出所を攻撃するぐらいの事しかできなかった。それも日和見的、台風で延期したり、第一、部隊の戦士たちも善良な田舎の一警官を殺害することには抵抗があった。

そもそも赤軍派は牧歌的な雰囲気が、革命左派にはサークル的、あるいはアットホーム的な雰囲気があったはずである。

革命左派が合体以前に、二名を粛清しているが、これも赤軍派の森の「処刑すべきだ」という大見えがひきがねとなった。

ところが、革命左派の処刑を聞いた森恒夫の様子を、坂東国男は「暗い顔をして黙ってしまった」（坂東／一九九五）と回顧している。二人目の処刑を坂東から聞いたときも、森は坂東に「え、またやったんか！　もはやあいつらは革命家じゃないよ！　頭がおかしくなったんじゃないか！」と言いながら、暗い顔でじっと下を向いていた（坂東／一九九五）。

革命左派を「オルグ」するとの認識を持っていた森恒夫、ヘゲモニーを得るための先制攻撃が「水筒問題」（坂東は、このやり方があまりにも汚く思えたと述懐している〔坂東／一九九五〕）。

それに対して永田洋子が遠山美枝子を批判する切り返し（反撃）。

「ブルジョア的な指輪をしている」から始まったこの批判を赤軍派のメンバーは誰も理解し得なかった。青砥幹夫の証言によると「（森も）びっくりしていましたよ。何が問題なのか全然分からないと言っていました。山田さんに至っては頭がコンクリートのようになってしまったと言っていました。とにかく、何を言っているのかよく分からないけれども、革命戦士の資質を高めるためには何をしなければいけないのか、ということを言っているんだろうなということぐらいは分かった。それはそれで、弱い面があれば、われわれも批判を聞いておこうと」（「情況」二〇〇八年六月号）

永田らの遠山批判に対して森は、赤軍派全体に対する批判でもあると受け容れ、これが「共産主義化」の端緒になる。向山・早岐の処刑を重視した（に引け目を感じた）（革命左派に主導権を取られてしまったと感じた）森は、「総括できないまま山を降りるものは殺す」と言明する。「山をおりるものは処刑することを確認している」とここでも赤軍派の見えを張るのである（坂東／一九九五）。以後、「革命戦士の共産主義化」が赤軍派（＝森）ヘゲモニー下の（による）新党建設の中心に位置づけられた。

ヘゲモニーに関しては、森が吉野に出した手紙の中で、森は「ぼくも彼女（永田）も（無自覚的であれ）政治指導上のヘゲモニーを相互依存関係で防衛していった」（「情況」一九七三年五月特大号）と、自分（森）の独裁ではなかったと弁明している。

（3）独善（ひとりよがり）、主観に走ってしまった必然

「（革命に）多少の犠牲はやむを得ない」とは一九七一年十二月二十四日の新宿・四谷署追分交番爆破事件の際、現場付近で犯人の一味（？）の女が連れの若い男に話しかけていたとされることばである。革命左派の猟銃強奪事件、攻撃対象としたのは市井の民間人の店。赤軍派のM作戦、度胸試しと称して給料のひったくりとか。「人民」のための革命ではないのか。

連合赤軍の過ちは、自分を客観視することができなかったところにその原因がある。足立正生は、日本赤軍が連合赤軍と決定的に違うのは、「パレスチナ人と一緒にやっているから開かれていて、自分を客観視することが出来る点だけだ」と言っている（「情況」二〇〇八年六月号）。

悲しきかな、連合赤軍は「人民」を見失っていた。この点は、坂東国男も痛感しており、次のよ

うに書いている。

「『党が革命のあけぼのを切り開いていく、人民はそれを支え、導かれていく』のではなく、人民自身が闘い、勝利を切り開いていく、そのため、人民が勝つように、日夜考え、援助していくのが党であり、党と人民の位置を転倒させなければいけないと思いました。これは、赤軍派や自分に、人民、同志を全て奉仕させるという過去の党中心主義、自分中心主義の克服としてなされるべきことだと思いました」(『統一公判控訴審　連合赤軍総括資料集』一九九二)

関連づけて赤軍派の西浦隆男の証言を引用する。

「若宮正則氏が言っていた(高幣／二〇〇一)ように、『大衆の政治、思想、運動、組織等々の外部に、それとは無関係な形で組織された革命軍は、半年か一年後に必ず自己崩壊していきます。連赤もそのような形で組織された革命軍だったので、組織されると同時に自己崩壊し、自己崩壊の一つの現象としてリンチ事件を引き起こしてしまったのです』という指摘は、少なくとも塩見氏の主張よりは真実に近いのではないかと思う。路線の誤りを総括することなしに、森・永田の責任だけあげつらうことは、本当の意味での総括とはならないと思う」(西浦／二〇〇八)

革命のためなら強奪や処刑も許されるとの発想は、カルロス・マリゲーラが著した『都市ゲリラ教程』という本に書かれている「典型としての銀行襲撃」「スパイ、密告者への処刑」(三一書房発行、日本・キューバ文化交流研究所編訳／「全調査・赤軍事件の真相」一九七二)が根拠の一つとなったのであろう。

この点に関連して坂口弘が確かめたところによると、「レーニンがロシア第一次革命前後に、資金徴発闘争を認めていたということから一部の赤軍派メンバーはM作戦を正当化した。しかし、これは誤解であろう。『レーニン全集』の多くの巻に目を通したが、そうした記述は全く目にしなかった(坂口『あさま山荘1972(上)』一九九五)とのことである。

『毛沢東語録』の二十六、規律にも三大規律の「(二)大衆のものは針一本、糸一すじもとらない」とある。

結果、人民の支持を失い、よもや革命家にはあるまじく、紛(まご)うことなき犯罪者に自らを堕落させてしまったのである。

(4)極寒の山での閉鎖社会における男女の若者の集団生活の結末となる必然
連合赤軍事件は、外部と遮断された閉鎖的な「内部問題」であった。この点は、事件発覚直後、すなわち筆者が中学一年生だった頃に気づいていた。

その後、筆者は生物学を志し、大学は生物学を選び、卒業後は高校で主に生物学を教えていた理科教員であった。我田引水と思われるかもしれないが、そのような経緯から、連合赤軍事件を「生物学的実験」と見なしたら、被験生物種は、ヒト=ホモ・サピエンスの若い男女の集団(個体群)。実験結果は、半数近くの個体が死んでしまったということである。こういった穿った見方(観点)をも持っている。

「内部と外部」これは、この事件を考察するための一つの鍵になるかなと考えた。つまり、「内部」は閉鎖空間＝山岳アジトに集結していた当事者、「外部」は、彼らの言うところの人民、敵＝(国家)権力。獄中者は、その中間に位置づけられるか、あるいは「内部」のさらに内側に位置づけるのが妥当か。物理的にみても、外部とは、完全に遮断されているのが獄中なのだから、後者の方が正しいか。

森恒夫は典型的な「内弁慶」、永田洋子は外面の良さと内面のギャップの大きさを感じさせる。

極寒の山中が惨劇の舞台になった。最初の榛名ベースの標高は一一〇〇メートル、夜は氷点下十五度から二十度ぐらいまで下がるところ。昼間でも薄気味悪いジャングル。クマも出るところ(群馬県警幹部のA氏、「週刊サンケイ」一九七二年三月三十一日号)とのことであった。

「およそ暗闇は人間の活動にとってふさわしくないのであろう。その中ではとかく心理状態が狂わされてしまうのかもしれない」かつて、私自身のビバーク体験でそんな思いを抱いたことがある。現に、「明るさが戻ってくると、昨日のパニック状態がウソのように、全員落ち着きを取り戻していた」(三木／二〇〇四)

この考えは、私の主観に過ぎないのかと思ったりもしたが、そうでもないことが判った。

総括死が明るみに出てマスメディアを賑わせていたころに現地を訪問した滝川洋の書いた文章に出くわした。引用してみる。

「(一九七二年)三月二十日　沼田市の迦葉山アジトを見学。現場を見て、やはり〝なるほど〟とうなずけた。車を降りてからせまい林道を二時間近くかけて歩き、雪解け水の沢を何回も越え、沢に足を踏みはずしたりしてやっとたどりついた。林道から山のゆるい斜面にはいった杉林。まだ雪が六〇センチぐらい積もり、谷あいで午後四時過ぎにはもう暗くなり始めた。冬はまったく人の往来もないし、音といえば沢の流れがかすかに聞こえるだけ。日中でも太陽の光はほとんどさし込まない。冬という季節、音と光のない夜。自然環境のこの〝暗鬱さ〟抜きには、あのリンチ事件は考えられない感じ、人間といえば仲間だけ。アジトの小集団に閉じ込められたエネルギーと情念。アジト内の人間関係だけが唯一のもので、全エネルギーは仲間同士に向けられた。どうもうまく書けないが、あの雪深い冬の山岳アジトを見ると、リンチ事件にいたる一種の名状し難い雰囲気がわかる。いままで何かわからなかったところが『わかった』という感じだ」(滝川／一九七六)

満たされない食欲、それに伴う栄養不足といった原因も考えられるだろう。「追い詰められて、飯もろくに食えないような極限状態になれば、人間関係がぎすぎすし、あのチェ・ゲバラでさえも同士に対する殺意のような気持ちを覚えてしまったということをゲバラが日記の中に書いている」(白井聡／連合赤軍事件の全体像を残す会／二〇一八)という。

結果として、連合赤軍にとって「山」は魔界となってしまった。森恒夫は山への希望を持っていたようだ。坂東国男の証言を引用する。

「(森は)山岳へいくことがずいぶん嬉しそうで、遠足前の小学生のようにはしゃいでいた」これに対して、坂東は山岳をベースにすることへの疑義を感じていた(坂東／一九九五)という。

青砥幹夫が鳥取の福田宏に出した手紙に「山に於いて決定的に解体されていた」とのくだりがある。福田が森に、その部分を抜粋した手紙を送ったところ、森は塩見宛の手紙(一九七二年十二月三十一日付)の中に「その通りだと思います」と書いている。青砥の言葉を、森は「ぼくへの深い批判」と捉えた(査証編集委員会編/一九七三)ようだ。

「男女」集団であった点も見落とせない。これが、仮に男だけ(女だけ)の集団であったなら、このような結果になっていたであろうかと考える。男だけ、女だけの集団であったならば淡泊な関係であったに違いない。男も女も異性の前では格好をつけるものである。生物学的には自明の理である。森を筆頭に見えを張ったりもするであろう。男女間の恋愛感情も当然生じていたであろう。具体的には植垣の大槻への思いはそのことを証明してくれている。肉体関係に発展することも当然の成り行きであろう。連合赤軍が「男女の若者」集団であったこと、この点は事件の大きな要因と見なせる。

(5)究極の「共産主義化」による必然

吉野雅邦が、収監されている千葉刑務所で、事件に対する省察を深める目的で両親あてに書き綴ってきた事件の記憶の文章を引用させてもらう。

「森恒夫は、かつて内ゲバから敵前逃亡したことを後ろめたく思っていて、それを自分の臆病さと考えていました。だからこそ榛名ベースでそうした自分の弱さと戦って暴力的総括要求、『処刑』に率先してたずさわったのです。私はそんな彼を、『自分との戦いをごまかさずに追求している凄い人』と、永田さんより数段指導力のある人として崇拝に近い感情を抱き続けていました。そして自分も自己の弱さと戦って、暴力行使や処刑行為を率先して行わなくてはならないと考え、その総括要求をされた者との戦いを通じて『殲滅戦を戦いうる革命戦士』に自己変革できると考えていました。いま思えば、森恒夫があの暴力的総括要求を『日和見主義や敗北主義との戦いによる主体の飛躍』、それによるメンバーの死を『主体の飛躍に失敗した敗北者の死』と理論づけることがなかったら、いくら永田さんが感情丸出しでメンバーを摘発したとしても、あのように死者が続出するようなことにはならなかったと思います」

「森君本人も、自分の中の暴力回避の日和見性を払拭し切らんとする内的志向があって、あれほど苛烈に自らを駆り立て、論理で自らを縛り、袋小路にのめり込んでいったのだと僕には思えます。森下部メンバーは勿論、森君にも決して総括の被対象者への憎悪や敵愾心は無かったと思います。森君は実に的確に、問題視した者の心理を『見抜き』、批判の矢を浴びせ、暴力をエスカレートさせていきました。それは、彼が、その人間の内に、自らの姿を投影して見ていたためで、彼が鉄拳を加える時、森君自身の内なる日和見性に鉄拳を下し、消し去ろうとしていたのだと思います。森君にとって『十二名との闘い』とは即ち、『内なる十二名との闘い』を彼自身闘っているつもりだったろうと思います。優柔不断で、実行力が無く、小心だった過去の自分に『死刑』を言い渡し、変革しようとする意思が、あの果断なる『指導』や『実践』となったのだろうと思うのです。彼の東京拘置所での自死は、彼にとってはその延長戦上での最終的決戦で、彼は薄らぐ意識の中に、『俺は死の恐怖に勝った、自分の中の醜さや弱さ、臆病さに訣別したぞ、自己処刑の闘争をやり切ったぞ』そんな満足感を初めて得たのではないかと思います」(大泉『あさま山荘銃撃戦の深層(下)』二〇一二)

リーダー森恒夫は、弱みを見せられない、後戻りはできない、強がるしかできなかった。そんな森のためらいは随所に見られた。サブリーダー永田洋子は、森に依存してしまう。

森の鉄拳制裁の遠因は、大菩薩峠での一斉逮捕(参加者に警戒心が欠けていたため、事前に警察に察知されてしまったがため)という大失敗を経験していたからではないのだろうか。ゆえに、完璧な(警察に察知されるような言動を決して見せることのない)兵士を作り上げなければならないとの使命感を持っていたのではと考えられたりもするのである。そのための鉄の規律といったものが森自身の頭の中には構築されていたのであろう。大菩薩峠事件当時、森は、自身の敵前逃亡に端を発して、組織を離れていたので、逮捕されたわけでもないし、もちろん指導者でもなかったのだが、おなじ轍(わだち)を二度と踏まないとの教訓を得ていたのであろう。7・6での逃亡という森の負い目(トラウマ)、迷った時は左へ……より左に路線を自らに課していたようだ。この点については森自身は触れていないが、これは、当時の指導者・塩見に対する遠慮ゆえか。因みに、アジトの移動の際に見せる森の警戒心は人一倍だったとか、金廣志が証言している。

「森さんは逮捕状が出ていなくても、自分が逮捕されたら赤軍派が立ち行かなくなるから、警戒心は非常に強かったし、うわついた行動はとらなかった」(連合赤軍事件の全体像を残す会二〇一四年十一月十五日例会の未発表記録)

森は、一人で赤軍派を担っていかなければならぬ状況に追い込まれた。一度組織を抜け、一兵卒として再び復帰してきた行きがかり(負い目)があり、その使命から逃れることのできない状況に自らを追い込んだ。

・まっとうでなかった「共産主義化」

「共産主義化」の根源は、塩見孝也の文章に見出せる。塩見の書いた「主体の共産主義化」、それを森が変調した(清水／二〇〇八)。「革命戦士の資質」を問題にし(『統一公判控訴審　連合赤軍総括資料集』一九九二)、共産主義化抜きに殲滅戦は闘い得ないとの考えに至った。

森は、革命戦争の原動力を犠牲(死)を恐れない精神力に求めた。精神主義的な理論(『統一公判控訴審　連合赤軍総括資料集』一九九二)を作出し、非人間的な〝命がけの総括〟を要求していくことになった。それは、肉体的な暴行、食事を与えない、寒気にさらす、大小便のたれ流し……(森／一九八四)といった非人間的な処理がなされていくに至った。

当時、獄中にいた革命左派の川島豪や渡辺正則は、メンバーをことごとく寄せ集めた結果の「水ぶくれ軍団」だったと連合赤軍を蔑視した。革命左派側の雪野建作は、「永田が(合法部門のメンバーまでも)どんどん山へ連れてくる」と指摘しており、赤軍派側では植垣康博が、新倉ベースの尾根に張られていたテントから、「バロン、久しぶりね」と出てきた遠山美枝子を見て、「一体軍に入ってやってゆけるのだろうかと不安を覚えた」と回顧している。遠山は合法部門の救援対策が専門だったはずで、「山の様子を見てくる」程度の意識で来たのに過ぎなかったのではなかっただろうか。このような寄せ集め軍団は、精鋭部隊と呼ぶには程遠いものだった。そこで、革命戦士化＝共産主義化の必要性が出てくる。脱走のおそれのあるメンバーも含まれていた。脱走者が出ればアジトの発覚につながることから、森による防止措置が講じられた。それが、「総括」での緊縛、髪切りといった行為に及んだ。加藤倫教も「『総括』の際に、（森と永田の）ふたりの指導者は『逃げようとしただろう』と必ず問いかけていた」と証言しており、「逃げ出そうというひとが一杯いる組織とは何なのか。逃げるということは、命をかけてでもやろうと思ってはいないということ。革命が必要だなんて考えてないということです」と回想している（朝山／二〇一二）。

党派間のズレを見出した森は、革命左派の自然発生的な共産主義化を目的意識的な共産主義化へ（『統一公判控訴審　連合赤軍総括資料集』一九九二）変えていく必要を感じた。こうして、両派の路線（の違いの）問題の解決よりも、共産主義化の闘いを優先した。路線問題を追求すれば新党結成はご破算になることは明らかだったので、あいまいにしたまま、とにかく前へ進めたのである（『統一公判控訴審　連合赤軍総括資料集』一九九二）。

戸惑ったときには左へ行く。もはや引き返せない状況。後退は考えていなかった。悲しいかな突き進んでしまった連中、それが「連合赤軍」だった。とりわけ指導部、特にリーダー森にその傾向が強すぎた。翻って被指導部の連中は突き進むことに疑義を感じ、立ち止まっている。その分、客観的に見ることができていたようだ。突き進むことのみに追い込まれ、戻るに戻れない状況を作り上げてしまったリーダー森の指導、そこに原因を見出した。

・森のはったり
永田が森に、「どうなったら総括できたことになるのか」と聞いた。森は、「目が生き生きとし、言動がきびきびして明るい感じになる」と答えた(『統一公判控訴審　連合赤軍総括資料集』一九九二)。

客観的な基準のない総括要求は泥沼化を招く。場当たり的で試行錯誤的な総括となった。気絶させて意識が戻ったときに共産主義化された革命戦士になれるといった森の理論提起に、メンバーは総括の支援とばかりに、加藤を殴打し続けたが、加藤は気絶しなかった。ならば、腹部を殴打すれば気絶させることができるとの考えで、進藤の腹部を殴打した結果、進藤を殺してしまうことになった。進藤の死後、腹部を殴ることはなくなった。進藤への腹部への集中的殴打が死亡に至らしめることになることを「予見」できなかった(『統一公判控訴審　連合赤軍総括資料集』一九九二)。悲しいかな、指導者森はそこまでの経験を有していなかったのである。虚栄心を張る性格柄「わからない」と言えなかったのである。

(6)指導者の力量不足による必然

森恒夫は「おやじさん」と仲間内では呼ばれていたようだが、第一印象、すなわち指名手配の写真とはほど遠い。そんなに太っ腹な男ではない気がする。そのあたりは、塩見や田宮とは違うと思える。

永田洋子は、あくまで「サブ」に過ぎない。ただ、首謀者森を扇動していたことは間違いない。「首謀者森←扇動者永田」の図式が成り立つ。

指導部と非指導部の年齢差、この年代の四、五歳の年齢差というのは、相当に大きなものだと、筆者自身の学生時代の部活動(バスケットボール部)の経験からも実感できる。

事件当時、森と永田と山田が二十七歳、(坂口と坂東が二十五歳、寺岡と吉野が二十三歳)、植垣が二十三歳になったところ、青砥が二十二歳、加藤倫教に至っては十九歳だったのだから、植垣康博がテレビ番組の中で言っていたように「ずっと年が上の人と論争なんて出来なかった」というのは真実であろう。加藤倫教も「思考放棄した。指導者の言うことを聞けば……難しいことは指導者任せ」と言っている。死の総括にかけられ、あるいは荷担させられた兵士たちは、まっとうでなかった指導者に、まっとうな思考回路を破壊されてしまっていたと言えるだろう。

作家の加賀乙彦は、森と永田の精神構造を分析し、森は「敏感性格」、永田は「無情性格」(情性欠如)であったと語っている。つまり、ひとつの観念に対して狂信的になりやすい森と、他人に対する同情心がまったく欠如している永田の偶然のコンビが、粛清という裁判を執行したという見解である（「週刊読売」一九七二年四月五日臨時増刊号）。森、まっとうでなかった指導者。被指導者の方がまっとうであった（客観的な見方ができていた）。永田に至っては言わずもがな、あさま山荘での指導者坂口、（坂東）しかり。吉野、加藤倫教の考え方の方がまっとうであった。それゆえ、間違った方向へ進んでいってしまった。（途中で）引き返す「勇気ある撤退」ができなかった。

森、永田は行き詰まって（追い詰められて）いた。その後の坂口も。むしろ兵士クラスのほうが余裕を持っていて客観的に考えることができていた。

多くのメンバーが証言しているように、森恒夫は根本的には誠実で良識ある人間であったはず。「仏様」的に遺体を家族に早く返すべきと言明したりしている。剣道という武道に打ち込み日本人的な感覚、愛国心の持ち主、もっと言えば、精神論を持ち込むなど右翼的な傾向まで見られるのである。結局のところ、「山」での「共産主義化」の方向では、あらゆる「良識」がないがしろに（否定）されてしまったのか。

事件の一年前の一九七〇年十一月に母親を亡くしたことは、「母親っ子」だったという森にどの程度の影響をもたらせたものだろうか。

（7）「死」に対する感覚の鈍磨（村上／一九七九）が招いた必然

「殺すか、殺されるか」のイデオロギーに至った彼らは、「いつ死んでもいい」と死を覚悟していた。来るべき殲滅戦で死ぬであろうことを覚悟した命懸けの活動であった。「死ぬまでやってみろ」とか「死ぬ気になってやってみろ」とかハッパをかける場合、本当に死んでしまう手前の限度を内包している。死んで（死なせて）しまってはならないのである。

小嶋の死後、山田は森に「死は平凡なものだ。死を突き付けても革命戦士になれない。考えて欲しい」と言う（訴える）。それに対し森は「死は革命戦士にとって避けて通ることの出来ない問題だ。精神と肉体の高次な結合が勝ちとれていれば、死ぬことはない」と答える。

「死」の臨界（限界点）を判っていなかったことで、同志をみすみす死に至らしめてしまったわけである。

・「敗北死」のでっち上げ

森恒夫は、最初の死者となった尾崎充男の死に対して「敗北死」という規定をでっち上げた。森の精神主義故に「総括する気力さえあれば総括することができ、死亡することがなかった」（『統一公判控訴審　連合赤軍総括資料集』一九九二）と仲間に説明したのである。

青砥幹夫は、「森さんも総括を要求したし、死なせましたが、これをどのように理解すればいいのか自分でも分からなかったと思います。分からなければ、引けばいいのに、人間を殺しているからなかなか引けない。そこでもう一歩進めてしまったのかもしれない。収拾のしようがなくなっていたのでしょう」「『総括を要求して援助したのだけども、その援助に応えられずに敗北して死んだ』という論理があった。それにすがりつく面もありましたが、そんなの嘘だとみんな思っていた。でも、それ以外の論理が立てようがないから、それにすがりついていくということがあった。では、逃げればいいだろうと思われるかもしれないけど、そんなわけにはなかなかいかない。身近な人を殺しているわけだから、簡単に逃げられるものではない。僕もそうですけど、みんな自分が殺したんだと思っている」(以上「情況」二〇〇八年六月号)、「森のほかにブントの指導部が赤軍派にいなかったことが致命的だった。山田さんはその一角ではあったけれども、すでに凝り固まった状態の時に入ってきたからね。彼はそこからもう少しまともに戻そうと努力はしたと思うし、もしできるんだとしたら、新党結成みたいな形で凝り固まるんじゃなくて、一回別れて一回町に戻って、もう一度山田が中心となって理論を作り直すというか現状分析をし直すということができれば、山田さんの意見が反映したと思う」(連合赤軍事件の全体像を残す会二〇一四年十一月十五日例会の未発表記録)と証言している。

尾崎に始まり、進藤、小嶋、加藤能敬、遠山、行方までは、「死んでしまった」のである。ところが、寺岡、山崎に対しては「死刑」を宣告し、「殺してしまった」のである。「死」に対する感覚が鈍磨してしまった現れであろう。人は簡単に死んでしまう場合と、人を簡単には殺せない場合を彼らは知ることになった。

前者は、尾崎充男が最初の死者となった際に、全くの想定外の「死」に対して、森を始めとし、誰もがそう感じたであろう。後者に関しては、二〇〇七年十二月十五日にテアトル新宿で開かれた

「『実録・連合赤軍　あさま山荘への道程』公開決定記念／若松孝二・レトロスペクティブ・オールナイト」でのトークで、対立を深めていた塩見孝也の発言に立腹した植垣が、「人を殺して初めてわかる世界もあるんだ」と放言した（「実録・連合赤軍」編集委員会＋掛川正幸／二〇一〇）ことがあった。それは紛れもなく真理であったわけである。

寺岡、山崎の「死刑」の執行があまりにも困難であったことは、森が山崎をナイフで刺した際に、「心臓が逃げる」などといった言葉を発している（森／一九八四）ことからも窺える。「生命力」にあふれる若者を刃物で殺すことは、彼らの想像をはるかに超えた難しさであった。早く楽にしてやろうとの思いから、挙げ句の果ては、ロープを山崎の首に巻き、左右から数人がかりで引っ張ってようやく絶命させることができた。

殺人に手を染めてしまった彼らは、人を殺すことへのためらいを超越してしまった。

・ためらいの払拭

「殺すか、殺されるか」、すでに殺人に手を染めすっかり戦士と化していた彼らは、銃の照準を合わせ、引き金を引くことのためらいを超越（払拭）していた。あさま山荘で田中保彦さんに対して引き金を引く瞬間の心持ちを坂口弘はこう書いている。

「ある瞬間、男（田中）の首筋にピタッと照準が決まった。そのまま数秒、さらに十数秒経った。が、私は、引き金を引けなかった。畜生！　と思い、山岳ベースで山崎順君の胸をアイスピックで突き刺した場面を想起して、自分を〝鼓舞〟した。今度は呼吸を止めて、ジッと指先に神経を集中した。そして引き金を引いた」(坂口／一九九六)

十数秒のためらいはあったものの、すでに戦士化されていたのである。

翻って合体し山岳ベースに終結する前は、「殺すこと」へのためらい、動揺が多大にあったと思われる。一九七一年九月十一日、福島県白河市郊外の小田川駐在所を襲撃し、警官を殺して拳銃を奪う実行日の植垣康博の様子を坂東国男は次のように証言している。

「目的地に近づくにつれて車の中の同志達の緊張感も高くなり、植垣同志は途中で鉢巻きを締め、膝の一点を見つめて何か念じているようでした」(『統一公判控訴審　連合赤軍総括資料集』一九九二)

ところが、駐在所に警官はおらず、拍子抜けし極度の緊張感から解放された四人は、ベースに戻る途中、「運転の練習をさせてくれ」とハンドルを握った坂東が、羽鳥湖沿いの道路で車を湖側の急斜面に落としてしまう。命からがら車から抜け出した四人が全員の無事を知ると、「よく湖に落ちなかったなあ」と、腹を抱えて笑い合うという結末となった。ベースで報告を受けた森も、難しい顔を変えなかったものの苦笑していた(植垣／二〇一四)という。

(8)幻想と現実の隔たりによる必然

当時中学一年生だった筆者は、連合赤軍を筆頭とする当時の新左翼各派の目的が「革命」であるということに、「この日本で革命なんてできるの？」という疑念の気持ちしか持ちえなかった。「革命」など幻想的なものとしか考えられなかった。私のまわりの級友たちも同感だったと思う。日常の勉強と部活動で精一杯の中学生が政治のことを知っているはずがない。そんな当たり前の中学生は、「新聞はウソを書かない」と新聞記事の無謬（絶対）性を盲信していたほどである。

当時のマスコミの論調は、過激派に対してことさらに手厳しかったようで、人びとは、過激派のメンバーをつい犯罪者として捉えてしまうきらいがあった。警視庁土田警務部長の自宅に爆発物が送られて土田夫人が爆死するといった事件に象徴されるかと思う。土田警務部長の「君らは卑怯だ」の一言を伝えた新聞記事は中学一年生の私の胸をも打った。過激派に「正義」を感じられるはずはなかった。

ところが、私よりも十歳前後年上の、新左翼に所属している「優秀な」大学生もしくは卒業生、あるいは中退生は、当時の日本のあり方に憤懣やるかたないと、その現状を変革すべく、本業の勉強はそっちのけで、ひたすら運動に明け暮れていたのである。

五十年後の今、考えてみるに、彼らはやはり「優秀」だったのだと思う。しかも若者特有の一途さにも溢れていた。惜しむらくは革命という幻想と現実のあまりにも大きな隔たりに気づいていなかった。あるいは、気づいていたとしても現実化できると信じていたのかもしれない。優秀で、純粋で、正義感に燃えていた人たちだったと思えるのである。彼らほどではない、あるいは彼らよりもっと優秀だった人たちは、途中で気づき運動から身を引いた。思い込んだらまっしぐら、最も純粋で正直な人たちは、退路につかず、そのまま突き進んだ。仕切り直すことができないところまで追い込まれていた（自らを追い込んでいた）。夢見ていたのは殲滅戦のみだった。それが正夢となる前に悪夢となってしまった。

青砥幹夫は「山で解体した」と言った。**森恒夫**にとって「山」は魔界であった。いつの間にやら、**魔女永田洋子**に魔法をかけられて魔王と化してしまった。逮捕され、一人にされ、その魔法はすぐに解けた。

コラム13▼連合赤軍事件の全体像を残す会に参加して

二〇一九年九月半ば、インターネットで、たまたま「連合赤軍事件の全体像を残す会」（この会の存在はその年の六月一日にＮＨＫ・Ｅテレで放映されたテレビ番組「ＥＴＶ特集『連合赤軍　終わりなき旅』」ですでに知ってはいた）のＨＰを見つけ、問い合わせ内容の欄に、「著述業の者です。二〇二二年の刊行を目標に連合赤軍事件を個人的にまとめているところです。当事者（青砥幹夫さん、加藤倫教さん）の証言が聞きたいのですが、機会はありませんか？　植垣康博さんにはスナックバロンでお話をうかがうことが出来ています」「先ほど送信した者です。植垣康博さんには一度お会いしてお話をうかがったことがあると記入しましたが、もう一度お会いしてお聞きしたいことがあります。機会はないでしょうか？」と書き込み二回送信した。

その日のうちに雪野建作氏から返信がきたことで、同氏とのメール交換が始まった。雪野氏には「革命左派（京浜安保共闘）のメンバー（故永田洋子、坂口弘死刑囚、故寺岡恒一氏、吉野雅邦服役囚など）に関することは、やはり貴殿にお聞きしておかなければならないですね。上京の機会が得られましたら、連絡いたします。ぜひ、取材にご協力いただければと送信させていただきました」とのメールを送信した。その後、全体像を残す会が『証言』という会誌を公刊していることを教わり、早速注文した。

上京は、十一月十七日の同会の例会開催日に合わせた。高田馬場で開催される例会にオブザーバーとして参加させてもらった。例会には植垣氏も来られ、七年振りに再会することが出来た。

さらに、十一月三十日～十二月一日の一泊二日の「初期野営地等遍歴の旅」にも参加させてもらった。初日は革命左派の小袖ベース跡地を訪れ、赤軍派縁の大菩薩峠の福ちゃん荘に宿泊、二日目は向山茂徳氏の殺害現場となった小平市のアパート回田（めぐりた）荘を訪ねるといった旅であった。

現地を自分の足で踏み、小袖ベース跡地では銃の実射訓練をした鍾乳洞がそのまま残っていたりして当時の生活の様子が彷彿させられ、福ちゃん荘では「兵どもが夢の跡」といった感慨にふけり、回田荘では真夏の夜の悪夢的な想像が掻き立てられる貴重な、体感的な旅となった。

十一月十七日の例会後の居酒屋での懇親会にも参加させてもらった。その際、植垣康博氏から、いくつかの興味深い話をお聞きすることが出来た。二つを紹介したい。

まず一つ目は、妙義山からの山越えの状況である。夜間の雪中行軍であったのだが、懐中電灯はなかったとのこと。ヘッドライトも付けていなかったとのこと。理由は、灯りが漏れて居場所を察知されてしまうことを防ぐためであった。

それでは、雪明かりが頼りだったのであろうか、あるいは月明かり？ 興味を引かれたので、当時の月齢と天気をネットで調べてみた。一九七二年二月の月齢は十五日が〇・一で新月、彼らが山越えした十六日が一・一で繊月、十七日が二・一で三日月、十八日が三・一であった。

ということは、晴れていたとしても月明かりはほとんどなかったわけだ。因みに天気はどうだったのか、気象庁の過去の気象データ検索で調べた軽井沢の当時の天気を記す。十六日は曇り（夜時々雪）で気温は氷点下五・七〜四・三度、十七日は曇り時々雪で氷点下二・二〜五・六度、十八日は曇りで氷点下四・一〜四・八度（いずれも最低気温〜最高気温）であった。ネットの重宝さを感じた。

また、植垣氏自身が書いた本（植垣／二〇一四）に、裏付けとなる記述が二箇所見出せたので引用する。

「雪が深いため、尾根が少しでもゆるやかになると、たちまち道がわからなくなった。磁石を持っていたものの、夜のため、磁石では大方向（ママ）をつかむことができなかったからである。ただ、星が出ていたので、北極星などを目印にして進むことができた」

地学部経験者の植垣氏の真骨頂が発揮されたようである。

もう一箇所は二月十八日夕方、「西の空には鎌のような三日月がかかっていた」

この山越えは夜間行軍であったがために、明るい時間帯なら谷底まで見えて足がすくんでしまう断崖絶壁を恐怖心を感じずに乗り切ることができたとの見方もできる。

二つ目は、あさま山荘で人質をとったことについて、植垣氏は「むしろ邪魔だった。追い出すべきであった」との見解を語った。これは、吉野、加藤倫教の主張と同じである。

もし人質がいなかったらどうなっていたのだろう？　それこそが、彼らの望んでいた、殺すか殺されるかの殲滅戦になったであろう。最悪の場合五人とも射殺されていたことであろう。

おわりに

ようやく一通り書き上げることができた。文献資料の読み込みを含めると三年間、二千時間近くは費やしただろうか。ノンフィクションにこだわることで実に大変な作業を自らに課したものだと思う。

新聞報道、警察記録、当事者の証言、それぞれが微妙に異なる場合が多く、落としどころに苦慮したものだ。最後まで落とすことが出来ず二つの異なる記録を並記した箇所もある。また、当事者の供述書もかなり引用させてもらったが、それらには裁判を意識して、量刑の軽減を企てた記述も多少は含まれていることだろう。そのあたりを考慮して読まれることを願う次第である。

筆者としては、引用文献の採否は、十分精選したつもりであるが、採用したものすべてが百パーセント紛れもない真実であることはないであろう。証言者の記憶の薄れやあいまいさ、思い違いなども含まれていることであろう。つくづく、今回の私の試みが無理難題に近かったことを思わざるを得ない。世に出すからにはと、意気込んで完璧なものを目指したが、多くの間違いが残ったままになっているかもしれない。

筆者としては、ここまでが精一杯だったと弁解するしかない。一つの試みとして提出したものであるがゆえ、本書を一つのたたき台として、今後さらに完璧な記録・報告書が出来上がることを望む気持ちである。読者諸賢からのご指摘を待ち、私にその機会が与えられるようなら、改訂を目指すつもりである。

最後に、私自身の学生運動に関するエピソードを一つ紹介しておく。

私は一年の浪人を経て、一九七八年に大学（九州大学）に入学することができ、大学の寮（田島寮）に入寮した。個室の寮で、斜め向かいの部屋の小泉さんという先輩が、第四インターに所属しており三里塚闘争に参加されていた。だから、滅多に部屋にはおられなかったが、たまに帰寮された折に、私の部屋をノックし、部屋の床に座り込まれ、「君も一緒に闘わないか！」と熱く語られオルグされたことが二度ほどあった。

私としては、過激派に並々ならぬ関心を持っていた私を心配した親から、学生運動にだけは関わることがないよう強く言われていたし、何より入部したバスケットボール部の活動が思いのほか本格的で時間を費やされるものであったため、「今、部活動が忙しく、とても余裕がないから」と体よくお断りしたわけである。よって、結果的に親の言いつけを守り、学生運動に加担することはなかった。何より、私が過ごした大学時代は、ヘルメット学生はいたものの、学生運動がすっかり下火になっており、「歌って踊って」の平和な時代になっていたのである。

さて、獄中で自死した森恒夫、獄中で病死した永田洋子を除いた生存者は、三人を除いてすでに娑婆に復帰している。除いた三人は、無期懲役の判決を受け、いまだ千葉刑務所に収監されている吉野雅邦、死刑判決を受け、東京拘置所に収監されている坂口弘、それと、超法規的措置で釈放され、国際手配中の坂東国男の三人である。すべて、あさま山荘に籠城した三人である。

吉野はもはや終身刑なのであろうか。確かに七十歳をとうに過ぎた老体に社会復帰は難題かもしれない。このまま刑務所で賄いを受け続ける方が楽なのかもしれない。吉野の両親は他界されたとのことである(雪野建作氏私信)。

また、坂口は、共犯の坂東が逮捕され、刑が確定しない限りは、死刑の執行を免れている実情である。連合赤軍事件は未だに未解決なのである。

いたましい事件のエンディング、植垣康博が意外に感じたという(植垣/二〇一四)森恒夫が好きだった「希望」(藤田敏雄作詞、いずみたく作曲、フォーセインツ/岸洋子歌唱)を鎮魂歌(レクイエム)として歌詞を収録する(丸カッコ内は岸洋子歌唱の歌詞)。

希望という名の　あなたをたずねて　遠い国へと　また汽車にのる　あなたは昔の

私の思い出　ふるさとの夢　はじめての恋　けれど私が　おとなになった日に

だまってどこかへ　立ち去ったあなた　いつかあなたに　またあうまでは　私の旅は　終わりのない旅

希望という名の　あなたをたずねて　今日もあてなく　また汽車にのる　あれから私は

ただひとりきり　あしたはどんな　町につくやら　あなたのうわさも　時折聞くけど
見知らぬ誰かに　すれ違うだけ　いつもあなたの　名を呼びながら　私の旅は
返事のない旅
希望という名の　あなたをたずねて　涙ぐみつつ（寒い夜更けに）　また汽車にのる
なぜ今私は（悲しみだけが）　生きているのか（私の道連れ）
その時歌が（となりの席に）　ひくく聞こえる（あなたがいれば）
なつかしい歌が（涙ぐむ時）　あなたのあの歌（その時聞こえる）
希望という名の　マーチが響く（あなたのあの歌）　そうよあなたに
また逢うために　私の旅は　今またはじまる……〈合掌〉

〔日本音楽著作権協会（出）許諾第二一〇六五五二―一〇一〕

謝辞

本書を著すにあたって当事者の証言は必須であった。筆者の多くの質問に明快に答えてくれ、快くご協力くださった植垣康博氏、筆者の意を汲み取り、多数の未公開資料をプリントアウトしてくださった「連合赤軍事件の全体像を残す会」の雪野建作氏に厚くお礼申し上げる。また、拙著の出版・編集の労を取ってくださった彩流社の河野和憲氏に厚くお礼申し上げる。

引用参照文献

朝山実『アフター・ザ・レッド　連合赤軍兵士たちの40年』(角川書店、二〇一二年)
荒岱介『破天荒伝――ある叛乱世代の遍歴』(太田出版、二〇〇一年)
荒岱介『破天荒な人々――叛乱世代の証言』(彩流社、二〇〇五年)
飯塚訓『完全自供――殺人魔大久保清vs.捜査官』(講談社、二〇〇三年)
飯塚訓「『殺人鬼』大久保清はなぜ自供した」(「文藝春秋」第83巻第8号、二〇〇五年)
池上彰『そうだったのか!　日本現代史』(集英社、二〇〇一年)
石田真二・日野原重明「よど号機長と乗客・日野原重明」(「文藝春秋」第83巻第8号、二〇〇五年)
『一億人の昭和史(8)(9)』(毎日新聞社、一九七六年)
井上薫『死刑の理由』(新潮文庫、二〇〇三年)
植垣康博「連合赤軍問題の総括の革命的意義の抹殺をゆるすな!!」(「無産階級」15号、一九七九年)
植垣康博『連合赤軍27年目の証言』(彩流社、二〇〇一年)
植垣康博『兵士たちの連合赤軍(改訂増補版)』(彩流社、二〇一四年)
「エンマ創刊号6月25日号」(文藝春秋、一九八五年)
大泉康雄『氷の城――連合赤軍事件・吉野雅邦ノート』(新潮社、一九九八年)
大泉康雄『あさま山荘銃撃戦の深層(上)』(講談社、二〇一二年)
大泉康雄『あさま山荘銃撃戦の深層(下)』(講談社、二〇一二年)
大塚英志『「彼女たち」の連合赤軍』(文藝春秋、一九九六年)
大塚公子『57人の死刑囚』(角川書店、一九九五年)
大槻節子『優しさをください　23歳の死』(彩流社、一九八六年)
加賀乙彦「森、永田の精神構造と背景」(「週刊読売」一九七二年四月五日臨時増刊号)
角間隆『赤い雪――総括・連合赤軍事件』(読売新聞社、一九八〇年)
葛城明彦「『連合赤軍事件』半世紀後の『現場』と関係者たちの『それから』」(宝島社、「連合赤軍事件50年目の真相」

二〇二〇年)
加藤B生「戦慄の総括殺人から『あさま山荘』へ　初めて明かす連合赤軍の血と掟」(「現代」第21巻第4号、一九八七年)
加藤倫教『連合赤軍少年A』(新潮社、二〇〇三年)
金井広秋『死者の軍隊――連合赤軍の彼方に(上)』(彩流社、二〇一五年)
金井広秋『死者の軍隊――連合赤軍の彼方に(下)』(彩流社、二〇一五年)
亀井静香「あさま山荘事件　無念の作戦失敗」(「文藝春秋」第83巻第8号、二〇〇五年)
北原薫明『連合赤軍「あさま山荘事件」の真実』(ほおずき書籍、二〇〇七年)
共産主義者同盟赤軍派編『世界革命戦争への飛翔』(三一書房、一九七一年)
久能靖『浅間山荘事件の真実』(河出書房新社、二〇〇〇年)
久能靖「『よど号』ハイジャック事件」(学習研究社、歴史群像シリーズ81「戦後事件史〝あの時〟何が起きたのか」二〇〇六年)
『決定版昭和史16』(毎日新聞社、一九八四年)
坂口弘『控訴審供述調書』(坂口弘、一九八五年)
坂口弘『あさま山荘1972(上)』(彩流社、一九九三年第一刷、一九九五年第八刷)
坂口弘『あさま山荘1972(下)』(彩流社、一九九三年第一刷、一九九六年第七刷)
坂口弘『続あさま山荘1972』(彩流社、一九九五年)
作田明・福島章編『現代の犯罪』(新書館、二〇〇五年)
査証編集委員会編『遺稿　森恒夫』(査証編集委員会、一九七三年)
査証編集委員会編『新編「赤軍」ドキュメント』(新泉社、一九八六年)
佐々淳行「東大・安田講堂攻防戦　中世にも比すべき白兵戦」(「文藝春秋」第73巻第1号、一九九五年)
佐々淳行『連合赤軍「あさま山荘」事件』(文藝春秋、一九九六年)
佐々淳行『ザ・ハイジャック　日本赤軍とのわが「七年戦争」』(文藝春秋、二〇一〇年)
椎野礼仁編『連合赤軍事件を読む年表』(彩流社オフサイド・ブックス22、二〇〇二年)
塩見孝也『赤軍派始末記――元議長が語る40年』(彩流社、二〇〇三年)
塩見孝也・重信房子・和光晴生・足立正生・若松孝二(編者・聞き手　小嵐九八郎)『日本赤軍　世界を疾走した群像』(図書新聞、二〇一〇年)

重信房子「私の『1969年』」(鹿砦社、「1969年混沌と狂騒の時代」二〇一九年)
重信房子『日本赤軍私史　パレスチナと共に』(河出書房新社、二〇〇九年)
重信房子『革命の季節　パレスチナの戦場から』(幻冬舎、二〇一二年)
「実録・連合赤軍」編集委員会+掛川正幸『若松孝二　実録・連合赤軍　あさま山荘への道程』(朝日新聞出版、二〇〇八年第一刷、二〇一〇年第六刷)
清水一夫「『共産主義者同盟赤軍派』と映画労働者」(「情況」二〇〇八年六月号)
「週刊YEAR BOOK 日録20世紀」(講談社、一九九七年二月十八日号〜九月三十日号)
「週刊サンケイ」(産経新聞出版局、一九七二年三月十日号、三月三十一日号)
「週刊前進」(前進社、二〇二〇年二月十三日号)
「週刊読売」(読売新聞社、一九七二年四月五日臨時増刊号)
「情況」(情況出版、一九七三年五月特大号、二〇〇八年六月号)
パトリシア・スタインホフ(木村由美子訳)『日本赤軍派——その社会学的物語』(河出書房新社、一九九一年)
『昭和日本史10、14』(暁教育図書、一九七七年)
「序章」第八号(京都大学出版会、一九七二年)
絓(すが)秀実『1968年』(ちくま新書、二〇〇六年)
鈴木邦男『がんばれ!!新左翼』(エスエル出版会、一九九九年復刻新版)
鈴木邦男『連合赤軍は新撰組だ!——その〈歴史〉の謎を解く』(彩流社、二〇一四年)
「全調査・赤軍事件の真相」(「週刊サンケイ」臨時増刊、一九七二年四月十日号)
高木正幸『新左翼三十年史』(土曜美術社、一九九〇年第二刷)
高沢皓司『兵士たちの闇』(マルジュ社、一九八二年)
高沢皓司『全共闘グラフィティ』(新泉社、一九八四年第一刷、一九九一年第三刷)
高橋檀『語られざる連合赤軍——浅間山荘から30年』(彩流社、二〇〇二年)
高幣真公(たかへいまさひと)『釜ヶ崎赤軍兵士　若宮正則物語』(彩流社、二〇〇一年)
滝川洋『過激派壊滅作戦——公安記者日記』(三一書房、一九七三年第一刷、一九七六年第七刷)
田原総一朗『連合赤軍とオウム　わが内なるアルカイダ』(集英社、二〇〇四年)

筒井清忠編『昭和史講義【戦後篇】(下)』(ちくま新書、二〇二〇年)
『統一公判控訴審　連合赤軍総括資料集　控訴趣意書供述書(坂東国男)』(連赤問題を考える会、一九九二年)
永田洋子『十六の墓標(上)』(彩流社、一九八二年第一刷、一九八三年第六刷)
永田洋子『十六の墓標(下)』(彩流社、一九八三年)
永田洋子『「氷解——女の自立を求めて」』(講談社、一九八三年)
永田洋子『私　生きてます——死刑判決と脳腫瘍を抱えて』(彩流社、一九八六年)
永田洋子『続十六の墓標——連合赤軍敗北から十七年』(彩流社、一九九〇年)
長野県警察本部警務部教養課『連合赤軍軽井沢事件』(旭の友特集号、一九七二年)
中村政則『戦後史』(岩波新書、二〇〇五年)
西浦隆男「森恒夫について改めて思うこと」(「情況」二〇〇八年六月号)
日本史教育研究会『story 日本の歴史——近現代史編』(山川出版社、二〇〇〇年第一刷、二〇一四年第九刷)
橋爪大三郎『労働者の味方マルクス』(現代書館 FOR BEGINNERS シリーズ107、二〇一〇年)
半藤一利『昭和史戦後篇 1945—1989』(平凡社ライブラリー、二〇〇九年第一刷、二〇一八年第二十三刷)
坂東国男『永田洋子さんへの手紙』(彩流社、一九八四年第一刷、一九九五年第二刷)
深井一誠「あさま山荘事件　出所した元少年が語る人生の『総括』」(「文藝春秋」第88巻第12号、二〇一〇年)
福島章『甘えと反抗の心理』(講談社学術文庫、一九八八年)
別冊宝島編集部『死刑囚200人最後の言葉』(宝島社、二〇一九年)
別冊宝島編集部『連合赤軍事件50年目の真相』(宝島社、二〇二〇年)
松岡利康「死者を出した『7・6事件』は内ゲバではないのか？『7・6事件』考(草稿)」(鹿砦社、「1969年　混沌と狂騒の時代」二〇一九年)
三上治『1970年代論』(批評社、二〇〇四年)
三木武司「ビバーク初体験談〜今後の山行の参考のために」(高松高校山岳部・高松高校OB山岳会「岳樺」No.46、二〇〇四年)
村上也寸志『学生反乱の思想史』(亜紀書房、一九七九年)
森恒夫『銃撃戦と粛清』(新泉社、一九八四年)

八木澤高明「『革命』の名のもとに『総括』を命じられ〝同志〟を殺した植垣康博と歩いた事件現場」（宝島社、「昭和・平成日本の凶悪犯罪100」二〇一七年）
安彦良和『革命とサブカル「あの時代」と「いま」をつなぐ議論の旅』（言視舎、二〇一八年）
山平重樹『連合赤軍物語　紅炎』（徳間書店、二〇一一年）
山本徹美「爆弾魔・梅内恒夫のまぼろし」（「文藝春秋」第73巻第4号、一九九五年）
山本直樹『レッド』（講談社、二〇〇七年一巻、二〇一〇年第一刷・二〇一六年第三刷四巻、二〇一一年第一刷・二〇一六年第三刷五巻）
由井りょう子『重信房子がいた時代』（世界書院、情況新書、二〇一一年）
雪野建作「永田指導部の形成過程」（「情況」二〇〇八年六月号）
雪野建作「永田洋子が『切るしかない』」（「文藝春秋」第91巻第2号、二〇一三年）
吉見俊哉『ポスト戦後社会　シリーズ日本近現代史⑨』（岩波新書、二〇〇九年）
読売新聞（大阪本社）社会部『連合赤軍　この人間喪失』（潮出版社、一九七二年）
『連合赤軍〝狼〟たちの時代 1969―1975』（毎日新聞社、一九九九年）
「連合赤軍事件緊急特集号」（「週刊現代」、一九七二年三月二十一日増刊号）
「連合赤軍全調査」（「週刊サンケイ」臨時増刊、一九七二年三月二十七日号）
連合赤軍事件の全体像を残す会『証言　連合赤軍5　25年目に跡地を巡る』（情況出版、二〇〇五年）
連合赤軍事件の全体像を残す会『証言　連合赤軍』（皓星社、二〇一三年）
連合赤軍事件の全体像を残す会『証言　連合赤軍11　離脱した連合赤軍兵士―岩田平治の証言』（皓星社、二〇一七年）
連合赤軍事件の全体像を残す会『証言　連合赤軍12　浅間山荘から四五年　連合赤軍とは何だったのか』（皓星社、二〇一八年）
鹿砦社編集部編『1970年端境期の時代』（鹿砦社、二〇二〇年）
渡辺正則「血の跡を踏んで前進せよ！」（京都大学出版会「序章」第八号、一九七二年）

【著者】
三木武司
…みき・たけし…

1958(昭和 33)年 10 月、香川県高松市生まれ。松島小学校、光洋中学校、高松高校、九州大学理学部生物学科卒業。西南学院高校(福岡市)で時間講師、香川県立高校(志度商業高校、高松東高校、高松高校、土庄高校、高松西高校)で教諭として勤務。2019 年 3 月定年退職。著述業として現在に至る。趣味は昆虫採集。地元の昆虫同好会である「瀬戸内むしの会」の会長を務めている。

［住所］　〒 760-0080 香川県高松市木太町 2627-1-601
［e-mail］　ktksy459@ybb.ne.jp

連合赤軍の時代（れんごうせきぐんのじだい）
二〇二一年十月二十日　初版第一刷

著者——三木武司
発行者——河野和憲
発行所——株式会社 彩流社
〒101-0051
東京都千代田区神田神保町3-10
電話：03-3234-5931
ファックス：03-3234-5932
E-mail：sairyusha@sairyusha.co.jp
印刷——明和印刷(株)
製本——(株)村上製本所
装丁——中山銀士+杉山健慈

ISBN978-4-7791-2778-6 C0021
http://www.sairyusha.co.jp